KORKU KÜLTÜRÜ

Niçin 'Mış Gibi' Yaşıyoruz?

DOĞAN CÜCELOĞLU, İstanbul Üniversitesi psikoloji bölümünü bitirdi. ABD'de Illinois Üniversitesi'nde Bilişsel Psikoloji (algılama, düşünme, iletişim) alanında doktorasını yaptı.

Daha sonra Türkiye'de Hacettepe ve Boğaziçi üniversitelerinde görev alan Cüceloğlu, Fulbright bursuyla bir yıl süreyle Berkeley'deki Kaliforniya Üniversitesi'nde ziyaretçi öğretim üyesi olarak çalışmalarda bulundu.

1980-1996 yılları arasında ABD'de Fullerton şehrindeki Kaliforniya Eyalet Üniversitesi'nde görev yapan Cüceloğlu'nun, kırkı aşkın Türkçe ve İngilizce bilimsel makalesi yayınlandı. 1996 yılından itibaren Türkiye'de üniversite öğrencilerine, öğretmenlere, ana-babalara ve iş insanlarına yönelik seminerlere, konferanslara ve atölye çalışmalarına ağırlık verdi.

1990'dan sonra Türk insanının düşünce, duygu ve davranışlarını psikoloji kavramları içinde inceleyen kitaplar hazırlayan Cüceloğlu'nu 16 Şubat 2021'de kaybettik.

YAYINEVİMİZDEN ÇIKAN KİTAPLARI

Başarıya Götüren Aile • Bir Kadın Bir Ses
• Damdan Düşen Psikolog (söyleşi: Canan Dilâ)
• Derviş'in Aklı (Prof. Ahmet Dervişoğlu ile söyleşi)
• İçimizdeki Biz • İçimizdeki Çocuk • İnsan ve Davranışı
• İletişim Donanımları • Korku Kültürü
• 'Mış Gibi' Yaşamlar • 'Mış Gibi' Yetişkinler
• Onlar Benim Kahramanım • Savaşçı

www.dogancuceloglu.net

DOĞAN CÜCELOĞLU

KORKU KÜLTÜRÜ

Niçin 'Mış Gibi' Yaşıyoruz?

Remzi Kitabevi

KORKU KÜLTÜRÜ / Doğan Cüceloğlu
Felsefi Psikoloji

Yayına hazırlayan: Nezahat Arslan
Kapak tasarımı: Ömer Erduran

ISBN 978-975-14-1761-9

BİRİNCİ BASIM: Mart 2008
GELİŞTİRİLMİŞ İKİNCİ BASIM: Ocak 2017
ONUNCU BASIM: Ağustos 2023

Kitabın ilk basımı 50 000 adet
Kitabın bu basımı 3 000 adet yapılmıştır.

Remzi Kitabevi A.Ş., Akmerkez E3-14, 34337 Etiler-İstanbul
Sertifika no: 10705
Tel (212) 282 2080 Faks (212) 282 2090
www.remzi.com.tr post@remzi.com.tr

Baskı ve cilt: Seçil Ofset, 100. Yıl Mah., Matbaacılar Sitesi
4. Cad. no: 77 Bağcılar-İstanbul
Sertifika no: 44903 / Tel (212) 629 0615

Bir yolculuğun anısı olarak,
oğlum Timur'a…

İçindekiler

Yeni Baskıya Önsöz 9

1. Timur'un İstanbul'da İlk Günleri 11
2. Arif Bey'le Buluşma 26
3. Yolda İlk Gün 36
4. Yaşam Alanları ve Denge 43
5. Varoluşta Özümsenmiş Bilgi: Farkındalık 59
6. "Mış Gibi" Deyince... 86
7. Ortama Getirilen İletişim Bilinci 109
8. İletişim Bilinci Ne Fark Yaratır? 128
9. İki Kültür 144
10. Kalıplanmak ya da Gelişmek, İşte Kader Bu! 181
11. Levent Bey ve Gözlemleri 217
12. Amasya'dan Çıktık Yola 226
13. Niğde'den Taşucu'na 252
14. Özen Göstermek 261
15. Taşucu'ndan Afyon'a 278
16. Afyon'dan İstanbul'a 294
17. Ulus Parkı'nda Kahvaltı 317

Okura Mektup 331
Teşekkür 333
Kitapta Kullanılan Temel Kavramlar Sözlüğü 335

Yeni Baskıya Önsöz

Akatlar'da bir öğle sonrası, ara sokaktan eve gidiyordum; annesiyle yürümekte olan üç yaşlarındaki bir kız çocuğu bana baktı, "Abi gidiyor," dedi. Yanlış söylemiş birinin kendini düzelten tavrıyla, sonra "Amca..." dedi, duraksadı ve en sonunda doğruyu bulmuş birinin rahatlığıyla, "Dede gidiyor," dedi.

"Abi", "amca" ve "dede", yaşa göre denir. Üç yaşındaki çocuk ilişkiler kültürünün karmaşık dinamiklerini çözmüştü.

Türkiye'de üç hafta gezen bir Amerikalı profesör, "Siz büyük bir ailesiniz," demişti. Dede diyen çocuk kendini büyük bir ailenin içinde hissediyordu.

İçinde yaşadığımız kültür hava gibi bizi sarmalar. Varlığının farkında değiliz, ama o sürekli bizimledir. Boğazına su kaçan birine, "Helal! Helal!" dersiniz. Yurtdışından gelen yabancı, "Niye öyle diyorsun?" diye sorar. Bizden birinin hemen anlayıverdiğini yabancıya anlatmak kolay değil. Yabancının gözüyle bakarsanız kendi kültürünüzü keşfedersiniz. Bu kitabın amacı, yaşadığımız kültürün farkına varmamıza yardımcı olmaktır.

Kitap 2004 yılının yaz aylarında yapılan bir yolculukta kaleme alındı; o günün koşullarında yazılmış bir kitap olarak okuyun lütfen. Üç soruyu kapsayan bir projenin ikinci adımı olarak yayınlandı. İlk soru: Toplumsal yaşamımıza baktığımız zaman NE görüyoruz? *'Mış Gibi' Yaşamlar* kitabı bu sorunun cevabını vermek için yazıldı. İkinci soru: NİÇİN böyle oluyor? *Korku Kültürü*, yani bu kitap, niçin mış gibi yaşadığımızın cevabını oluşturuyor. Üçüncü soru: Peki NE yapalım, NASIL bir yol izleyelim? Nasıl sorusuna yanıt olacak kitapta korku-güvensizlik kültüründen saygı-güven kültürüne nasıl dönüşülür konusunu irdeleyeceğim.

Korku-kaygı kültüründen saygı-güven kültürüne geçmedikçe çoğunluk asık suratlı, bıkkın, gergin, kaygılı, şüpheci, kaba ve öfkeli olacaktır. Saygı-güven kültürüne dönüşmedikçe ekonomik ve teknolojik gelişmeler asık suratımızı ve öfkemizi azaltacak yerde daha da artıracaktır.

Bu kitap kimin işine yarar?

İnsan eğitimi ya da insan gelişimi ile ilgilenen anne-baba ve öğretmen iseniz, bir kurumun geleceğini ciddi olarak etkileyen bir yönetici iseniz okumanızı isterim. Umudum odur ki çocuklarınızın, öğrencilerinizin ve çalışanlarınızın karşısına daha farkında olan, daha halden anlayan biri olarak çıkarsınız.

Doğan Cüceloğlu
İstanbul, Kasım 2016

1

TİMUR'UN İSTANBUL'DA İLK GÜNLERİ

Âyinesi iştir kişinin lafa bakılmaz.
Şahsın görünür rütbe-i aklı eserinde.

ZİYA PAŞA

İstanbul'a geldiği akşam Timur, Adana kebap yemek istedi. Onun favori lokantalarından biri yürüyüş mesafemizdeydi. Levent Çarşısı'na doğru yürüdük ve güzel bir yaz akşamı lokantanın terasında oturduk.

Timur yemekten sonra tel kadayıf istedi. Amerika'da bulamadığı yiyecekleri tercih ediyordu. Garsonların hızlı ve kaliteli hizmetinden memnun kalan oğlum, "İşini iyi bilen esnaf, hem kaliteli yemek sunuyor hem de kaliteli hizmet veriyor," dedi.

Yemek sonrası biraz yürüyüş yaptık. İstanbul'a gelmiş olmaktan mutlu olduğu her halinden belli oluyordu. Yüzü gülüyor ama gözleri yorgunluğunu ve uyku ihtiyacını belli ediyordu.

Timur'un İstanbul zamanına alışması üç gün sürdü. New York'tan gelişinin ertesi günü öğleye kadar uyudu. Uyandıktan sonra kahvaltı yaptı ve bir süre bavulunu boşaltıp zaman geçirdi, ardından koşmak için evden çıktı. İki saat sonra karşımda, duşunu almış, dinlenmiş bir adam vardı. "Nerelerde koştun?" diye sordum. Aramızda şöyle bir konuşma geçti.

T: Ulus Parkı'ndan aşağıya indim, Kuruçeşme'yi geçtim, parkın sonuna kadar koştum, geri döndüm, bana iyi geldi.

D: İstanbul'u özlemiş misin? Neler gördün?

T: İstanbul'un kendine özgü bir gizemi, canlılığı, havası var; kıpır kıpır ve insanı içine alıyor. Özlemişim. Kuruçeşme'den dönüşte Ulus Parkı'ndan yukarı çıkarken bir şey dikkatimi çekti, onu seninle paylaşmak istiyorum. Küçük bir oğlan çocuğu marketten alışveriş yapmış, elinde birkaç torba taşıyordu; bayağı ağır bir yükü vardı ve oflayıp puflayarak yürüyordu. Durdum, yanına yaklaştım, birlikte yürümeye başladık. Biraz yüksekçe bir yerde, çalılıkların arasına saklanmış bazı çocuklar, biz yukarıya doğru çıkınca bir araba lastiğini aşağıya doğru bırakıverdiler. Lastik yuvarlanmaya başladı ve az kalsın küçük çocuğu altına alıyordu. Biz hizalarına gelince çocuklar gülüşerek kaçıştı.

D: Çocuklar birbirlerini tanıyorlar mıydı acaba?

T: Sanırım tanıyorlardı. Bu yaşlarda oğlan çocuklarının tipik haşarılıklarından biriydi yaptıkları.

D: Tabii hep oğlan çocukları bu tür haşarılıkları yapar. Ne kadar ilginç, bu tür şakaları kızlardan beklemezsin, değil mi?

T: Bu tür haşarılıkları dünyanın her yerinde ancak erkek çocuklarda görebilirsin. Sanırım erkeğin doğasında var.

Timur başka bir şey söylemek istiyor ama biraz çekiniyormuş gibi geldi. O nedenle sordum.

D: Başka neler gördün?

T: Ulus Parkı güzel ama bakımsız.

D: Gördüğün seni üzdü mü?

T: Evet üzdü.

D: Bakımsızlıktan kastettiğin ne?

T: Her taraf atılmış kâğıt atığı ve pislikle dolu, oturacak temiz ve bakımlı banklar yok, çöp sepetleri düzenli bir şekilde konmamış. Şantiye döküntüsü gibi. Bakınca üzülüyorum.

D: Belki de belediyenin bütçesi yetersizdir.

T: Yapılacak iş o kadar basit ki, önemli miktarda para gerektireceğini hiç sanmıyorum; bir tek kişi, yani gerçekten işini seven ve özenle yapmak isteyen bir tek görevli, bütün o parkı iki hafta içinde yemyeşil yapar ve daha sonra normal bir bakımla o yeşilliği ve güzelliği devam ettirir.

D: Yani ilgisizlikten?

T: Bir tek kişi! Görevini hakkıyla yapan bir tek kişi sorunu halleder. Sustu. Bir süre sonra devam etti: Merdiven basamaklarını güzel taşlardan yapmışlar. Yani gerçekten güzel malzeme kullanmışlar ve özen göstermişler. Ama şimdi, basamak taşlarının çoğu çatlamış, kırılmış sağa sola fırlamış. Hem çirkin bir görüntü oluşturmuş hem de yürürken dikkat etmezsen ayağın burkulabilir.

D: Genel olarak halka açık alanlar bu durumda Timur.

T: New York'ta bakımsız parkların çevresinde bayağı işsiz güçsüz görmek mümkün. Bu insanların çoğu alkol ve uyuşturucu bağımlısı. O nedenle New York'ta geç saatlerde o civarda dolaşmak tehlikelidir. Parkları hela gibi kullanırlar ve bu tür parkların çoğu yerinde keskin sidik kokusu vardır. Ama benim burada, İstanbul'da gördüğüm Ulus Parkı, ailelerin çocuklarıyla gittiği bir yer.

D: Peki Timur, sen İstanbul'da parklarda gezerken bir korku duyuyor musun? Yani, parkların görünüşünden, "Burası tekin değil, alkolik ve uyuşturucu müptelaları etrafta olabilir," diye korkuya kapılıyor musun?

T: Hayır kapılmıyorum. İlk başta New York'tan getirdiğim alışkanlıkların etkisiyle evet, bayağı korkuyor, gerginleşiyordum. Sonra bakıyorum, aileler, çocuklar, kendime yakın gördüğüm güler yüzlü insanlar etrafta dolaşıyor ve eğleniyor; o zaman rahatlıyorum, gerginliğim kayboluyor.

Timur'la kendimizi keyifli bir sohbetin ortasında bulmuştuk. Ben kendime bir meyve suyu aldım, o bir bardak su aldı, konuşmamıza devam ettik.

T: Parkın bir kısmında çalışan insanlar gördüm, yerinden oynamış taşların altına harç koyarak taşları yerine koyuyorlardı. Ama çalıştıkları yerin etrafını çevirmedikleri için ben dahil kimse fark etmedi. Önce basıyorsun, taze harç konduğunun farkına sonra varıyorsun. Yani, akıl alacak gibi değil; çalışılan ortama işaret koymak, böylece tamir edilen yere harç daha yaşken basılmasını önlemek o kadar zor mu?

D: Evet Timur, çok zor.

T: Sahi mi?

D: Gerçekten söylüyorum. Hem çok zor, hem çok kolay.

T: Alay mı ediyorsun?

D: Timur, alay etmiyorum. Bizimle ilgili sana önemli bir bilgi vermek istiyorum. Bu işçileri eş dost vasıtasıyla kimlikleri nedeniyle işe alırız. Görünüşü o izlenimi vermese de, yasal bir çerçeve varmış gibi görünse de, Türkiye'de insanları işe alırken, unvan verirken, kimliklerine göre işe alır ve unvan veririz. Hangi iş ve pozisyon için olursa olsun, insanları yeteneklerine, mesleğine ya da eğitimine göre liyakat temelinde işe almayız. Ayrıca işini iyi yapan ile işini iyi yapmayanı ayırt etmeyiz. Belediye başkanının hemşerisi olarak işe alınmış birine bir şey söylenemiyor.

T: Halk bundan rahatsız değil mi?

D: Bu düzenin böyle devam etmesinin sebebi halk. Bundan başkasını bilmiyor. Kendileri, akrabaları ya da çocukları iş aradığı zaman mutlaka bir tanıdık bulmaya yönelirler.

T: O zaman iş bulmak veya yükselmek için mesleğinde iyi olmaya çalışman gerekmez; tanıdık bulup, onunla ilişkilerin içinde iş bulur ve yükselirsin.

D: Açıkça söylemeyiz; ama durum bu.

T: Yani benim parkta gördüğüm sadece oraya özgü değil, ülkenin her yerinde olan bir durum.

D: Evet her yerde. Ailelerde, okullarda, üniversitelerde, parklarda, devlet hastanelerinde, her yerde. Liyakat bir değer değil.

T: Performansı denetleyen ve raporlayan yok mu?

D: Denetleyen insanlar da ilişkiler içinde kimliklerine göre işe alınmış. Denetleyenler de denetleyeceklerinin kimliklerine bakıyorlar. Önemli olan kimin adamın olduğun; icraatın değil.

T: Sanırım anladım. Peki, neden böyle?

D: İki ihtimal var: Ya parkta çalışanlar o kadar cahil ve eğitimsiz ki, tedbir almayı, işaret koymayı düşünemiyorlar; ya da biliyorlar ama zahmet edip koymak istemiyorlar; çünkü kimsenin umurunda değil.

T: Bu kişiler kendi evlerinin önüne böyle taşlar döşeseler kimsenin basmaması için önlem alırlar herhalde?

D: Alırlar. İşte sorun da zaten burada. Demek ki biliyorlar ama zahmete değer görmüyorlar.

T: Peki, haydi onlar zahmete değer görmüyorlar diyelim, onları o kadroya alarak tamir için gönderenlerin bunu bilmeleri ve çalışanlara söylemeleri gerekmez mi?

D: Timur, söylemek başka bir şey; bizzat başında durarak yaptırmak başka bir şey!

T: Peki, bunu takip eden bir düzen yok mu? Yani çalışan kişilerin performansını takip eden, değerlendiren bir sistem?

D: Benim de söylemek istediğim bu. Başlarında takip eden biri olsa, mutlaka işlerine özen gösterirler.

T: Yani yalnız orada çalışanın değil, o çalışanı denetleme pozisyonunda olan insanın da sorumluluğunu işin içine katmak gerek; bunu belirtiyorsun.

D: Evet.

T: Çalışanların ve onların üstündeki insanların umursamaz oluşlarının bir açıklamasının olması gerek.

D: Doğru, olması gerek. Ve var.

T: Peki, ne?

D: Şu kadarını söyleyerek başlayayım. Vatandaş liyakate değil, ilişkiye daha çok değer veriyor.

T: Ne demek bu?

D: Yaptığın işin kalitesine göre değil, kimin nesi olduğuna daha değer veren bir dünya anlayışımız var. Ben Amerika'dan yeni döndüğümde Laleli'de bir iş hanında beşinci kata çıkmak için asansöre yönelmiştim. Giriş katındaki çaycı, "Asansör bozuk," dedi. Baktım, asansörün üstünde "bozuk" levhası var. Merdivenlere yönelmiştim ki; hemen arkamdan asansöre yönelmiş bir gence çaycının yine "Asansör bozuk," dediğini ve gencin çaycıya, "Bize de bozuk mu?" sorusunu yönelttiğini duydum. Çaycı, "Bozuk bozuk, asansör herkese bozuk," dedi.

T: Vay be! Kısacık bir etkileşim, ama ne kadar çok şey söylüyor. Öyle anlaşılıyor ki o genç ve çaycı daha önce birbirlerini tanıyorlar, bir tanışıklık durumları var. Ve o tanışıklık kuralların ötesinde bir öneme sahip. Demek oluyor ki, her şey ilişkide bitiyor. Bu toplumda güçlü bir arkan olduğu sürece iyi performans göstermene gerek yok.

Timur bir süre sessiz kaldı. Parkta çalışan işçilerin durumundan toplumun genel yapısına geçeceğimizi beklemiyordu. Daha sonra bir soru sordu.

T: Merak ediyorum, parka gelenler benim gördüğüm manzaradan rahatsız olmuyorlar mı?

D: Timur, basit ama önemli bir soru sordun. Üç olası yanıtı var ve doğrusunun hangisi olduğunu bilmiyoruz.

Timur gülümseyerek bana bakıyordu. Onunla geçmişte bu tür konuşmalarımız olmuştu ve benim olayların ayrıntısına indiğimi ve basit konuları karmaşıklaştırdığımı düşünürdü. Kendisi mühendis olmakla ve karmaşık sistemleri basite indirgeyerek sorulara yalın yanıtlar bulmakla övünürdü. Ona göre, basit bir soruyu karmaşıklaştırmakla meşguldüm. Gülümseyişinden bu anlamı çıkardım.

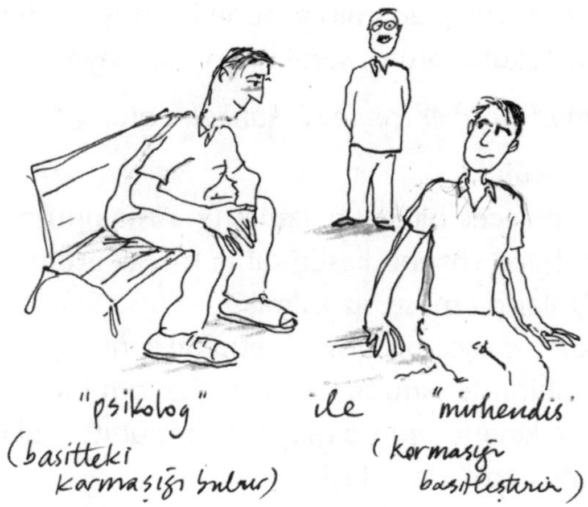

T: Peki nedir onlar?

D: İlk olası yanıt, evet bizim vatandaşımız senin gördüğünü görmüyor; yani onlara göre halka açık yerlerin pis olması doğal, pis olmaması diye bir şey yok. Kendi evlerinin dışında kalan her yer; sokak, kaldırım, okul bahçesi, park pis ve kirli olabilir. Çünkü halk, "Burası bizim sokağımız, bizim kaldırımımız, bizim okulun bahçesi, bizim parkımız" bilincinde değil. O nedenle evinde titiz olan insanımız sokakta veya parkta pis birinin yapacağı şeyleri yapabilir. Yani tutarsızlık var; parkın pis olmasını da kabul edebilir, temiz olmasını da. Park tertemiz olsa, hiç pislik olmasa bunu takdir eder ama bir yandan da bu duruma hayret eder. "Demek ki biri burayı evi gibi temiz tutuyor!" diye düşünür.

T: Yani çoğunluk, burayı kendi parkı olarak görmüyor?

D: Görenler var ama görmeyenler çoğunlukta.

T: O zaman parkı temiz tutmak isteyenler azınlıkta.

D: Evet öyle ve onlar senin duyduğun bu rahatsızlığı sürekli duyarak yaşıyorlar. Ara sıra da sürtüşüyorlar. Bir örnek vereyim. Bir arkadaşım anlattı, eğitimli bir vatandaşımız sokağa tüküren bir vatandaşa, "Beyefendi, nereye tükürüyorsunuz?" diye bir çıkış yapmış. Tüküren hayretle adamın yüzüne bakmış ve "Nereye tüküreyim, sokağa tükürüyorum; suratına mı tüküreydim!?" demiş.

Timur, inanmaz bir tavır içinde bir kahkaha attı.

T: Adam ne demiş?

D: Ne desin, diyecek bir şey bulamamış. Ama unutma…

T: Affedersin baba sözünü kestim ama merak ettim, etraftakiler ne demiş? Onlar da mı sessiz kalmış?

D: Timur, Türkiye öyle bir ülke ki, etraftakilerin ne yapacağını kentin hangi muhitinde olduğun belirler. Sanırım bazı semtlerde tüküren içten içe kınanır ama başka birçok muhitte tükürene laf eden için "tuhaf adam" diye düşünülür.

T: Yani, bu duruma standart bir tepki…

D: Hayır, bu duruma Türkiye'nin her yerinde standart bir tepki göremezsin. "Nereye tüküreyim, sokağa tükürüyorum; suratına mı tüküreydim!?" diyenler daha baskın.

T: Tükürenin, "sokağa tükürmek hakkım" düşüncesinden, "sokağa tükürmek utanılacak bir durum" bilincine geçmesi, kolay bir

şey değil. Baba, demin sözünü kesmiştim. "Ama unutma..." diye bir şey söylüyordun.

D: Ha, evet. Şunu diyecektim, sokağa tüküren bu adama pis deyip geçemezsin, çünkü bu adam sokakta yaptığını evinde yapmaz; başkasının yapmasına da izin vermez.

T: Ama pis olmasa sokağa tükürmezdi.

D: İşte anlaşılması zor olan bu. Adam pis değil. Hangi ortamın temiz tutulması gerektiği konusunda farklı düşünüyor. Evi dağıtan, sağı solu kirleten, kâğıt ve çöp atan çocuğuna birçok anne, "Kirletme, burası ev, 'sokak değil!'" diyebiliyor.

T: Yazık. Bunu söyleyen anne aslında sokağı kirletmenin, sokağa kâğıt ve çöp atmanın doğal olduğunu, hatta beklendiğini söylemiş olduğunun farkında değil.

D: Evet, aynen öyle. Bob Ericksen'i hatırlıyorsun, değil mi?

T: Kaliforniya Eyalet Üniversitesi'nde beraber çalıştığınız, Uluslararası Öğrenci Ofisi'nin yöneticisi olan kişi değil mi?

D: Evet o. Onun İran'da başından geçen olayı sana anlatmış mıydım?

T: Belki anlattın ama şimdi hatırlamıyorum.

D: Anlatayım. Bob üniversiteden mezun olduktan sonra Amerika dışında çalışmak ve dünya görüşünü geliştirmek istiyor; o nedenle barış gönüllüsü olmak için başvuruyor ve onu İran'a gönderiyorlar. İran'a gittiğinde ilk bir ayını Tahran'da, yoğun Farsça dersleri alarak geçiriyor. Tahran'a vardığı andan itibaren sokakların pisliği ve özellikle insanların sokaklara tükürmesi, sümkürmesi midesini bulandırıyor. Ama cesaret edip kimseye niye böyle yaptıklarını soramıyor.

Gittiğinin üçüncü haftası Farsça öğretmeni Ali'yle samimiyeti biraz ilerletiyor ve bu arkadaşlığa güvenerek, "İzin verirsen sana bir soru soracağım," diyor. Ali, "Tabii sor," deyince, "Kadınlar değil ama erkeklerin çoğu sokağa tükürüyor veya sümkürüyor; neden sokağa sümkürüyorlar?" diye soruyor.

Ali hayretle Bob'a bakıp, "Peki Amerika'da siz ne yaparsınız?" diye soruyor. Bob mendilini çıkarıp burnunu siler gibi yapıyor. Ali öğretmen, "Peki, daha sonra bu mendili ne yapıyorsunuz?" diye soruyor. Bob bu soruya hayret ediyor ve "Tabii cebimize koyarız," diyor. Hayret etme sırası bu sefer Ali öğretmene geliyor, "O pis sümüklü mendili cebinize nasıl koyarsınız?" diye soruyor. Bob şaşırıyor, verecek yanıt bulamıyor.

T: Yani İranlı Ali öğretmen için mendil sümüklü olunca cebe konulması iğrenç, ama herkesin ayak bastığı ve gelip geçtiği sokağa tükürmek, sümkürmek iğrenç değil.

D: Deminden beri onu söylemeye çalışıyorum. Biz, evimizin dışında olan, halka açık toplumsal mekânların temizliğinden sorumluluk almıyoruz ve çocuklarımıza da öğretmiyoruz. Çocuk büyürken nelerden sorumluluk alacağını öğrendiği kadar nelerden sorumluluk almayacağını da öğreniyor.

Timur durakladı, "Nelerin sorumluluğunu alacağını öğrendiğin kadar nelerin sorumluluğunu almayacağını da çocukken öğreniyorsun," dedi. Biraz düşündükten sonra, "O zaman benim, sokakların ve parkların pislik içinde olmasına hiç hayret etmemem gerek," dedi.

D: Biliyor musun, Hindistan'da sokaklara, sadece sümkürmek ve tükürmekle kalmıyor, dışkılarını da yapıyorlar.

T: Evet, bunu duymuştum ama uydurduklarını sanıyordum.

D: Hayır uydurmuyorlar. Geçen yıl iki haftalığına Hindistan'a gittim ve orada kendi gözlerimle gördüm. On üç-on dört yaşlarında bir kız çocuğu ile kardeşi olduğunu sandığım sekiz-dokuz yaşlarındaki bir oğlan çocuğu, yolun hemen kenarına, kaldırım vazifesi gören yere kakalarını yapıyorlardı. Otobüs geçerken penceresinden baktım; hele o yaştaki bir kız çocuğunun külotunu indirip bunu yapması iyice tuhafıma gitmişti. Trafik tıkanınca tesadüfen otobüs bir süre orada durdu. Sonra kız işini bitirdi, ayağa kalkıp külotunu çekti. Etraftaki insanlara baktım, besbelli hiç kimse çevresinde tuhaf bir şey olduğunu düşünmüyordu. Tuhaf tuhaf gülenler ve birbirine bakanlar, dünyanın değişik ülkelerinden gelmiş biz turistlerdik.

T: Yani Türkiye'de sokağa tükürmek nasıl tuhaf değilse, orada da sokağa dışkılamak tuhaf gelmiyor insanlara.

D: Timur, insanlar kendi evlerinin dışındaki mekânları temiz tutma konusunda sorumluluk almayı öğrenmemişler.

T: Umumi tuvaletlerin pis oluşunu da aynı nedene bağlayabilir miyiz?

D: Timur, sana bir soru soracağım. Türkiye'de misafir olduğun evlerde tuvaletler pis mi, temiz mi?

T: Temiz. Türk evleri, sadece tuvaletler yönünden değil, daha birçok yönden Amerikan evlerinden daha temiz, daha derli toplu.

Timur, bir süre sessiz kaldı. Bir bardak daha su aldı ve konuşmasına devam etti.

T: Baba üç olası yanıttan söz etmiştin ve ilki, insanlar benim gördüğüm gibi görmüyorlardı. Diğerleri?

D: İkinci olası yanıt, Türk insanının bir kısmı parkı senin gibi kirli görmesine rağmen bu konuda yapabileceği hiçbir şey olmadığını düşünebilir.

T: Niçin?

D: Psikolog Martin Seligman, "öğrenilmiş acizlik"[1] diye bir kavram üzerinde otuz yılı aşkın incelemeler yaptı. Şimdi bu kavramın tartışmasına girmek istemiyorum ama "bir anlamda öyle" derken, Türk insanının çocukluktan itibaren acizleştirildiğini ve yetişkin hale geldiğinde, değil parkın kirliliği gibi toplumsal sorunların çözümü, meslek seçmekten bile aciz olduğunu söylemek istiyorum.

---

(1) Christopher Peterson, Steven F. Maier and Martin E. P. Seligman, *Learned Helplssness: A Theory for the Age of Personal Control*, Oxford University Press, 1995.

T: İlginç bir kavram. Kısaca anlatman mümkün mü?

D: Martin Seligman'ın yaptığı klasik bir deneyden söz edeyim. Üç grup köpek alınıyor. Bu gruplara A, B ve C diyelim. A grubundaki köpekler, tabanı ızgara biçiminde tellerden oluşmuş bir deney odasına konuyor ve orada ayakta duruyorlar. Bu ızgaraya ölümcül olmayan ama köpeğe acı verecek miktarda elektik şoku veriliyor. Köpekler şoku yiyince canları yanıyor ve hemen odadan kaçacak bir yer arıyorlar. Odada, bir mandala basınca açılacak bir kapı sistemi var. Şok verilen köpekler odadan nasıl çıkılacağını hızla öğreniyor ve diğer denemelerde şok verince hemen kapıyı açıp kaçıyorlar.

T: Bu köpekler şoktan nasıl kurtulacaklarını öğreniyorlar.

D: Evet, A grubu şoktan kurtulmanın yolunu öğreniyor. B grubundakilere de şok veriliyor. Köpekler havlıyor, kıvranıyor, kapı mandalına basıyor, kapıyı tırmalıyor ama kapı kilitli olduğu için açılmıyor. Şok, belirlenen süreye kadar devam ediyor ve sonra diniyor. Bu gruptaki köpekler şok sırasında titremeye, mesanelerini ve bağırsaklarını kontrol edememeye başlıyor. Bir süre sonra kaçmaya dahi teşebbüs etmiyor. Bu aşamada üçüncü deney başlıyor. Tabanı ızgaralı, üzerinden rahatlıkla zıplayarak kaçabilecekleri bir çitle çevrilmiş bir mekâna konan A grubundaki köpekler açılacak bir kapı arıyor, çitleri tırmalıyor, ama açacak kapı bulamayınca hoplayarak kendilerini dışarı atıyor.

T: B grubundakilerin ne yapacağını tahmin edeyim mi?

D: Evet, et. Çünkü esas onların davranışı, bize bu öğrenilmiş çaresizlik kavramını anlatacak.

T: B grubundaki köpekler şok verilince titriyor, inliyor, idrarlarını yapıyor, dışkılıyor ama çitten dışarı atlamak akıllarına gelmiyor.

D: Evet, B grubundakiler aynen senin dediğin gibi davranıyor. Peki, daha önce hiçbir denemeye katılmamış olan C grubundaki köpeklerin bu yerde ne yapacağını da tahmin edebilir misin?

T: Onlar, şok verilir verilmez hop, çitten dışarı atlıyorlar, A grubundaki gibi çıkacak kapı falan aramıyorlar.

D: Evet Timur, söylediğin gibi oluyor. A grubundakiler kurtulma yolunu öğrenirken, B grubundakiler, hiçbir şey yapamayacaklarını öğreniyorlar. İşte Martin Seligman bu duruma "öğrenilmiş acizlik" diyor. Bazı meslektaşlarım buna "öğrenilmiş çaresizlik" demeyi tercih ediyor.

T: Baba, öğrenilmiş acizlik ya da çaresizlik; bu güçlü bir kavram. Bunları her ana-baba ve eğitimcinin bilmesi gerekir.

D: Bence şirket yöneticilerinin, sosyal değişimi planlayan siyasetçi ve ekonomistlerin de bilmesi gerekir.

T: Peki, köpeklerin dışında başka deneyler yapılmış mı?

D: Evet, aklına gelecek her hayvan ve insan üzerinde yapılmış.

T: İnsana da elektrik şoku vermişler mi?

D: Hayır hayır. Zekice deneyler düzenlemişler. Her hayvana elektrik şoku bile verilmemiş. Örneğin, pirelerle yapılan deneyde, doğal olarak 75 cm yüksekliğe sıçrayan pireler, boyu 40 cm olan cam tüplere konmuş ve tüplerin ağzına kapak konmuş. Pire bir saat sonra tüpten çıkarıldığında, en fazla 40 cm sıçramaya başlamış.

T: İlginç. İnsanlarla nasıl yapılmış?

D: Onlarla da gürültülü bir ortamdan kurtulma ya da kurtulamama durumları yaratılarak deneyler yapılmış. İlgilenirsen kitabı alıp okuyabilirsin. Ama burada ben bu kavramın içine daha fazla girmek istemiyorum. Herhalde söylemek istediğimi anladın. Türk insanı doğumdan itibaren ailede, okulda, toplumda, devletle ilişkisinde sürekli bir acizliği öğrenme sürecinde. O nedenle, başka bir toplumda bir vatandaşın kolayca ve rahatlıkla düşünüp yapacağı bir şeyi, benim vatandaşım çözme çabasına girmek yerine "kaderi" kabul edip onunla yaşayabiliyor.

T: Yani "gücüm yetmez", "ne yapılabilir ki", "ben yapamam" duygusu.

D: Visa Europe Türkiye, lise ve üniversite öğrencilerinin yaklaşım ve eğilimleriyle ilgili bir araştırma yaptı.[1] Bu araştırmanın bence en ilginç bulgularından biri, gençlerin büyüdükçe kendilerini daha az bağımsız hissetmelerini ortaya koyması. Lisenin ilk yıllarında yüzde 75'lik bir kesim kendisini bağımsız hissederken, bu oran lisenin ikinci yılında yüzde 72'ye, üniversitenin ilk yılında yüzde 68'e, üniversitenin ikinci yılında ise yüzde 63'e kadar düşüyor. "Şartlar tarafından sürüklendiğimi hissediyorum" diyenlerin oranı, liseli gençlerde yüzde 47 iken, üniversiteli gençlerde 61'e çıkıyor. Gördüğün gibi Timur, yaşamın direksiyonunda olmama, "Sokağa tükürene bir daha ağzımı açarsam dayak yerim ve kimse gelip beni kurtarmaz" duygusundan daha derinlere inen bir duygu, "Ben acizim", "Benim elimden bir şey gelmez", "Kendi yaşamımı yönetmek gücü bende yok" duygusu ve bunun da, dayak yeme korkusundan kaynaklanan çekingenlikten farklı temelleri var.

T: Yani bazı insanımız parkları, sokakları benim gibi görüyor, ama yapılacak bir şey yok duygusu o kadar güçlü ki, bu konuyu dile getirmeyi bile anlamlı ve gerçekçi bulmuyor.

D: Evet, ikinci olasılık olarak bunu görüyorum. Bizim iki sözümüz var: "Böyle gelmiş böyle gider" ve "Doğru söyleyeni dokuz köyden kovarlar".

T: Baba bir keresinde sen yaptığım bir şeye kızmış ve bana, "Eski köye yeni âdet getirme," demiştin. Bu söz de aynı düşünceyi ifade etmiyor mu?

Güldüm, Timur beni tam zamanında yakalamıştı. Eski bir hesabın ödemesini yaptığımı hissettim. Anladığımı o da fark etti, karşılıklı gülümsedik.

T: Peki, üçüncü olası yanıt nedir?

---

(1) Nuran Çakmakçı, "Gençlerin Okul ve Meslek Seçiminde Söz Hâlâ Ailenin", *Hürriyet* İnsan Kaynakları, 7 Ekim 2007.

D: Üçüncü olası yanıt Timur, en tehlikeli olanı. İnsanların artık bu durumları kanıksaması, umursamaması, dikkate alınacak, üzerinde düşünülecek bir konu olarak görmemesi.

T: Bunun ikincisinden farkı ne?

D: İkincisinde birey durumu görür, içi sızlar, elinden gelse bir şeyler yapmak ister. Yani, gizli bir "keşke" vardır içinde. Bunda ise böyle gizli bir keşke yoktur.

T: Peki, bunun birincisinden farkı ne?

D: Birincisinde üzerinde düşünülecek bir sorun olduğunu algılamaz, sorunun farkında bile değildir. Yani onun anlam dünyasında üzerinde düşünülmesi, çözülmesi gereken herhangi bir durum yoktur. İkincisinde ise sorun var ama "Ben acizim, keşke güçlü olsaydım da bir şeyler yapabilseydim" duygusu vardır. Üçüncüsünde ise, sorunu görür ama "Bana ne, isterse her tarafı b.k götürsün, beni ilgilendirmez, ben kendi rahatıma bakarım" anlayışı vardır.

Timur, son söylediğimi duyunca durakaldı. Bir süre düşündü ve "Baba, bana göre en hastalıklı bakış tarzı bu son söylediğin," dedi. "Evet Timur, en tehlikeli olanı da bu olasılık," dedim. İkimiz de sustuk ve kendi dünyamızda düşüncelere daldık.

2

ARİF BEY'LE BULUŞMA

...
Gönül ne tarafı gösterir ise,
beş duyu da eteklerini toplar o tarafa koşar...

MESNEVİ

Timur'la, Levent'e doğru yürüyoruz. Amacımız Levent Çarşısı'na yakın olan alışveriş merkezine yürümek. Orada Arif Bey'le buluşacağız. Timur ilk kez karşılaşacak Arif Bey'le.

Yürürken yolda çalışan işçiler dikkatimizi çekti: Üç kişi sokaktaki kanalizasyonun kapağını kaldırmış, uğraşıyordu. İşçilerin koymuş oldukları işaretler yetersizdi, hızla giden sürücülerin işaretleri görmeme olasılığı yüksekti.

Durumu görünce yüreğimiz ağzımıza geldi. İşçilerin tavır ve hareketlerinden, olası bir tehlikenin farkında bile olmadıkları, yoldan geçen bir sürücünün onları görmeme ihtimalini hiç akıllarına getirmedikleri anlaşılıyordu.

Timur, "İşçiler kendilerini tehlikeye attıklarının farkında değiller," dedi. Bu durumlarla sık sık karşılaşacağımızı ve neden böyle olduğunun üzerinde düşünmemiz gerektiğini söyledim. Olur, anlamında kafasını salladı.

Ona şunları söyledim: "Bu konuyu önemsiyorum. Her gün trafikte, inşaatlarda, işyerlerinde meydana gelen kazaların çoğunun altında, tehlikenin farkında olmamaktan kaynaklanan önlem alma eksikliğini görüyorum. Bu konuda ulus olarak seferberlik ilan edip insan-

larımıza, İngilizce safety consciusness *denilen, "güvende olmak için tedbir alma bilinci"ni öğretmemiz ve bunu yaymamız gerekiyor. Bu konuda çevre bilinci oluşturma gibi ciddi bir toplumsal akımın başlatılması, bunun için de anaokulları, ilköğretim okulları, lise ve üniversitelerde özel dersler konması gerektiğine inanıyorum. TÜSİAD gibi güçlü kuruluşların bu konuya el atması ve işyerlerinin bu bilinci oluşturmak için eğitim alması gerektiğine de..."*[(1)]

Yürümeye devam ettik. Bu sırada bir polis arabası, arabaların dönmemesi gereken yerden döndü, durdu ve bütün trafiği her iki yönde de tıkadı. Arkadaki arabalar korna çalmaya başladı ama öndekiler çalmadı çünkü onlar, bu uygunsuz davranışı yapanın polis olduğunu gördüler ve uslu uslu beklediler. Polis arabasını görünce arkadaki arabalar da korna çalmayı kesti. Polisin acil bir durumu ve görevi mi var, diye bakındık. Hayır, bu bir görev durumu değildi. Polis olmanın gücünü kullanıyorlardı.

Levent Çarşısı'na doğru döndük. Köşedeki parkın içinde sarhoş mu, esrarkeş mi, meczup mu olduğunu anlayamadığım birinin, bir ağacın altında elindeki şeftaliyi yerken bir yandan da dışkılamakta olduğunu gördüm. Hayretler içinde bakakaldım!

Önce içimden, yıllarca İstanbul'da yaşadığım halde hiç görmediğim bir durumu şu anda görüyor olmam tamamen bir tesadüf mü, yoksa bunun altında mistik bir anlam mı aramalıyım, diye düşündüm. Timur farkında değildi. Ona gösterme ya da göstermeme arasında tereddüt ettim.

Gerçek gerçekti. Onun bu durumu nasıl algılayıp yorumlayacağını merak ettim. Dürterek gösterdim, "Vay be, bunu yapmak İstanbul'da normal mi?" diye sordu. "Hayır, ben ilk defa görüyorum," dedim ve

(1) Ülkemizde iş sağlığı ve güvenliği alanında temel hukuki düzenleme 6331 sayılı İş Sağlığı ve Güvenliği Kanunu (İSGK) 2012 yılında kabul edilmiştir. Bu yasanın oluşmasında emeği geçenleri tebrik ediyor ve teşekkür ediyorum. Yeniden hatırlatmak isterim, kitap 2004 yılının Temmuz ayında yapılan gözlemleri yansıtıyor.

ilave ettim, "Hindistan'da bunu gördüğümü söylemiştim. Ama orada bunu normal sayılan insanlar yapıyor, burada ise aklı başında olmayanlar."

Etrafıma bakındım, öğle arasında o bölgedeki işyerlerinde çalışan kadınlı erkekli bir grup, ellerindeki sandviçleri yemekteydi. Gençlerden biri öfkelendi ve söylene söylene adama doğru yürümeye başladı.

"Kalk lan it oğlu it, kalk başka yerde yap işini, eşşoğlu eşek, kalk!" diye adamın üstüne yürüdü.

Adam işine devam ediyor, bir yandan da abuk sabuk konuşmalarla bağırıp çağırıyor, ona cevap vermeye çalışıyordu. Genç, ayağıyla, meczup olduğunu o an anladığım adamı göğsünden itekledi. Az kalsın düşecek olan adam kalktı, bir yandan yırtık pantolonunu düzeltiyor, bir yandan da avazının yettiği kadar bağırıp çağırarak kendini itekleyen genç adama anlaşılmaz şeyler söylüyordu. Sanırım bu anlaşılmaz şeyler küfürdü, öyle bir edayla söylüyordu.

Genç adam, "Eşekoğlu eşek, git lan, başka tarafa git, bak döverim seni, bak parçalarım seni!" diyordu.

Oldukça gözde bir muhitte, bu olay, gün ortasında yaşanıyordu. Kendimi bir film setinde gibi hissettim o an. (Aldığım notlara göre, bu olay Temmuz 2004'te, Çarşamba günü saat 12:45 dolaylarında Levent Çarşısı'nda olmuş.)

Timur'a, "Burası şehrin gözde semtlerinden biri. Gece değil de günün ortasında böyle bir şeyle karşılaşmamız ne kadar ilginç," dedim.

Etrafa ve yerdeki kâğıt ve naylon parçalarına bakan Timur, "Burası gözde bir semt, değil mi! İnanamıyorum bütün bunlara!" dedi.

Adam bağırıp çağırarak o gruba doğru yürürken gencin kafası iyice bozulmaya başladı, "Git ulan git, git gözünü patlatırım ha! Gitsene len, bak var ya, anam avradım olsun öldürürüm seni ha. Git eşşekoğlu eşşek!"

Kızlar biraz tiksinme, biraz korku, biraz şaşkınlıkla durumu izliyordu. Bana göre genç adam, park yerinin, o sosyal ortamın onu-

runu korumaya çalışıyordu. Ama adamın meczup, zavallı, yardıma muhtaç biri olduğunu hiç hesaba katmaz bir tavır içindeydi. Müthiş bir "insan sevgisi yokluğu" hissediyordum. Ve o zavallının şimdi bu sevgi dolu tutuma, anlayışa, yaklaşıma ihtiyacı vardı.

İçim müthiş acısa da, kızların ortamda bulunmasının ve olaya seyirci olmasının durumu daha duyarlı hale getirdiğinin farkındaydım. Genç bir delikanlının, kızların bulunduğu bir ortamda böyle davranma eğilimi göstereceğini biliyordum. Timur, tüm parasal varlığına rağmen Amerika'da da sokağa bırakılmış böyle akıl hastalarının bulunduğunu ve maalesef sevgisizliğin yaygın olduğunu söyledi. Kafamdan birçok soru geçiyordu: Bu öfkeli genç, öfkesini yenemeyerek öldürücü bir darbe vursa ve meczup ölse, bu gencin yaşamı nasıl etkilenir; ona yazık olmaz mı?

Kimsenin aklına polisi çağırmak gelmedi. Öyle anlaşılıyor ki, kendini en yiğit, en delikanlı gören kolları sıvadı ve kendi "iyisi-doğrusu" çerçevesinde bir şeyler yapmaya çalıştı.

Polisi çağırmak neden kimsenin aklına gelmedi?

Meczup, postane binasının sokağına söylene söylene gitti ve bir süre sonra gözden kayboldu. Gençler de yerlerinden kalktılar ve karşı tarafa doğru yürümeye başladılar.

Arif Bey'le buluşmaya geç kalmamak için biz de yürümeye devam ettik. Önümüze iki küçük çocuk çıktı. Kâğıt mendil satmak için yolumuzu kestiler, "Abi bir tane al, hadi abi bir tane al, ekmek parası ver abi, açız abi," demeye başladılar. İstanbul bütün "şirinliğini" Timur'a göstermeye kararlıydı. Sanki gizli bir el, "Bunları da gör," diyerek önümüze manzaralar çıkarıyordu. Timur'a sordum.

D: Bunlar senin yaşadığın şehirde de var mı?

Bu kadar ufak çocukların böyle bir şey yapamayacaklarını, polis tarafından toplanıp anne babalarının bundan sorumlu tutulacağını ve muhtemelen çocukların onlardan alınıp devlet kurumlarında büyütüleceğini söyledi. Ve bir süre sonra devam etti.

T: Devlet kurumlarında yetişen çocukların çoğu maalesef büyüyünce suçlu oluyor. Çünkü o kurumlardaki kişiler, anne ve baba şefkati ve sevgisi veremiyor.

Biraz sonra Arif Bey'le buluşacaktık. Arif Bey bugün öğleden sonra bir arkadaşının araba vergisini yatıracakmış, o nedenle önce alışveriş merkezinde buluşup bir öğle yemeği yemeyi ve daha sonra birlikte vergi dairesine gitmeyi önermişti. Vergi dairesine gitme fikri Timur'un hoşuna gitmedi.

T: Vergi dairesine gitmek istediğimden emin değilim!

D: Toplumsal yaşamın bir parçası; görmeni isterim.

Timur gülümseyerek önerimi kabul etti. Lokantaların olduğu katta Timur ile Arif Bey'in tanışması heyecanlı oldu. Sanki ikisi de oğlumdu; duygusal olarak ikisini de kendime yakın hissediyordum ve onların tanışmaları bana heyecan veriyordu. Arif Bey öğretmen, Timur makine mühendisi. İnsanca yaşamaya ve kendilerini geliştirmeye önem veren iki insan. Önce el sıkıştılar, daha sonra Timur, Arif Bey'i kucakladı. O da mahcup bir edayla karşılık verdi. Timur makarna, ben ton balıklı salata ve Arif Bey de köfte aldı.

A: Timur Bey, sizinle ilk defa karşılaşıyoruz ama görmeden de sizi tanıyor gibiydim.

T: Ben de sizi. Sana "Arif" desem, sen de bana "Timur" desen olur mu?

A: Memnun olurum.

Timur bu kez gülerek bana döndü,

T: Baba, sana "baba" demeye devam edeceğim. Gülüştük.

Yemeğimizi yemeye devam ettik. Arif, Türkçe aksanı hoşuna giden Timur'a, New York'tan İstanbul'a gelişiyle ilgili sorular sordu. Birlikte yapacağımız yolculukla ilgili konuştular, kaynaştılar. Yemeğimizi bitirdik.

A: Benimle vergi dairesine gelmek istediğinizden emin misiniz?

T: Babam ikna etti. Vergi dairesi gözlemler yapmak için bir fırsatmış.

Ben de gitmek istediğimi söyledim ve alışveriş merkezinin önünden bir taksiye binerek yola çıktık. İlgili semtin taşıtlar vergi dairesine geldik. Temmuzun son günleri, ay bitmeden taşıt vergisinin ödenmesi gerekiyor, belki o nedenle kalabalık.

Arif'in bir arkadaşı arabasını satacakmış, kendisi gelemeyeceğinden ona vekâlet vermiş, işlerini o takip ediyor. Arabayı alacak adam da aslında Ankara'da imiş, o da bir başkasına vekâlet vermiş, onunla buluştuk ve vergi dairesine gittik. Oraya gitmekte asıl amacımız temiz kâğıdı almaktı, yani aracın vergi borcu olmadığını gösteren bir belge. Ocak ve temmuz aylarının vergileri ödenmemiş ve arkadaşı bunu Arif'e söylemiş. Sabah oraya gitmeden önce Arif, www.maliye.gov.tr'den arabanın başka borcu olup olmadığını öğrenmek istemiş. Başka borç çıkmamış. Bu bilgiye güvenerek Arif yanına o miktarda nakit para almış.

Borcun ödeneceği yer üçüncü katta. Hafif dönerek çıkan merdivenin inanılmaz dar bir boşluğu var. Sahanlıklar var ama küçük ve dar olduğu için sıkışık bir durum yaratıyor. Bir kuyruk birinci kata ka-

dar iniyor, daha girerken bu kuyrukla karşılaşınca birbirimize bakarak, inşallah bu bizim kuyruk değildir, dedik. Biraz daha yani bir buçuk kat daha yukarıda başka bir kuyruğun ucu görünüyor. Alttaki kuyruktakilerden, onun taşıt vergisi ödeme kuyruğu olduğunu öğrendik.

Arif, "Siz burada durun, ben bu kuyruğun başına gideyim, doğru kuyruk olduğundan emin olalım," dedi.

Ben de onunla gittim. Kuyruğu izleyerek yukarıya çıktık ve en son üçüncü kata vardık. Üçüncü kat acayip izbe, sigara dumanından göz gözü görmüyor, inanılmaz ter kokuyor ve sıcak. Salonun içine girildiği zaman, iki yanda banko var, bankoların arkasında birer memur oturuyor ve sayısını tam tahmin edemiyorum ama yüzlerce kişiye onlar hizmet veriyor.

Uzun kuyruk, sağ taraftaki bankoya gidiyor, daha kısa olan ise sol taraftaki bankoya. Biz, sağ taraftaki kuyruğun ucunu takip ettik. Para kuyruğu olup olmadığını, memura soracaktık ama adamın başı o kadar kalabalıktı ki ona sormayı ayıp bulduk ve kuyruktakilere sorduk. Olumlu yanıt aldık.

Memurun çalıştığı yerin hemen üstünde bir kâğıtta şöyle yazıyor; "Temiz kâğıdı alıp muayene yaptıracaklar, önce muayene bedelini ödemeliler." Orada vezne de var, görüyoruz; içimiz rahatladı, adamın başında bu yazı olduğuna göre temiz kâğıdı herhalde buradan alınıyor sonucuna vardık, gerisingeri indik.

Timur'la konuşarak kuyrukta beklemeye başladık. Kuyruk bir buçuk saatte bitti, yani o kata geldik. Kata geldikten sonra dahi kırk beş dakika bekledik; yani katın içinin ne kadar kalabalık ve havasız olduğu buradan da anlaşılabilir. Vezneye varmamıza on beş-yirmi kişi falan kalmıştı, bir anda sağ tarafta kısacık bir kuyruk daha olduğunu fark ettik. Orada da on beş veya yirmi kişi vardı.

Bir yanlışlık olmasın diye düşündük, çünkü fark ettiğimiz bu kuyruk da sağ bankoya gidiyor ve orada tek bir adam oturuyordu. Sonra fark ettim ki, tek adam oturmuyor, kısa olan kuyruk, daha ilerideki bir başka adama doğru gidiyor, uzun olan kuyruk bankoyu dolanıyor. Arif'e durumu gösterdim. O zaman anladık ki önümüzde hâlâ elli kişi falan var. Çünkü bizim kuyruk tüm bankoyu dolanıyordu.

Herkes birbiriyle sohbeti ilerletmiş, hatta öndekiler şakalaşıyordu. Böyle kuyrukların avantajı herkes birbiriyle ahbap oluyor, dost oluyor. Birine sordum, "Sizinki ne kuyruğu?" diye. "Bizimki tek araba kuyruğu," dedi. "A öyle mi? O zaman bizimki çok araba kuyruğu mu oluyor?"

Aldığım evet cevabı üzerine, hiç zaman geçirmeden yerimden çıktım ve o kuyruğa girdim. Arif ve Timur da beni takip etti. Arkamızdan bir uğultu, mızırdanmalar, konuşmalar oldu. Tek araba mı, çift araba mı, falan diye millet konuşmaya başladı.

Çok araba kuyruğundakilerin bir kısmı uyanıp tek araba kuyruğuna girdiler ve o kısa kuyruk bir anda uzadı ve merdivenden aşağı doğru inmeye başladı. Ve insanlar, bilseydik burada beklemezdik, falan diye söylenmeye başladı. Meğerse bizim beklediğimiz kuyruk takipçilerin kuyruğuymuş ve bir türlü ilerlememesinin, daha doğrusu yavaş ilerlemesinin sebebi de her birinin elinde birden fazla araba evrakı olmasıymış. Bir adam beş tane, on tane, hatta on beş tane araba için ödeme yapıyor, mesela.

Tam bu sırada biri, o çok arabalı kuyruğun en önünden söylenerek geri geldi ve, "Ne bu ya," dedi ortaya, "bir sağ kuyruk var, bir sol kuyruk." Ortada ufak bir boşluk vardı, o boşlukta durdu. Birileri kendisine destek versin istedi herhalde. Yeniden, "Ne bu ya," dedi, "hiçbir uyarı yazısı yok. Ben temiz kâğıdı alacaktım, ödeme kuyruğuna girmişim, bir buçuk saat bekledim, nihayet burada sıra geldi. Yani şimdi ben burada bu arkadaşlara nasıl sorayım, nasıl diyeyim önünüze geçeyim diye, şu temiz kâğıdını ödeyeyim diye, burada bir buçuk saat bekledim, o boşa gitmesin, nasıl diyeyim şimdi?"

Herkes önüne baktı, "Eee adam haklı," dedim olduğum yerde, kendi kendime. Arif duydu. Önümdeki, arkamdaki duydu ama adama da dönüp haklısınız, diyemedim.

Gerçekten hiçbir yerde hiçbir yazı yok, yanlış kuyruğa cidden girebilirsin, Arif'le ben yukarı sırf bu amaçla çıktık, sorduk, buna rağmen tek araba çok araba kuyruğunu fark edemedik.

Ben, "Adam haklı," deyince, önümüzdeki adam, "Hayır efendim," dedi, "gelip sorsaydı, bak biz doğru kuyrukta bekliyoruz, geldik sorduk, doğru kuyrukta bekliyoruz."

Arkamdaki adam klasik, "Efendim bu memleket adam olmaz," tartışmasını başlattı. "Her yanımız yamuk" muhabbeti başladı. Başka biri, "Ben de şunu kaçırdım, ben bunu görmedim, bilseydim buraya gelmezdim," dedi. "Zaten herkes üçkâğıtçı, yapanın yanına kalıyor," gibi konuşmalar aldı başını gitti.

Timur bütün bu olan biteni yüzünde bir gülümsemeyle izliyordu. "Sıkıldın mı?" diye sordum. "Hayır," dedi, "bu deneyimi hiçbir şeye değişmezdim. Bence burası videoya çekilmeli ve üniversitelerde iş yönetim derslerinde 'bir ofis nasıl yönetilmemeli' örneği olarak, vaka çalışması olarak gösterilmeli."

Ne demek istediğini anlamıştım. Neyse, biz o kuyruğu bitirdik.

Maliyenin internet sitesinde, arabanın iki ay dışında borcu yok görünüyormuş ya, oysa 2001'den borcu varmış ve bir sürü faiz birikmiş. İnternet sitesinde henüz 2001 görünmüyormuş. Ödemeyi yapıp, makbuzu aldık.

Sonra öbür kuyruğa, temiz kâğıdı kuyruğuna girdik, bir saat de orada bekledik. Sıra bize yaklaşıyor ancak zaman da geçiyordu. Ne zaman kapanıyor diye herkes birbirine soruyordu. Tam Arif'in işi bitti, adamın mesaisi de bitti. Arkadan biri, "Yaa beni de alın," falan dedi, memur, "İnsaf ya," dedi, "bütün gün şu koltukta oturuyoruz; sadece kendinizi düşünmeyin."

Arkadaki adamlar, "Aman ne var yani, bütün gün bilgisayarın başında oturup duruyorsun, sanki bir şey mi yapıyorsun," dediler.

Bu arada yaşlı bir adamla ilgili gözlemimi de burada yazmadan edemeyeceğim. Yaşlı bir adam, önce temiz kâğıdı sırasının en önüne girdi. Nasıl oldu tam bilmiyorum. Önce bir karışıklık oldu, bir şekilde karşı çıktılar fakat memur dinlemedi ve adamın işini gördü. Adam o kuyruktan çıktı, hiç istifini bozmadan öbür kuyruğa yöneldi ve kuyruğun başına girdi.

Bizim kuyruktakiler, "Bu adam bize de bunu yaptı, bir kere olur ama iki kere olmaz, bir şey desenize," falan diye öbür kuyruğa laf attılar. Sağır gibi davranan, duymazlıktan gelen adam, orada da işini güzel yaptı. Tam bizim yanımızdan geçerken arkamızdaki, "Amca, affedersin," dedi, "sen kaç yaşındasın?"

"Yetmiş beş."

"Yani," dedi, "yetmiş beş yaşına gelmek bile, insana diğerlerine saygı göstermeyi öğretmiyor mu? Toplum kurallarına saygı göstermeyi öğretmiyor mu? Demek bu işler yaşla başla olmuyor amca!" Adam, ezik vaziyette, duyamadığım bir şeyler söyledi, geveledi. Adam gittikten sonra arkamızdaki devam etti, "Madem bu işleri yapacak durumda değil, bu durumda araba da kullanmıyordur ve muhtemelen oğlunun falan parasını yatırıyordur. Bu vaziyette sırada beklemeye takati yoksa o zaman, oğlu kendi gelsin veya kimin parasını yatırıyorsa o gelsin, neden bu adamı yolluyorlar! Bu, otobüste yer vermeye benzemez!"

Vergi dairesinden çıktıktan sonra Arif, biraz mahcup bir edayla bizi buralara kadar yorduğu ve uzun süre beklettiği için özür diledi. Timur, "Ben dediğim gibi, sizlerle beraber olmak ve Türkiye'deki toplumsal yaşamı birlikte gözlemlemek için geldim. Bundan daha güzel bir fırsat olamazdı!" dedi.

Bir taksiye atladık ve Ulus Parkı'na gittik. Daha önceden birlikte yapmayı kararlaştırdığımız gezinin güzergâhı üzerinde konuştuk. İki gün sonra yola çıkmak üzere anlaştık.

Arif ve Timur, oldukça iyi anlaşmış, kaynaşmış olarak ayrıldılar. Önümüzdeki günlerin ne getireceğiyle ilgili hepimizin içinde gizli bir heyecan, coşku vardı.

3

YOLDA İLK GÜN

Değerler, neye hangi önceliği vermemizi söyleyen rehberlerdir.
Çocuklarımıza öğrettiğimiz değerler, onların vicdanlarının temelini oluşturur.
Kişiliklerine bütünlük getirir.
İnsanlara yardım etmesini sağlar.
Kendi ayakları üstünde durmasına yardımcı olur.
Yanlış ve doğru davranışı birbirinden ayırt etmesini olanaklı kılar.
Ve en önemlisi, yaşamın mutlu bir yolculuk olmasını sağlar.

ÜNİVERSİTE GENÇLİK KAMPI İLKESİ

Türkiye gezimiz için yola çıktık. Arabayı Timur kullanmak istedi. Ben onun yanına oturdum. Arif, arka koltukta, bizimle rahat konuşabilecek bir yere oturdu ve güzel bir yaz günü Avrupa yakasından Anadolu yakasına Boğaz Köprüsü'nden geçtik. Güzel, güneşli bir günde sıkışık olmayan, akıcı bir trafikte yol aldık.

İzmit'e yaklaşıyoruz, sağımızdaki rafinerinin bacalarından dumanlar tütüyor. Ağaç olmayışı, göze çarpan ilk özellik, diğeri ise henüz inşaatı bitmeyen evler. Sıvaları yok, boyanmamış ve üstlerinden kolon demirleri çıkmış durumda. Ne burada oturanlar ne de bu yöreyi yönetenler estetik kaygı taşıyor, kent planı desen hak getire…

T: Büyük depremin olduğu yer burası mıydı? İzmit yöresi.

Arif'le aynı anda, "Evet" diye yanıtladık.

T: Depremin neden bu kadar zarar verdiğini şimdi daha iyi anlıyorum. Şu evlere bak, hiçbiri depreme dayanamaz. Bunlar depremden sonra geçici olarak yapılanlar mı?

A: Evet, depremden sonra yapılanlar.

Deprem evleri solumuzda kaldı, onları geçiyoruz. Sağda yaşlı bir kadın, elinde bastonuyla yavaş yavaş yürüyor; sol elinde bir torba var. Çenedere viyadüğünden geçiyoruz. Hava puslu ve kirli.

T: Neden daha iyi, sağlam, emniyetli bina yapacak yönetmelikler geliştirilmemiş?

A: Yönetmelikleri incelesen, Amerika'daki bina yönetmeliklerinden farklı olmadıklarını görürsün. Sorun, yönetmeliklerin yeterli olmaması değil, "mış gibi" uygulanmasından.

Yol ayırımına geldik, İzmit ve Adapazarı-Ankara seçeneklerinden ikincisini seçtik ve Adapazarı'na doğru yolumuza devam ettik.

T: Depremde kaç kişi ölmüştü?

D: Bütün bu yöreyi hep birlikte düşündüğümüzde otuz beş bin kadar.

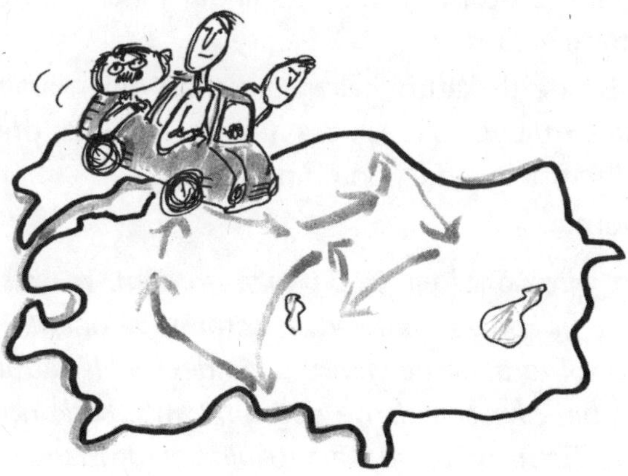

Timur, hayretle ve dehşetle, "Otuz beş bin! Peki, bu deneyimden sonra bir şey değişti mi?"

Arif'le birbirimize baktık. Belki bazı şeyler değişmişti ama biz bilmiyorduk.

Solda tepede yeni inşa edilen büyük bir yerleşim merkezini geçtik. Bir süre gittikten sonra yoldan uzakta bir kız çocuğunun inekleri otlattığını gördük. Sapanca Gölü'ne yaklaşıyoruz, yazlık villalar ve siteler var.

Arif, Timur'a bir soru sordu.

A: Timur, sen Türkiye'ye ara sıra gelip gidiyorsun ve anladığım kadarıyla daha önceki gelişlerinde de Türkiye'de araba kullandın. Burada araba kullanırken, Amerika'daki trafiğe göre farklı şeyler gördün mü, farklı bir dinamik hissettin mi?

T: Burada daha hızlı sürüyorlar. Şehir içinde sürerken burada yayalar geçiş önceliği olmadığını biliyor ve o nedenle hep korkulu ve acele ederek karşıdan karşıya geçiyor. Şimdi bu yolda giderken bakıyorum, kamyonlar ağır gidiyor, hızları sanırım 70 km civarında. Otomobiller ise tehlike yaratacak kadar hızlı gidiyor, 130 km civarında. Kanımca bu durum kazaya davetiye çıkarıyor, her an kaza olabilecek bir ortam yaratıyor.

A: Kamyon ve otomobillerin bu kadar farklı hızlarda gitmesi mi kaza ortamı yaratıyor?

T: Evet. Bir de dikkatimi çeken, arkadan gelen arabaların öndekine fazla sokuluyor olması. Bana öyle geliyor ki, öndeki araba aniden fren yapsa arkadaki ona bindirecek.

A: Anladım.

O sırada, biraz önce olmuş bir kaza gördüm. Yolun solunda sarı renkli koca bir kamyon bariyerlere çarpmış ve onların üstüne çıktıktan sonra sol tarafına devrilmiş, üstündeki yükler etrafa saçılmış. Dingillerden biri çıkmış ve ileriye doğru fırlamış. Korkunç bir kaza... Bir süre sonra Timur, arkasına fazla sokulan bir arabadan rahatsız ol-

du. Bu kadar hızla gelip kuyruğuna sokulmanın trafik kurallarına aykırı, hem tehlikeli hem de büyük bir edepsizlik olduğunu düşündüğünü söyledi.

T: Bu, Amerika'da olsa frene basar ve bu adamı zor duruma sokabilirim. Sonuçta o yüzde yüz haksız olur ve bu nedenle ehliyetini dahi kaybedebilir.

Ben tam ağzımı açacakken Arif konuştu.

A: Bu adam yanlış bir şey yaptığının farkında bile değil Timur. Herkes yapıyor, o da yapıyor. Senin kendisine kızdığını fark etse, hayretler içinde, "Manyak mısın be, ne bozuluyorsun!" diye bir de sana söylenir.

T: Evet, neyin tehlikeli neyin tehlikesiz olduğunu bilmiyorsa böyle davranır. Ben burada yaşasam, sanırım bu tehlikeli şeyleri yapmaya başlar ve tehlike yokmuş gibi davranırdım.

Hendek'e yaklaşıyoruz. Manzara güzelleşmeye başladı, dağlar yeşillendi, trafik seyreldi, vadinin içinden gidiyoruz, sağımızda ve solumuzda artık ağaçlar yoğunlaşmaya başladı. Bulutlar ileride öbek öbek ve nefis bir manzara oluşturuyor. Timur bir tabela gördü.

T: Yiyecek içecek işareti koymuşlar...

D: 'Park Alanı, Yeşil Yayla'. Ben acıkmaya başladım. Burada durup bir şeyler yiyelim mi?

Yeşil Yayla lokantasında öğle yemeğini yedik. Timur bir soru yöneltti.

T: Baba, Türkiye'de anne-babaların çocuklarına kitap okuma alışkanlığı olmadığını söylemiştin; peki anne ve babalar çocuklarına neden kitap okumazlar?

D: Timur, Arif'le benim konuşmalarımızdan oluşan *'Mış Gibi' Yaşamlar* kitabını okudun mu?

T: Evet, okudum.

D: Biliyorsun o kitapta ben ısrarla, "Ne?" sorusuna yönelmiş, "Niçin?" sorusunu seninle bu gezimizde ele alacağımızı söylemiştim.

T: Evet, biliyorum.

Arif'e baktım. O zaman başlayalım, gibisinden bir bakışı vardı.

D: O zaman başlayalım! Bu sohbetin içinde anne-babaların çocuklarına neden kitap okumadığını da anlar hale geleceğiz.

Arif'in gözleri ışıl ışıldı. Söylenen hiçbir şeyi kaçırmamaya kararlı birinin tavrı içinde dinliyordu.

D: "Niçin?" sorusunu derli toplu ele almamız için yaklaşımımızın bayağı kapsamlı olması gerek. Arif'çiğim kitapta senin ısrarla, "Peki neden böyle oluyor?" diye sorduğun birkaç konuyu hatırlıyor musun?

Hemen yanındaki sırt çantasını açan Arif, 'Mış Gibi' Yaşamlar *kitabını çıkararak işaretlenmiş yerleri açtı.*

A: Tabii hatırlıyorum Doğan Bey. Ele aldığımız her konunun altını çizmiş ve peki neden böyle oluyor, diye sormuşum.

D: Biliyorum ama seni en etkileyenlerden bir örnek verir misin?

A: En etkileyen demeyeceğim ama bir öğretmen olarak beni sürekli düşündüren temel bir konu var. Kitapta konu ettiğimiz bir köy öğretmeni vardı. Öğretmenlerimizin yüzde biri böyle olsa, Türk eğitimi farklı bir yerde olurdu, dedik. O zaman da size sormuştum: Niçin yüzde bire razıyız ve niçin bu tür öğretmenlerimizin sayısı az? (s. 46). Bu, sürekli kafamda. Bu sorumun yanıtını bu gezimizin sonuna kadar istiyorum. Ayrıca, M.K. rumuzuyla isimlendirilen vatandaşın (s. 63) vergi dairesinde çektikleri bir gerçek. Ve birlikte taşıt vergisi vermeye gittiğimiz zaman gördük. Bürokrasi niçin böyle, niçin vatandaşın zamanı, emeği ve parası hiç hesaba katılmıyor? Vatandaş bürokrasinin karşısında niçin güçsüz?

D: Kitaptaki her bölümün başlığı için bunu söyleyemez miyiz? Örneğin, niçin kadını insan yerine koymuyoruz? Niçin, çevreye ve doğaya duyarsız davranıyoruz? Niçin polisle bir nedenle karşılaştığımızda sürekli korku duyuyoruz ve güvenemiyoruz? Ve kitaptaki her bir bölüm için bu soruları dile getirebiliriz. Tabii bütün bunları sorarken hep şöyle ifade etmek gerek: Niçin kadınlara değer verirmiş gibi yasalar yapıyor, konuşuyor ama bunu davranışlarımızla hayata geçiremiyoruz? Niçin çevreye önem veriyormuş gibi yasalar yapıyor, konuşuyor ama davranışımızla sürekli tersini yapıyoruz? Yani temel neden, "mış gibi"lik. "Mış gibi"liğin sorun olarak var olduğunu kabul etsek ve gerçekten bir sorunun var olduğunu anlasak, o zaman, "Niçin bu sorun var?" diye rahat rahat konuşabiliriz. Benim gördüğüm, sorun yokmuş gibi bir dünya içinde yaşıyoruz ve gerçek temel sorun da bu oluyor.

T: Bunu anlayabiliyorum.

D: Beyler yola çıkmadan tuvalete gideyim, bir de şu büfeden kendime bir şişe su alacağım, su isteyen var mı?

A: Siz tuvalete gidin, ben suları alırım. Sahi, bu akşam nerede kalacaktık?

D: Kastamonu'da. Biliyorsun, birlikte bu güzergâhı seçerken Timur'un daha önce görmediği kentleri, kasabaları ve gitmediği yolları seçtik. Kastamonu'dan sonra Sinop'a doğru yola çıkacağız.

A: Tamam, hatırladım.

Yola çıktık. Arabayı bir süre ben kullandım. Bir ara gözlerime inanamadım. Yolun ortasında bir varil var! Koca varil TEM yolunun ortasında, arabaların geçtiği şeride düşmüş ve öylece kalmış.

D: Timur, Arif, varili gördünüz mü?

T: Aman Allah'ım!

D: Gece, bu mutlaka bir kazaya sebep olur!

A: Evet, olur.

Alo Polis'i arayarak durumu bildirdikten sonra Karabük-Kastamonu kavşağından saptık. Bir süre sonra direksiyona yine Timur geçti. Yeşil ve sarı tonlarının en güzel karışımını sergileyen vadinin içinden gidiyor, sohbetimizin gittikçe anlam kazanacağını hissediyorduk.

4 YAŞAM ALANLARI VE DENGE

Bir yüzyılın felsefesi, bir sonraki yüzyılın sağduyusudur.

HENRY WARD BEECHER

Arif araba kullanmak istemiyordu, Timur ise istekliydi. Timur araba kullanırken ben daha rahat konuşabiliyordum. Açıkça konuşulmasa da aramızda gizli bir anlaşmaya varılmıştı. Yoruluncaya kadar arabayı o kullanacak, sonra o dinleninceye kadar ben kullanacaktım.

T: Evet baba, başlayalım.

İçinde bulunduğumuz vadi, ileride bir ovaya dönüşüyordu. Bulutlar mavi gökyüzüne parça parça serpiştirilmiş gibiydi. Sağ ve sol taraftan önce hafif tepe şeklinde başlayan yükseltiler ilerledikçe dikleşiyor ve âdeta tepelerinde gizemli diyarları barındıran mavi dumanlı dağlara dönüşüyordu. Bu yaz gününde yolda pek trafik yoktu. Tek tük kamyon, otobüs ve nadiren otomobiller, karşıdan geliyor ya da bizi geçiyordu. Yol, önümüzde olabildiğine uzanmış, bizi davet ediyordu.

Arif de, "Evet başlayalım," diyerek Timur'a katıldı.

D: Konuşacaklarımızın tümü, yaşam dediğimiz o büyük bilinmezin içinde yer alıyor. Evet, insan yaşamının dört temel alanı var. Aslında, felsefenin ilgilendiği dört temel alan var demek daha doğru. Bunlar bilgi, varoluş, eylem ve estetiktir. Her bir alana özel ilgi göstermiş, bu alanın birinde uzmanlaşmış düşünürler, filozoflar vardır.

T: Bilgi alanı neyle ilgilenir? Herhalde filozoflar bu alana özel bir isim vermişlerdir.

D: Evet Timur, bilgi alanına filozoflar "epistemoloji" adını veriyorlar. Bilgi inceleyen filozoflar şu sorularla ilgilenir: "Bilgi nedir?", "Bilgi ile bilgi olmayan arasındaki ayırt edici temel özellikler nelerdir?", "Doğuştan getirdiğimiz bilgiler var mı?", "İnsan yaşamında bilginin yeri nedir?", "Her şeyi bilebilir miyiz?", "Sorunların çözümünde bilginin sınırları var mıdır?", "Bilgi nasıl edinilir, nasıl biriktirilir, bir başka kuşağa nasıl aktarılır?"

A: Bir eğitimci için bunlar temel konular. Bunları bilmeden çağdaş bir eğitim sistemi geliştirmek zor.

D: Bir diğer alan varoluş.

T: Yani insanın doğasını sorgulayan alan.

D: Evet, konu insan.

T: Bu alana filozoflar ne isim vermişler.

D: Felsefe bu alana ontoloji[(1)] adını vermiş.

T: Varoluş alanının ilgilendiği temel konular ne?

D: Bu alan, insanın doğasıyla ilgili temel sorular sorar: "İnsanı insan yapan temel özellikler nelerdir?", "İnsan doğuştan insan olarak mı doğar, yoksa içinde yetiştiği topluma göre mi insan olma vasfını kazanır?", "İnsan her yerde ve her zaman insan mıdır, yoksa içinde bulunduğu topluma, zamana ve mekâna göre insan olma tanımı değişir mi?", "Kadın ya da erkek olmanın insan olmakla ilişkisi nedir?"

T: Bunun, şu an bizim konuştuğumuz konuyla ne ilgisi var baba?

---

(1) Ontoloji, varlığın ne olduğunu sorgulayan felsefe disiplinidir. Fazla ayrıntıya boğulmamak için burada yalnız insanla ilgili kısmını ele aldım.

Arif, Timur'a biraz hayretle, biraz da çekinerek baktı, "Bence var," dedi ve devam etti.

A: Örneğin, "İnsan doğuştan insan olarak mı doğar, yoksa içinde yetiştiği topluma göre mi insan olma vasfını kazanır?" sorusu, konuştuğumuz konuların can alıcı noktalarından biri.

Timur biraz daha somut açıklama istiyordu. Bakışlarından bu anlaşılıyordu. Ben devreye girdim.

D: İnsanın evrenselliği konusunu açıklığa kavuşturmak önemli. Örneğin, insan içinde yetiştiği topluma göre insan olma vasfını kazanıyorsa, o zaman evrensel bir "insan" kavramının içi boş demektir. Bu anlayışın hâkim olduğu bir ortamda yalnız "Arap", "Fransız", "İspanyol", "Türk"ten söz edebiliriz.

T: Böyle düşünen toplumlar var.

A: Tarih içinde böyle düşünüp daha sonra evrensel insanı düşünce sistemlerine alan toplumlar da var.

T: Evet, Arif haklı. Örneğin, ırkçılığın süregittiği, reddedilmediği zamanlarda ABD'de "beyaz" ve "siyah" ayrı ayrı "yaratık"lardı. Aslında şimdi konuşurken farkına vardım, bu konular gerçekten ne kadar önemli. ABD'de ırkçılığı yasaklayan yasaların çıkabilmesi için önce Amerikan kültürünün "evrensel insanı" keşfetmesi, anlaması ve kabul etmesi gerekiyordu. Tabii Amerikan kültürü bu noktaya kendiliğinden gelmedi. Bunun için ne mücadeleler verildi. Amerikan içsavaşı, aslında insanın evrensel olduğunun kabul edilmesi savaşıydı.

A: Doğru. Bence insanı evrensel olarak kabul etmeme sorunu, değişik ülkelerde değişik kılıflar altında hâlâ devam ediyor. Örneğin "Müslüman", "Hıristiyan" ve "Yahudi", eşdeğerde insan olarak görülüyor mu? Hâlâ görülmüyor olacak ki, "Dili, dini, ırkı, cinsiyeti ne olursa olsun, insan insandır ve eşit haklara sahiptir" anlayışı, Birleşmiş Milletler İnsan Hakları Evrensel Bildirgesi'ne kondu.

T: Peki, bütün bu farklı toplumların üyelerini "insan" şemsiyesi altında toplarken hangi özelliklerini göz önüne alıyoruz?

D: İşte Timur, ontoloji alanında yazıp çizen, düşünen filozofların konusu bu. Benim sana sorum şu: Felsefenin ilgilendiği konuların, üzerinde konuştuğumuz konularla ilgisi olduğunu görebiliyor musun?

Timur biraz düşündükten sonra, "Tamam baba, görebiliyorum, devam et," dedi.

Sağ yanımızda ileride, harman yerinde toplanmış buğdayları makineye veren kadınlı erkekli bir grup köylü görünüyordu. Bu manzara, çocukluğumdaki harmanla ilgili anıları canlandırdı. Gözlerim etrafta bir eşek aradı. Evet, orada, uzaklarda iki eşek gördüm. İçim ısındı. "Eşeklere karşı bu muhabbetim neden?" diye düşündüm. Cevabını bulamadım ama yakınlık ve sevgi duygusunun orada olduğunu hissediyordum. Konuşmama devam ettim.

D: Felsefenin bir diğer alanı, insan davranışının "doğruluğu" ve "yanlışlığı"yla ilgilenir ve etik olarak bilinir.

A: Ahlak felsefesi olarak da bilinir, değil mi?

D: Evet, çoğu kez, etik ve ahlaka aynı anlam yüklenir. Ama ben, etik davranan insan ve ahlaklı davranan insanı ayrı ayrı değerlendiriyorum.

A: İlginç hocam, öyle bir ayırım yaptığınızı daha önce hiç duymamıştım. Nasıl bir anlam yüklüyorsunuz?

D: Arif, ben ahlaklı insanı, toplumun ahlak kurallarına uyan, "toplum beklediği için doğru olanı yapan" kişi olarak görüyorum. Etik davranan insan ise toplum kuralları nedeniyle değil, "kendi inandığı değerler nedeniyle doğru olanı yapan" kişidir.

T: İkisi arasındaki farkı biraz daha açabilir misin baba?

D: Ahlaklı insan, kendini tanıyanların tanıklığına önem verir, görebileceği, bilebileceği yerde, onların beklediği şekilde davranır. Örneğin borcunu öder, verdiği sözü tutar. Borcunu ödemezse, verdiği sözü tutmazsa adının kötüye çıkacağını bilir. Ahlaklı olmak, onun için akıllıca bir politik tavırdır. Ancak, köyünde herkesin bildiği "ahlaklı" bir kişi, farklı bir muhitte, kendisini hiç tanımayan insanlar arasında "ahlaksız" davranabilir. Çünkü onu ayıplayacak, kendisinin önem verdiği kimse yoktur. Vardır, ama önemsemez.

T: Bilmece gibi konuştun. Ne demek, "Vardır ama önemsemez!"

D: Başkalarının tanıklığını önemser, ama kendi tanıklığını önemsemez. Kendi tanıklığının farkında olan ve kendine yalan söylemeyen insan başkalarına yalan söyleyemez.

A: Sanırım bu kente göçmüş insanlar arasında sık görülen bir davranış. Kendi köy çevresinin dışına çıkmış insan, yeni taşındığı kentte köyde yapmayı aklına getirmeyeceği "ahlaksız" davranışları yapabilmektedir.

T: O zaman etik insan kendi tanıklığını önemseyen, kendi gözüne hesap veren, nereye giderse gitsin, kendi inandığı değerler çerçevesinde doğru olanı yapandır, öyle mi?

D: Evet ve daha sonra bu farka geri dönmek istiyorum. Çünkü kanımca, benim ülkemin sorunu, ahlaklı insan yetiştirmek değil, kendi tanıklığını önemseyen etik insan yetiştirmektir.

T: Söylediklerin önemli baba. Bu alanın ortaya koyduğu temel sorulara örnek verebilir misin?

D: Bir felsefe alanı olarak etik, "Doğru eylemi yanlış eylemden ayıran temel özellik nedir?", "Yanlış ve doğru bilincine sahip olarak mı doğarız, yoksa içinde yetiştiğimiz topluma göre farklı farklı yanlış ve doğrular mı öğreniriz?", "Zaman ve mekâna göre doğru ve yanlış tanımı değişir mi?", "Bir eylemin yanlış ya da doğru olduğuna kim karar verir?" gibi sorularla ilgilenir.

T: Üç alandan söz ettin. Bilgi, bilgi sahibi insan ve insanın davranışını yöneten doğrular. Dördüncüsü ne?

D: Dördüncüsü estetik. Yani güzellikle ilgilenen alan. Ben estetiği, "biçim, tarz, yaklaşım"la ilgilenen bir çalışma alanı olarak algılıyorum.

T: Bilginin güzelinden ya da çirkininden söz edebilir miyiz?

D: Bilmiyorum, ama bilginin güzel ya da çirkin sunumundan bahsedebiliriz, diye düşünüyorum.

A: Acaba güzel ve çirkin anlayışımız zaman ve mekâna göre değişiyor mu?

Timur ve Arif bu konuyu konuşmaktan zevk alıyordu. Timur, aklına gelenleri ifade etti.

T: Daha başka sorular aklıma geliyor. Örneğin, "Doğuştan getirdiğimiz güzellik bilinci var mı, yoksa yetiştiğimiz toplum mu bize neyin güzel ya da çirkin olduğunu öğretiyor?" Ayrıca, "Bir şeyin güzel ya da çirkin olduğuna kim karar veriyor?"

A: Benim ilgilendiğim, çirkin ve güzelin yaşamımızdaki anlamının ne olduğu.

T: Her bir soru, teker teker ele alınıp derinlemesine incelenmeye değer. Peki, baba. Şimdi yaşamın, yani insan yaşamının dört alanının ne olduğunu gördük. Bunun "mış gibi" yaşamla ilişkisi ne?

D: Sen hem mühendissin hem de yönetici. Zaman kaybetmeden doğrudan sorunun özüne gitmek istiyorsun. Ama sabırlı olmayı öğrenmen gerekecek sevgili oğlum.

T: Arif sabırlı mı?

Arif'le birbirimize baktık, gülüştük.

D: Evet, benimle konuşa konuşa sabırlı olmayı öğrendi.

T: Gerekiyorsa ve anlamlıysa ben de sabırlı olurum. Ben birçok proje üzerinde çalıştım, bir projenin nasıl oluştuğunu bilirim.

D: Tamam, bunu bir proje olarak düşün. Şimdi bir bağlam geliştiriyoruz, altyapı oluşturuyoruz.

Mavi gökyüzü, ufukta gittikçe grileşerek kaybolan dağlar, sarı ve yeşille örülmüş bir şal gibi önümüzde uzanan ova; bütün bunların farkındaydım. Farkında olduğum bir şey de, üçümüzün birlik-

te olması ve konuştuğumuz konuya hepimizin önem vermesiydi. Mutluydum. Evrenin özündeki saf bilince duyduğum yakınlık ve teşekkür duygusunun farkındaydım. İçimdeki farkındalığı kaybetmemeye özen göstererek konuşmama devam ettim.

D: İlk olarak bu dört alanın dengesinden söz etmek istiyorum.

T: Denge?

D: Evet, bireyin yaşamında bu dört alan dengeli de olabilir, dengesiz de.

T: Baba örnekleyerek anlatır mısın?

D: Bir aile düşün, çocuğunun neler bilmesi gerektiğine önem veriyor. Örneğin çocuğun sayıları tanıması, renklerin, kuşların adını öğrenmesi, ülke adlarını, bayraklarını ve başkentlerini bilmesi, akrabalarını tanıması önemseniyor. Ama çocuğun varoluşuyla ilgili yönleri önemsenmiyor.

T: Çocuğun varoluşuyla ilgili yönleri derken neleri kastediyorsun baba? Kişiliği, karakteri falan mı?

D: Evet. Kişiliği, karakteri, değerleri, heyecanları, bir şeyi gerçekten isteyip istemediği, nelerle ilgilendiği ve ilgilenmediği, nelere yetenekleri olduğu. Duyguları, düşünme tarzı, olaylara ve yaşama yaklaşımı, en önemlisi kendini tanıması, kendine değer vermesi ve kabul etmesi.

Timur ve Arif, pek anlayamadıklarını söyleyerek biraz daha açıklama istediler.

D: Çocuğun duyguları... Çocuk nelere seviniyor, nelere üzülüyor. Sık sık ağlar mı, yoksa mutlu, sakin mi? Genel olarak yaşamında korku ve kaygı mı var, yoksa güven, umut ve sevgi mi?

T: Çocuğun düşünme tarzı derken...

D: "Çocuğun düşünme tarzı"yla şunları kastediyorum. Uyumlu biri mi, yoksa mızıkçılık yapan biri mi? Anlamak ve yardım etmek için mi yaklaşıyor, yoksa engellemek ve yıpratmak için mi? Yargılayan biri mi, yoksa takdir eden biri mi?

T: Bunlar önemli, ne demek istediğini şimdi daha iyi anlıyorum.

A: Ben de.

D: Timur, ileride değerler konusunu ele almak ve uzun uzun konuşmak istiyorum. Çocuğun içinde büyüdüğü ortamda hangi değerler saygı görüyor? Hangi değerlerle yaşanıyor? Ve sonunda o hangi değerleri içine sindiriyor? Hangi ortamlarda hangi alanlarda yetkinlikler geliştiriyor?...

A: Hocam, burada "yetkinlik"i, benim bildiğim ve kullandığımdan farklı bir anlamda kullanıyorsunuz sanki. Biraz açar mısınız?

D: Yetkinlik, yetkin olma durumunu, kişinin belirli bir davranışı yapabilme olgunluğunu ifade eder. Çocuk, ortamı elverdiği ölçüde tutma, tırmanma gibi davranışsal yetkinlikler geliştirdiği gibi, konuşma ve konuşulanı anlama gibi sözel yetkinlikler de geliştirir. Yetkinliklerin temelinde sinir sistemindeki sinapsların birbiriyle kurduğu ilişkiler vardır.

A: Anladım. Çocuğun içinde yetiştiği ortam, sinaps bağlantılarının oluşumu için uyaran etkisi yapıyor.

D: Evet. Çocuk yalnız yetkinlikler geliştirmiyor, farkında olarak ya da olmayarak, bilinçli ya da bilinçsiz inançlar oluşturuyor. Ve en önemlisi, kendiyle ilgili bir "benlik bilinci" kazanıyor.

A: Hocam, bir öğretmen olarak dediklerinizi önemli görüyorum. Bir aile çocuk yetiştirirken çocuğunu önemsemez, yalnız ona verilen bilgiyi alıp almadığını önemserse zamanla bir dengesizlik oluşur. Onu görebiliyorum. Benim sorum, bu dengesizlik çocuğun davranışında yaşama nasıl yansır?

D: Şöyle bir durum ortaya çıkar. Çocuğun varoluşunu ihmal eden ve bilgi odaklı çocuk yetiştiren toplumda bilen ama bildiğini davranışıyla yansıtamayan, bilgisi ve davranışı birbiriyle tutarsız insanlar çoğunlukta olmaya başlar.

A: Neden?

D: Çünkü insan eyleminin kökünde, temelinde, inançlar ve duygular vardır, bilgi değil.

A: Yani insan, eyleminde varoluşunu, kendini yansıtıyor.

D: Evet, onu demek istiyorum.

T: Baba, bir örnek verebilir misin?

D: Babası sigara içen bir çocuk düşün. Ona biyoloji dersinde sigaranın sağlık üstündeki bütün olumsuz etkileri öğretilebilir. Sağlıklı yaşam için gerekli tüm bilgilerin bir listesi verilebilir.

Çocuk bunları öğrenebilir ve sağlıkla ilgili bir sınavda yüksek not alabilir. Ama çevresinde sağlık bir değer olarak yaşanıyorsa, rol modeli olacak, örnek alınacak insanlar sigara içiyor, ağır yağlı yiyecekler yiyor, her yiyeceğe tuz basıyor, spor yapmıyor, dişlerini fırçalamıyorsa, bu çocuk kendi davranışında büyük olasılıkla bildiklerini değil, gördüklerini sergileyecektir.

T: Şimdi anladım. Yani biz insanlar aslında bilgimizi değil, varoluşumuzdaki inançlarımızı ve değerlerimizi yansıtıyoruz.

D: Geçerli olan temel ilke şu: "Eylem, varoluşu, kişiyi yansıtır." O nedenle bir toplum, eğitimi bilgi yükleme, bilgi aktarma düzeneği olarak görüyorsa ve varoluşun gelişimiyle ilgilenmiyorsa, o toplumdaki eğitilmişler, doğruyu bilir ama yapmaz.

A: Doğan Hocam, öğretmen olarak bu dediğiniz ilgimi çekti, lütfen bunu biraz açın.

D: Evet Arif Bey, bir ülkede...

T: Baba, Arif'e Bey demek zorunda mısın? Hani demeyecektin?

Üçümüz de güldük.

D: Evet Arif, bir toplumda salt bilgi odaklı, malumat aktaran bir öğretim düzeni oluşturulmuşsa, zaman içinde o toplumun okula gitmiş, okumuş insanlarının çoğunun bilgi yüklü ama duygusal yönden gereği kadar gelişmemiş olduğunu görürsün. Malumat yüklemeye "eğitim" diyen bir toplumun "eğitilmişleri" yalnız duygusal yönden gelişmemiş olmayacaklar, aynı zamanda onların sistematik düşünme yetenekleri de gelişmemiş olacaktır. Olaylara ve yaşama bakışları, okula gitmemiş yurttaştan farklı olmayacak, ama onlar, okula gittikleri için kendilerini diğerlerinden daha iyi biliyor sanacak ve egoları şişecektir. Tabii bu şişkin egolar, onları makam sahibi olmaya yöneltecek ve geldikleri makama sıkı sıkıya sarılacaklardır.

A: Makam sahibi, şişkin egolu "okula gitmiş" kişi kendini diğerlerinden üstün gördüğü için de onlara önem vermeyecektir.

Timur büyük bir ilgiyle konuştuklarımızı dinliyordu. Gözü yolda, kulağı bizdeydi. Yol tenha ve düz olduğu için herhangi bir zorlanma, stres hissetmiyordu.

D: Malumat yükleyen bir eğitim sisteminin ürünü olan insanın varoluşu, yani değerleri, ilgileri, inançları, "eğitilmemiş" olacaktır. Daha önce söylediğim gibi en önemlisi, böyle bir insanın kendini algılayışı, kendiyle ilişkisi eğitimden hiç nasibini almamış olacaktır.

T: Baba konuşmalara şimdi daha fazla ilgi duymaya başladım. Sanırım benim, Türkiye'de ana-babaların çocuklarına neden kitap okumadıklarıyla ilgili sorumun cevabı da, bu ana-babaların bilgileriyle değil, varoluşlarıyla ilgili bir şey.

D: Evet Timur, söyleyeceklerimin tümünü söyledikten sonra, *'Mış Gibi' Yaşamlar* kitabındaki konuları ele alalım istiyorum, o zaman senin aklına gelen soruları da konuşuruz.

T: Peki baba, şimdiye kadar bilgiye önem veren ve varoluşu ihmal eden bir yaklaşımın oluşturduğu dengesizlikten söz ettin. Peki, varoluşa odaklanmış bir dengesizlikten de söz edilemez mi?

Arif, Timur'un sorusunu ilgiyle tekrarladı. "Varoluşa odaklanmış bir dengesizlikten de söz edilemez mi?"

Ova yavaş yavaş vadiye dönüşüyor, dağlara yaklaşıyorduk. Ovada tek tük serpiştirilmiş duran ağaçlar dağların eteklerinde sık kümeler haline geliyor; daha sonra gür bir ormana dönüşeceğinin işaretlerini veriyordu. Dışımdaki güzelliğin, içimdeki mutluluğun ve konuştuğumuz konunun öneminin farkında olarak konuşmama devam ettim.

D: Edilebilir. İnsanın zihinsel gereksinmesini önemsemeyen, kuru bilgi dışındaki bilgiye, okumaya, gözlemlemeye, düşünerek yeni keşifler yapmaya olanak tanımayan bir sistem, genellikle kültürdeki mevcut gelenek, görenek ve dogmalar içine gömülmüştür. Dolayısıyla hikmetinden sual olunmaz.

T: O ne demek?

D: Bu, otoriter tavrın bir yansımasıdır. Şöyle bir durum düşün. Çocuk 'A' davranışını yapıyor ya da sözünü söylüyor. Baba, çocuğa, 'A'yı yapma, söyleme, diyor. Çocuk, neden diye sorduğunda, baba kötü, zararlı gibi bir şey söylüyor. Neden kötü, zararlı sorusuna da, kötü de onun için cevabını alıyor. Yani babanın gerçeği kendinde var; dışarıdan hiçbir kanıta gerek yok. "Ben kötü diyorsam, o kötüdür! Bunun nedeni, hesabı sorulmaz!"

İşte bunun gibi "hikmetinden sual olunmaz" bir birey, bende olanların hepsi en iyisi, en doğrusu; benim hiç kimseden hiçbir şey öğrenmeme gerek yok, tavrı içinde yaşar. Egosu şişkindir. Kendi gözlüğünün dışında başka hiçbir gözlük tanımaz. Kitap okumaz, seminer ve konferanslara katılmaz. Böyle bir insan dinlemeye önem vermez; önem verdiği hep konuşmaktır. Herkese akıl vermeye kalkar; hiç kimseden öğreneceği bir şey olduğunu düşünmez.

Bir toplumun eğitim sistemi de bu tür bir dengesizliğin özelliklerini taşıyabilir. Eğitim sistemi toplumun kendi gelenek, görenek ve dogmalarının dışında başka her şeye kapalı ise orada bu tür bir dengesizlik söz konusudur. Bu toplumda yaşayanlar kendi gelenek, görenek ve dogmalarının dışında başka hiçbir kitaba, araştırmaya, felsefi düşünce sistemine, incelemeye ve irdelemeye ilgi göstermezler. "Niçin ilgilenmiyorsunuz?" diye sorarsanız, "Niye ilgilenelim! Bizim eksiğimiz yok ki onlardan! Onlar gelsin bizden öğrensin!" tavrı içinde olurlar. Arif, öğretmen olarak bu tür insanların davranışı senin alanına girer. Devam edeyim; böylelerin ne davranışlarında ne de düşüncelerinde bireysel yaratıcılık görebilirsiniz. Araştırmacı gazeteci yazar Uğur Mumcu'nun, "Bilgi sahibi olmadan fikir sahibi olmak" deyişi, işte bu tür bir eğitimden geçmiş insanların tipik özelliğidir.

Susadığımı fark ettim, biraz su içtim. Gittikçe dağların içine giriyorduk. Yol, dağ ve vadinin verdiği olanağa göre yapılmıştı ve manzara da giderek çeşitleniyordu.

T: Dediğin türden insanlarla Amerika'da sık sık karşılaşıyorum. Gerçekten de bunların çoğu kitap okumaz ve konuşurken sana hiç söz hakkı tanımaz, sürekli kendileri konuşmak ister.

A: Benim kendi çevremde de bu tür insan bol.

Timur konuyu sevmişti ve dengesizlikleri teker teker gözden geçirmek istiyordu.

T: Bilgiye ve varoluşa odaklanma sonucunda oluşan dengesizlikten söz ettik. Peki, eylem odaklılıktan gelen dengesizlik ne tip insan yaratıyor?

D: Kendini geliştirmeden, gerekli bilgi ve beceriyi iyice edinmeden hemen kolları sıvayıp yapmaya kalkan tiplerdir bunlar.

Arif gülümseyerek devreye girdi.

A: Yanıtınızı biliyorum. Yine de soramadan edemeyeceğim. Böyle birinin davranışı nasıl olur, böyle birini nasıl fark ederiz?

D: Planlamaz, strateji geliştirmez, bilgi birikimi için araştırmaz, hemen paldır küldür harekete geçer. Onun için önemli olan "eylem içinde yapıyor olmak"tır. Eylem içinde olduğu sürece içi rahattır; yaptığının anlamlı olup olmadığı, hangi amaca hizmet ettiği, ne gibi sonuçlar doğuracağı üzerinde pek durmaz.

T: Hiperaktif denilen kişilerin tanımını yapıyorsun sanki.

A: Evet, bana da öyle geldi.

D: Evet. Bu tanımladığım kişinin hiperaktif olma olasılığı yüksek. Ama benim tanımladığım kişi farklı.

T: Nasıl farklı?

D: Hiperaktif kişinin davranışının altında yatan nedenler nörofizyolojiktir. Salgıların dengesi ve beynin işleyişiyle ilgili bir aşırı uyarılma hali ve dikkat dağınıklığı söz konusudur. Benim burada tanımladığım kişinin böyle olmasının altında yatan ise bir tutumdur. Bu zihinsel tutumun sonuncu olarak kişi, bilgi ve varoluşu pek önemsemez. Yani planlama ve ön araştırma ve hazırlık konusunda özensizdir. Bu kişi farkına vardırılsa, yani bu amaçla özel bir eğitimden geçse ve sonunda yaşamında bilgi, varoluş ve eylem dengesinin önemini görse, hemen o dengeyi yaşamına sokabilir. İlaç almasına gerek yok. Halbuki hiperaktif kişi durumunun farkında olduğu halde kendini engelleyemez. Onun davranışının altında yatan nedenler, biraz önce söylediğim gibi, nörofizyolojiktir.

A: Yaptığı işe özen göstermeme benim çevremde yaygın. Doğan Bey bu "özen gösterme" kavramını, üzerinde konuşulmaya, irdelenmeye değer görüyorum. Umarım ileride bu kavrama geri döneriz.

D: Ben de önemsiyorum, not et, tartışalım.

T: Baba, şimdi kendini sadece tarza, biçime, güzelliğe, görünüşe vermiş bir dengesizlikten söz edeceksin, değil mi?

D: Evet Timur. Senden bu soruyu bekliyordum. Estetiği abartan, bilgi, varoluş ve eylemden kopuk bir estetik kişinin yaşamında dengesizlikler oluşturur. Ve kendini "sanata vermiş" kişilerin, biraz yaşamdan kopuk, eksantrik, tuhaf insanlar olması beklenir.

A: Gerçekten de öyleler.

D: Böyle olmak zorunluluğu var mı, yoksa sanat alanını seçmiş ve kendinin "sanatkâr" görünmesini isteyen insanlar bu görünüme mi itiliyorlar, tartışılabilir.

T: Sanatkârın sıra dışılığı benim hoşuma gidiyor. Onların olaylara bakış tarzı, düşünüşü, konuşuşu, davranışı, giyinişi bana bir özgürlük duygusu veriyor. Yaşama renk ve canlılık katıyorlar.

A: Bende de aynı duygular var Timur.

D: Katılıyorum. Görünüşüyle değil, özüyle sanatkâr olan yazar, müzisyen, ressam, oyuncu, heykeltıraş kıymetli insanlardır; bir toplumun hazineleridir. Onların keşfedilebilmesi, gelişerek yaratıcı ve üretici olabilmesi için toplumun farklı olana hoşgörüyle bakacak duygusal olgunluğa erişmesi gerekir. Her bir sanatkâr, aslında topluma farklı bir bakış açısı sunan bir pencere, bir aynadır. Onlar toplumun duygusal zenginliğinin kaynaklarıdır.

T: Arif, bu kavramı sonra ele alalım mı?

A: "Farklı olana hoşgörü" kavramını mı?

T: Evet.

A: Evet, gerçekten isterim. Bir toplum için önemli sonuçlar doğuran bir kavram.

D: Tamam, yeri gelince konuşalım.

T: Baba, sanırım burada sorgulanması gereken, sanatkârın sıradan birinden farklı bir yaşam sürmesinin kaçınılmaz olup olmadığı. Bir sanatkâr kitap okuyabilir, bilgi üretebilir, sivil kuruluşlarda çalışarak bir vatandaş olarak topluma hizmet edebilir, iyi bir baba ya da anne olarak çocuk yetiştirebilir.

D: Evet Timur, haklısın. İyi bir sanatkâr sanatı dışındaki her şeyi göz ardı etmek zorunda değil.

A: Ama sanırım zor.

D: Ne zor?

A: Bir sanatkârın dengeli bir yaşamının olması.

T: Aslında bu, araştırmaya açık bir konu. Sanat tarihinde isim yapmış belli başlı sanatkârların yaşamlarını inceleyerek bu konuya açıklık getirilebilir.

A: İlginç bir araştırma olur. Bence bir lisansüstü psikoloji öğrencisi böyle bir araştırmayı tez çalışması olarak yapabilir.

D: Gerçekten ilginç olur.

Konuşmaya o kadar kaptırmışız ki Ilgaz Dağlarını geçtiğimizi, ancak Kastamonu'ya girerken fark ettik.

Akşam Kastamonu şehir merkezinde bir otelde kaldık. Valilik önündeki İstiklal Harbi Anıtı parkını ziyaret ettik. Şehrin konumu gerçekten ilginç ve burası Osmanlı şehzadelerinin yetiştiği bir kent olarak biliniyor. Kastamonu'nun genel yapısı oldukça farklı, sanki bir Avrupa kentinin yapısını hatırlatıyor. Yollar ve binalar oluşturulurken mekânlar geniş tutulmuş ve anıt, görülebilen bir yerde ve geniş mekân üzerine oturtulmuş.

Kastamonu'da yeni ve eski iç içe bir görüntü var; yeşillik yaygın bir biçimde kentte kendini hissettiriyor. Milliyetçi görüşüyle tanınan bir siyasi partinin tabelası büyük ve baskın, sanırım bu parti bu yörede oldukça güçlü. Türkeş Parkı gayet bakımlı ve güzel planlanmış. Anıtlar Parkı'nda İstiklal Harbi'nde şehit olanların isim ve köyleri yazılmış. Bu köylerden birinin adı Deliler'di. Bunu okuyunca önce şaşkınlıkla birbirimize baktık, daha sonra Anadolu insanının saf ve sevgi dolu varoluşunu içimizde hissettik. Bu yörenin tarihi incelense, sanırım neden Deliler köyü dendiği ortaya çıkar.

Timur Kastamonu'ya geldikten sonra spor yapmak, koşmak istiyordu. Kalacağımız oteldeki kişilerle konuştu; onlar en uygun yerin stadyum olduğunu söylediler. O koşmak için stadyuma gitti. Orada seyirciler ile sahayı birbirinden ayıran telli örgüler dikkatini çekmiş ve döndüğünde, "Bu yalnız Kastamonu'ya özgü bir şey mi, yoksa Türkiye'deki bütün stadyumlar mı böyle?" diye sordu. Sorunun cevabını bilmiyordum, yanıtlayamadım.

Akşam bütün müşterilerinin erkek olduğu bir lokantada yemeğimizi yedik; daha sonra otele yürüdük ve odalarımıza çekildik.

Ertesi gün Sinop'a gidecektik, bu gece dinlenmemiz gerekiyordu.

5

VAROLUŞTA ÖZÜMSENMİŞ BİLGİ: FARKINDALIK

Sabır, kurtuluşun anahtarıdır.

MEVLANA

Pırıl pırıl bir temmuz sabahı, günlerden cumartesi, saat on otuz dolaylarında Kastamonu'dan Sinop'a doğru yola çıktık. Sinop'a İnebolu üstünden gideceğiz.

Birinci kavşaktan geçerken "İnebolu" Işaretini gördük; işaretin olduğu yöne devam ettik. İkinci kavşakta ise İnebolu'nun adı yok. Artık bizim tahminimize kalmıştı, doğru gitmeye karar verdik ve bu tahmin doğru çıktı.

Timur'un trafik işaretleriyle ilgili kafasına bir soru takılmış, sordu.

T: Türkiye'de trafik işaretleriyle ilgili dikkatimi çeken şeylerden biri şu, aynı kavşakta hem dur işareti var hem de trafik ışıkları var; hangisine uymamız gerekiyor?

Bu soruya Arif cevap verdi.

A: Sanırım şöyle işliyor; eğer trafik polisi varsa, o öncelikli, onun söylediklerine uymamız gerekiyor; trafik ışıkları ve başka trafik işaretleri varsa, ikinci öncelik trafik ışıklarında ve son uyulması gereken de trafik işaretleri.

D: Timur senin trafik işaretleriyle ilgili başka bir şey soracağını sanmıştım.

T: Ne gibi?

D: Daha önce verilen bir işaret daha sonra takip edilmiyor. Örneğin, biraz önce birinci kavşakta İnebolu işaretini gördük, ama ikinci kavşakta göremedik. Senin, "Neden ikinci kavşağa işaret koymuyorlar?" sorusunu soracağını sanmıştım.

A: Sahi şimdi siz söyleyince dikkatimi çekti; daha önce dikkat etmemiştim.

T: Ben bunu Türkiye'de o kadar sık görüyorum ki, artık benim anlayışımda bir bozukluk olduğunu, Türk sürücülerin benim bilmediğim bir şeyi bildiklerini düşünmeye başladım onun için sormadım. Peki baba sormuş olayım, ikinci kavşakta İnebolu levhası neden konmamış?

D: Masum bir olay gibi görünüyor ama bence bu, kültürümüzün doğası hakkında önemli bir ipucu veriyor.

T: Ne gibi?

D: Biz kasaba ve kentlerimize sokak levhalarını yeni yeni koymaya başlamış bir toplumuz.

T: Daha önce insanlar aradıkları adresleri nasıl bulurdu?

D: O yörede yaşayan birine sorarak... O yöreden biri, örneğin bakkal seni yönlendirebilir. Ama o insana adresi sormayacaksın, aradığın kişinin adını söyleyeceksin. Yani, "Ihlamur Sokak No. 5 nerede?" diye sorarsan bakkal, "Ihlamur Sokak?... Hımm, hangisiydi?" diye düşünmek zorunda kalabilir. "Kunduracı İbrahim'in evini arıyorum," dersen, "Soldan ikinci sokağa gir, sağındaki üçüncü ev, kapısı yeşil boyalı olan," cevabını alabilirsin.

T: Baba İnebolu levhasının ikinci kavşağa konmamasıyla bakkala adres sorma arasında ne ilişki var?

Arif gülerek bize bakıyordu. Timur da güldü ve Arif'e döndü.

T: Seninle konuşurken de babam böyle yapıyor mu? Soruyu sormamı bekliyor, soruyorum ama o sorunun cevabını verecek yerde, alıyor beni bakkallara götürüyor!

Hep beraber güldük.

T: Sahi baba, İnebolu levhasının ikinci kavşağa konmamasıyla bakkala adres sorma arasındaki ilişki ne?

D: Sabır Timur, sabır. Sadi, "Sabır acıdır, ama tatlı meyvesi vardır," der.

T: Sadi, bilge bir kişi mi?

D: Evet, Şirazlı Sadi, İslam âleminin yetiştirdiği önemli bir düşünür ve öğretmendir. *Gülistan* ve *Bostan*, tanınmış önemli iki kitabıdır.

A: Babam da, "Sabırla beklersen, koruk, üzüm olur," derdi.

T: Peki, sabrediyorum ve yine soruyorum, trafik levhasıyla bakkala adres sorma arasındaki ilişki ne?

D: Sokağa levha koyma gereksinmesini bir mahalle niye duymaz? Çünkü herkes birbirini tanır, kimin nerede oturduğunu bilir. Ben buna, "tanıdık bildik kültürü" diyorum. Hepimiz aynı mahalleden olduğumuz sürece ve tüm dünyamız mahallemizden ibaret ise sokaklara levha koymaya gerek yok.

T: Peki, o mahalleye bir yabancı geldiği zaman ne olacak?

D: İşte o zaman bakkala soracak. Bakkala da, adresi değil, Kunduracı İbrahim'i soracaktır. Adres, yerel mahalle kültürünün kendi ürettiği bir sistem değildir. Batı dünyasından alınmış, dışarıdan devlet tarafından dayatılmış bir sistemdir; o nedenle bakkal adresi bilmez. Onun dünyasında sokak levhaları ve ev numaraları değil, tanıdığı, bildiği, her birinin özellikleri olan yaşayan karakterler, insanlar vardır. O, Kunduracı İbrahim'i tanır ve ona Kunduracı İbrahim'i sorduğun zaman, sana onu nerede bulacağını hemen söylemez. Önce şöyle bir bakar, "Niye soruyorsun?" diyerek niyetini yoklar. Ve Kunduracı İbrahim'e kötülük yapacağını sezerse konuşmaz, hatta bir yolunu bulur ve haber yollayarak, onu uyarır.

T: Evet, trafik işareti ikinci kavşağa niye konmadı?

D: Tanıdık bildik kültürü içinde devam eden bir yolculuğumuz var. Tanıdık bildik kültürü içinde, mahalleli olmayan birinin gözüyle dünyaya çeki düzen vermek hem anlamsız hem de zor.

T: Yani, trafik levhalarının nereye konacağını planlayanlar, bu yöreleri bilmeyen sürücülerin gözüyle duruma bakmakta zorlanıyorlar.

D: Evet! Bingo! Ve bu durumu Türkiye'nin her tarafında tekrar tekrar göreceğimizden emin olabilirsin. Dışarıdan bakıp, yabancının gözüyle, yabancının halinden anlama eksikliği. Aynı mantığın ürünü iki şey daha göreceksin: Birincisi, yetersiz bilgi veren, ilk verdiği yönü bir kez daha vermesi gerekirken vermeyen levhalar; ikincisi de, yol ayırımlarını önceden değil, tam ayrıma geldiğinde gösteren levhalar.

Hepsinin temelinde, "Hangi yolun nereye gideceğini önceden bilmen gerekiyor," düşüncesi var. Bu, tanıdık bildik kültürünün, mahalleli olanın gözüyle olaylara bakanın yaklaşımıdır. Dışarıdan birinin, mahalleli olmayan birinin gözüyle bakmayı becerebilmek için, önce kendi mahallemizin dışında koca bir dünya olduğunu, daha sonra da, bu büyük dünyanın mahallemizin hayatını sürekli etkilediğini, etkilemeye devam edeceğini görmemiz, anlamamız gerekir ve bütün bunların sonucu olarak da, iki yeni şeyi başarmak zorundayız. Bunlardan birincisi empati geliştirmek. Mahallemize gelenlerin gözüyle kendi mahallemize bakmayı öğrenmeliyiz ve levhalarımızı onların gözüyle görerek yollara koymalıyız; ikincisi de, mahallemizin dışındaki insanlara kendimizi tanıtmaya önem vermeliyiz.

Timur gülerek konuştu: "Sabrın meyvesi gerçekten tatlıymış baba. İnebolu trafik işaretinin ikinci kavşağa konmamasını iyi ki sormuşum.

Arif konuşmalarımızı dikkatle izlemişti. Timur'un söylediği son cümle onu da güldürdü.

İnebolu'ya doğru yola devam ediyoruz. Sağda, yeni gelişen bir yerleşim bölgesi var; evler gerçekten güzel, villa tipi. Solumuzda,

"Hacı Bekir Barut Anaokulu" işaretini görüyoruz. Harmanlar bitmiş ve kesilmiş ekin sapının sarısı bütün ovayı kaplamış. Önümüz açık, bütün manzarayı görebiliyoruz; yalnız, bir traktörün arkasında olduğumuz için yolu iyi göremiyoruz.

Geçilmez denen yerde bir araba bizi geçti. Tabii bu, hem kendini hem de bizi riske attığı anlamına geliyordu ama sürücünün bunun, yani bizi tehlikeye attığının farkında olduğunu sanmıyorum. Arif bu düşüncemi dile getirdi.

A: Şoför bizi tehlikeye attığının farkında bile değil.

Doğruladım. Aklımdan bir sürü şey geçiyordu. Direksiyon başına geçmiş olan bu kişi neden geçilmeyen yerde geçiyordu? Bizi tehlikeye attığının farkında bile değildi. Neden? Farkında olmadığının da farkında değildi.

Bu kişi uygar, çağdaş, sorumluluk bilinci içinde araba süren biri haline gelebilir mi? Gelebilirse nasıl? Nasıl bir yol izlemek gerek? Kendisi böyle bir öğrenme sürecine gönüllü olarak katılır mı, yoksa onu değişik cezalarla korkutarak mı bu yola yönlendirmek gerek?

Arif, sessizliğimin sıradan bir sessizlik olmadığını anlamıştı. Neler geçiyor aklınızdan, dercesine bana baktı. Aklımdan geçenleri paylaştım. Sözümü bitirince, "Nurdoğan Arkış bir kitabında[1]*, öğrenmenin aşamalarından söz ediyordu, sizi dinlerken onu düşündüm," dedi.*

Timur ilgiyle dinliyordu, sordu.

T: Nedir o aşamalar?

A: Şunlar: 1. Bilinçsiz yetersizlik-tam cehalet aşaması; 2. Bilinçli yetersizlik-bilmediğinin farkına varma aşaması; 3. Bilinçli yeterlilik-öğrenmeye çalışma ve acemice uygulamaya çabalama aşama-

(1) Nurdoğan Arkış, *Gene Annen Geldi, Bütün Günüm Mahvoldu! İletişim Bilincinin Temel İlkeleri*, Remzi Kitabevi, İstanbul, 2004, s. 38-48.

sı; 4. Bilinçsiz yeterlilik-öğrenileni alışkanlık haline getirerek uygulama, refleks aşaması.

Konu Timur'un ilgisini çekmişti. Arif'ten örneklerle, biraz daha açarak anlatmasını istedi.

A: İki örnek üstünden anlatayım. Birinci örnek Çince gibi yeni bir dil öğrenmek olsun, ikincisi araba sürmeyi öğrenmek.

Diyelim biri Çince öğrenmek istiyor ama öğrenmenin ilk aşaması olan bilinçsiz yetersizlik aşamasında. Çünkü Çince'yle hiçbir ilgisi ve ona ilişkin, bilgisi yok. Dolayısıyla bu, onun bu dili konuşamayacağı, anlayamayacağı bir aşamayı işaret eder.

Gittiğimiz yolda harman makineleri var. Onlar büyük ve hem yolun büyük bir kısmını kaplıyorlar hem de ağır gidiyorlar. Arkadan gelen araçlar çoğu kez harman makinesinin ilerisini, yani öndeki yolun durumunu göremiyor.

Önümüzdeki harman makinesinin sürücüsünün yanına bir adam oturmuş ve el işaretleriyle arkadaki arabaların geçmesi ve durmasıyla ilgili yönlendirmeler yapıyor. Timur adamın el işaretlerini tam anlayamadı, çünkü o Amerikan el işaretlerini biliyor, bizim halkın işaretlerini bilmiyor.

Arif'ten izin alıp Timur'a, çabuk geç, acele etmen gerekir, yavaşla, şimdi geçemezsin, türünden anlamı olan el işaretlerini tercüme ettim. İnsanın yüreği ısınıyordu; çünkü harman makinesi sürücüsü diğer sürücülere yardım etmek istiyordu ve bu yolu bulmuştu. Timur, bunun farkında olarak, her harman makinesi geçişimizde, teşekkür ederim, anlamında el işaretiyle, yardımcı olan adama el sallıyordu.

Bu arada Arif konuşmasına kaldığı yerden devam ediyor, ikimiz de onu ilgiyle dinliyorduk.

A: Diyelim kişi üniversitede, Çin'in büyük bir ekonomik güç olacağını öğrendi ve şimdiden hazırlanmak için Çince bilmek gerektiğine karar verdi. Çince öğreten kitaplar aldı ve araştırdıktan sonra bir dil kursuna da yazıldı. İşte bu, öğrenmenin ikinci yani bilinçli yetersizlik aşamasıdır. Artık bu konuda kara cahil değildir, ama Çinceyi konuşamaz.

Kişi kafasına koymuşsa kursta Çince öğrenmeye başlar, kafasını gözünü yara yara da konuşur. Elindeki her fırsatı değerlendirerek bu dilin konuşulduğu ortamlara girer. Sonuçta akıcı olmasa da, düşüne düşüne doğru olarak konuşmaya özen gösterir. Bu, öğrenmenin üçüncü aşamasıdır.

Uygulamaktan, konuşmaktan vazgeçmezse, zaman içinde akıcı olarak konuşmaya başlar. Tanıdığım biri Çin lokantalarına giderek İstanbul'da oturan Çinlilerle arkadaş oldu, hep onların yanında vakit geçirerek Çincesini dört ay gibi kısa bir zamanda akıcı hale getirdi. Bu, öğrenmenin dördüncü aşamasıdır.

T: Peki, araba kullanma örneğine geç bakalım.

A: Örneğin biri hiç araba kullanmak durumunda olmadı; araba almak, kullanmak onun için hiç ihtiyaç olarak belirmedi; ne arabayla ilgili bir bilgisi var, ne de araba sürme becerisi. Bu, bilinçsiz yetersizlik aşamasıdır.

Herhangi bir nedenle araba almaya karar verdi diyelim. Bu nedenle arabayla ilgili kitap okudu, arabanın temel parçalarını öğrendi ve bir sürücü kursuna yazıldı. Bu, ikinci aşama olan bilinçli yetersizlik durumudur. Arabanın nasıl çalıştığını ve kısımlarını biliyor ama henüz süremiyor.

Sonra sabah erkenden kalkarak arabayı hoplata zıplata tenha yollarda sürmeye başlamış olsun. Bu arada her vites düşürmenin ve durulan kırmızı ışığın bir öyküsü oluşur. Bu aşamada tüm dikkati araba sürmeye vermek gerekir, yandakiyle konuşamazsın, kulağını radyodaki müziğe veremezsin. İşte bu, öğrenmenin üçüncü yani bilinçli yeterlilik aşamasıdır. Bu aşamada her davranış bilinçli olmak zorundadır; o nedenle davranış akıcı değil, tutuktur. Bu üçüncü aşamada çabalamaktan vazgeçmeyen, ısrarla, yanlış yapsa da hoplata zıplata araba kullanan kişi, beş-altı ay sonra daha kolaylıkla kullanmaya başlar; artık eli kolu, refleks olarak, o düşünmeden ne yapacağını bilir, kişi otomatikleşir. Bu da bilinçsiz yeterlilik aşamasıdır.

T: Teşekkür ederim Arif, öğrenmenin dört aşamasını şimdi anladım. Peki, bu söylediklerini bizi tehlikeye sokan ve sorumsuzca sollayarak geçene uygularsak ne söyleyebilirsin?

Arif bana baktı, Doğan Hocam sen devreye gir, der gibi bir bakışı vardı. Önemli bir kavram olan "farkındalık oluşturma"dan söz etmenin tam zamanı, diye düşündüm.

D: Bu kişinin, yani bizi tehlikeye sokarak sollayan kişinin öğrenmenin hangi aşamasında olduğunu bilmiyoruz. Tehlikeye soktuğunun farkında bile olmayan birinci aşamada yani cahil olabilir. Görüyor, duyuyor, rastlıyor ama henüz eski alışkanlıklarından kurtulamadığı, araba kullanmayla ilgili yeni bilgisini davranışlarına aktaramadığı bilinçli yetersizlik, yani ikinci aşamada olabilir. Bu bilgiyi edindiği halde umursamazlığından uygulamadığı, bilginin farkındalık haline gelemediği bir üçüncü aşamada da olabilir. Böyle insanlar tanıyorum.

T: Ne demek bilginin farkındalık haline gelmesi ya da gelmemesi?

D: Bir örnekle anlatayım. İki kişi düşün. Bu kişilere isim verelim. Farkındalık geliştirmemiş olanın adı, "geliştirmemiş" kelimesinin son iki hecesi olan Memiş olsun; geliştirmiş olanın adı da aynı mantıkla Tirmiş.

A: Şahane isimler; iki çocuğum olursa birinin adını Memiş öbürünün adını Tirmiş koyacağım.

T: (Gülerek) Tamam baba, devam et. Tirmiş, Timur'un "Tim"ini içerdiği için bana biraz daha yakın.

D: Arabaya binince emniyet kemeri takmanın trafik kazalarında yaralanma ve ölümleri büyük ölçüde önlediği, araştırmalarla belirlenmiş. Memiş ve Tirmiş bu araştırmalar ve sonuçları konusunda bilgi sahibi. Her ikisi de trafik yasasının bu nedenle emniyet kemeri takmayı zorunlu kıldığının farkında.

Tirmiş arabaya binince, kendisi kemerini taktığı gibi, aracın önünde oturan kişiye de mutlaka taktırıyor. Memiş ise ne kendi kemerini takıyor ne de yanında oturandan böyle bir şey istiyor.

T: İkisi arasındaki temel fark ne?

D: Ortama getirilen bilinçte önemli bir fark var aralarında.

T: Nasıl?

D: Biri, yani Memiş, bilgiyi yani emniyet kemerinin takılı olmasının kazada yaralanmayı ve ölümü önlediğini özümsememiş; bu bilgi, onun varoluşunun, bütünlüğünün bir parçası olmamış; dolayısıyla bu onun davranışına yansımıyor. Çünkü insan, ortama getirdiği bilinci otomatik olarak davranışına yansıtır. O nedenle birinin ona, "Emniyet kemerini tak," demesi gerekir. Demesi de yetmeyebilir, ayrıca, "Emniyet kemerini takmazsan sana şu cezayı vereceğim," diye onu korkutması gerekir. Öbüründe, yani Tirmiş'te ise bilgi özümsenip farkındalık haline geldiği için, o, kimsenin söylemesine gerek kalmadan, bir refleks gibi gerekeni yapar, emniyet kemerini takar.

T: Baba, şimdiye kadar ki konuşmalarında üç farklı kavram kullandın: malumat, bilgi, farkındalık. (Bkz. Kavramlar Sözlüğü, s. 335) Bunları biraz açar mısın?

D: Timur, güzel bir noktaya değindin: Malumat, bellekte yer alan, ezberlenmiş, ama bir sistem haline getirilerek anlamlandırılmamış veriler.

T: Yani öncelikli olan kişinin belleğine o verinin kaydedilmesidir, anlayıp anlamaması önemli değildir.

D: Evet. Bilgi ise, farklı verilerin birbiriyle ilişkilendirilerek anlamlı hale gelmiş durumudur.

A: Eğitimde bu önemli bir fark. Örneğin bir tarih öğretmeni, bir dizi olayı, savaşı, öğrenciye ezberleyeceği, sınavda bileceği bir biçimde anlatabilir. Ya da olaylar ile savaşların ilgisini kurup, neden böyle bir dizi olay olduğunu anlamalarını sağlayabilir.

T: Öğretmenin, anlatılan olaylar ve savaşlar arasındaki ilişkiyi, öğrencinin kendisinin keşfetmesine yardımcı olması bence önemli.

A: Katılıyorum. Anlatmak istediğim, iki tür öğretmen yaklaşımıydı. Biri malumat aktarır ve sınavda malumat sorar. Bu öğretmenin öğrencisinin ezberden başka bir şeye ihtiyacı yoktur. Başka bir öğretmen tarih malumatı değil, tarih bilgisi verir ve bunu ister. Yani tarihi olayların ilişkilendirilmesi ve anlamlandırılması gerekir. Birinci türden öğretmenin öğrencisinin deposu ne kadar dolu olursa olsun, bu, onun sınıfta başarılı olmasına yetmeyebilir. Onun düşünmeyi, olaylar arasında ilişki kurmayı da öğrenmesi gerekir.

T: Güzel bir örnek, katılıyorum. Baba ikisinden bahsettin, malumat adını verdiğin veri ile bilgi. Üçüncüsünü açıklar mısın?

D: Üçüncüsü, bilinç yani farkındalıkların oluşturduğu bir sistem, bir bütün.

T: Baba daha iyi anlayabilmem için, bilinç ve farkındalık karşılığı hangi İngilizce kelimeleri kullandığını söyler misin? Özür dilerim Arif, bu kavramlar önemli olduğu için tam anladığımdan emin olmak istiyorum.

A: Tabii Timur, özür dilemene gerek yok, ben de yeni iki İngilizce kelime öğrenmiş olurum.

D: Hepsinin İngilizce karşılığını söyleyeyim. "Malumat"ın İngilizce karşılığı *information*, "Bilgi"nin *knowledge*, "Bilinç"in *consciousness* ve "Farkındalık"ın da *distinction*'dır.

T: İngilizce konuşan psikolog ve filozoflar bu kelimeleri tam senin kullandığın anlamda mı kullanıyorlar?

D: Hepsi değil; ama *cognitive psyhology* (bilişsel psikoloji) alanında çalışanlar, benim gibi kullanıyorlar.

T: O zaman sen, bilgi ile farkındalık arasında önemli bir fark olduğunu düşünüyorsun, öyle mi baba?

D: Evet Timur. Yaşamın dört alanını tartışırken bilgi ve varoluşu gözden geçirmiştik. Organize olmuş verilere, bilgi diyorum. Varoluşta özümsenerek davranışa yansıyan, yani önceki duruma göre davranışta bir fark yaratan bilgiye "farkındalık" diyorum. Özümsenmiş bilgi yani farkındalıklar, bilinci oluşturur. Ortama getirilen bilinçte bilgilerimiz değil, farkındalıklarımız işlevseldir.

A: O zaman bizi tehlikeye atan kişinin bilgisi olabilir ama farkındalık geliştirmemiş olduğunu rahatlıkla söyleyebiliriz.

T: Yani Memiş'lerden biri mi, diyorsun?

Üçümüz de güldük.

A: Tirmiş olmadığı kesin.

T: Peki baba, teşekkür ederim. Böylece malumat, bilgi ve farkındalıkların ürünü bilinç kelimelerinin ne anlama geldiği konusunda şimdi daha net bir fikrim var. Arif demin tarih dersinden güzel bir örnek verdi, baba sen de kendi alanından, iletişim alanından bir örnek verebilir misin?

D: Vereyim. Diyelim ki bir psikolog, boşanmak için mahkemeye başvuran çiftlerin büyük bir yüzdesinin "geçimsizlik" yüzünden boşanmak istediğini öğrenmiş olsun. Merak ediyor, nedir bu "geçimsizlik" dedikleri, diye araştırıyor. Karı koca birbiriyle konuşmuyor; konuşunca kavga çıkıyor. Kayınvalide gelin birbiriyle konuşmuyor; konuşunca kavga çıkıyor. Anne veya baba çocuklarla konuşmuyor; konuşunca kavga çıkıyor. Bunun gibi bir dizi malumat topluyor. Böyle biri bu konuda uzmanlık geliştirip kavga eden insanların ve kavga ettikleri konuların listesini çıkarabilir.

T: Bu, malumat uzmanlığı oluyor, değil mi?

D: Evet. Güzel bir terim keşfettin Timur, malumat uzmanlığı.

A: Ben de bayıldım doğrusu. Teşekkürler Timur.

Timur memnun, ama tam da anlayamamış durumda, "Önemli bir şey mi?" diye baktı. Açıklamama devam ettim.

D: Diyelim ki bu olguların kaynağına inmek isteyen bir başka psikolog, bunları inceledi ve aralarında bir ilişki kurdu. Hepsinin temelinde, insanların dinlemeyi bilmediklerinin yattığını gördü. Bu psikolog, elindeki örnek olaylar üzerinde çalışarak, bu olayların temelinde yatan nedenleri inceleyerek "dinlemenin önemi"ni kavratacak bir uzman olabilir. Bir uzman olarak insanlara nerede, kimi, ne zaman, nasıl dinleyeceğini öğretebilecek bir sistem geliştirebilir.

T: Baba buna da bir isim verelim. İlki malumat uzmanıydı, bu ikincisi ne olsun?

A: Timur sen sistemi buldun, aynı sistemden devam edelim. İkincisi bilgi uzmanı olsun.

D: Doğru kabul ediyorum, önemli kavramlar geliştiriyorsunuz arkadaşlar. Bilgi uzmanı olsun. Şimdi üçüncüye gelelim.

A: O da bilinç ya da farkındalık uzmanı olacak.

T: Evet, bilinç uzmanı olarak onun, bilgi uzmanından farkı ne olacak?

D: O, sadece dinlemeyi bilen değil, dinlemeyi yaşayan insan da olacak. Yani kendi yaşamında bildiğini kullanan insan.

Arif yüzünde büyük bir gülümsemeyle, "Yani 'arif' olacak," dedi. Timur bana baktı. Ben Arif'e baktım. Hiç aklıma gelmemişti. Evet, bilen kişi ile arif kişi arasındaki farktan söz ettiğimi ancak şimdi anlamıştım.

T: "Arif", bilen ve bildiğiyle ahenk içinde yaşayan insan, mı demek?(1)

A: Evet!

---

(1) Arif kelimesinin sözlük karşılığı, "Anlaması, kavraması, sezgisi güçlü kimse"dir. Sözlük "bilmeye" vurgu yaparken, ben, bilmenin ötesinde özellikle "bildiğini davranışına yansıtan ve yaşayan kişi" vurgulamasını yapmaktayım.

Timur bana baktı, evet anlamında başımı salladım.

T: Baba, ismin bu anlama geldiğini daha önce bana söyleyebilirdin.

D: Hiç bu gözle bakıp irdelememiştim. Ben de şimdi şu anda bu gözle bakıyorum.

A: "Arif kişi" çoğu kez, "bilen kişi", "ermiş kişi", "örnek kişi", "veli", "üstat" gibi anlamlarda kullanılıyor ama Timur'un tanımı bana daha açık geldi: "Bilen ve bildiğiyle uyum içinde yaşayan insan."

D: Timur bak, masum bir soru sordun ve nerelere geldik.

Üçümüz de birlikte olmaktan mutluyduk. Bir yudum su içtim. Doğa gittikçe güzelleşiyordu. Konuşmanın zevkine dalmıştık ve devam etmek istiyorduk. Bir süre sonra yine Timur konuştu.

T: Uygunsuz sollayarak geçen ve bizi tehlikeye atan kişinin sorunu, ortama getirilen bilinçle ilgili, yani farkındalık geliştirmemiş olmakla ilgili bir durum. Doğru mu anlamışım baba?

D: Evet Timur, doğru anlamışsın.

T: O zaman benim sorum şu: Farkındalık geliştirmemiş sürücüler Türkiye'de neden çok?

Arif'le birbirimize baktık. İlk olarak Arif konuştu.

A: Doğan Hocam konuşunca ben 'Mış Gibi' kitabında ele aldığımız bütün konuları düşündüm. Senin sorduğun bu soruyu kitabın her bölümüyle ilgili sorabiliriz: Farkındalık geliştirmemiş öğretmenler, polisler, doktorlar, savcılar, eşler, analar, babalar, yöneticiler, bürokratlar benim ülkemde neden çok?

D: Bence, birlikte yazacağımız bu kitabın özünü oluşturan konu bu. Bu konunun temelinde, şimdi pek bir anlam ifade etmeyecek olan ama daha sonra yeniden baktığımızda anlamlı olacak bir temel neden var: Çocuklarımızı yaptıklarının sorumluluğunu almasına olanak verecek biçimde yetiştirmiyoruz.

T: Yani bizi tehlikeye atan sürücü, davranışının sorumluluğunu alacak bilinçte değil ve ayrıca onu bu davranışından sorumlu tutacak, ona hesap verdirecek bir takip mekanizması da yok. Bir başka deyişle, o sürücüyü hesap vermek durumunda bırakacak bir ortam geliştirilmemiş.

A: (Gülerek) Yani sürücü de Memiş, ortamı yöneten de.

D: Siz işin gırgırındasınız ama kaybettiğimiz binlerce yaşam, işin ciddi olduğunu gösteriyor.

T: Haydi baba, çok ciddi olma. Gülme yeteneğini kaybetme. Gülmesini bilmeyenin, ağlamasının bir anlamı yoktur.

Timur'a baktık. Bu söz ikimizi de etkilemişti. Konuşmama devam ettim.

D: Uygarlıklar bilgi değil, farkındalıklar üzerine kurulur. Eyleme geçemeyen bilginin ne sahibine ne de çevresine herhangi bir yararı yoktur.

Arif bir şey söyleyecekti, Timur susmasını işaret etti. Bir süre sustuk.

Bir vadiden geçiyoruz, yeşil ve ekin sarısı renk birbirine karışmış. Aralıklı duran kayalar görünümü daha gizemli yapıyor. Sağımızda bir dere yatağı. Karşıdan gelen kamyona o kadar yük yüklenmiş ki, sanki hareket eden bir apartman. Arabanın açık penceresinden tatlı bir rüzgâr yüzümüze vuruyor; gökyüzünde tek tük bulutlar var ve 'Hilal Karakaş Hatıra Ormanı' tabelası, solumuzda bir orman ekim alanının varlığını işaret ediyor.

Bir süre sessizlikten sonra Timur konuşmaya başladı.

T: Arif'ciğim özür dilerim, babamın son söylediği söz üzerine biraz düşünmem gerekiyordu. Baba, önemli bir şey söyledin. Eğer bu dediğinin anlamını Türkiye kavrarsa tüm eğitim sistemini ve çocuk yetiştirme tarzını gözden geçirip değiştirebilir.

A: Aynı kanaatteyim. Biz Türk eğitim sistemini bilgi aktaran değil, farkındalıklar oluşturan bir sistem haline dönüştürmek zorundayız.

T: Baba, biraz önce ben, "Neden farkındalık geliştirmemiş insan çok?" diye sorduğumda, sorumluluk bilincinin geliştirilmediğinden söz ettin. Bir örnek verebilir misin?

D: Tabii Timur ve sanırım işe yarar bir örnek olur. Bir gün seminere başlamadan önce biri geldi, elimi öpmek istedi. El öptürmekten hoşlanmadığım için tokalaştık, kucaklaştık. "Niye elimi öpmek istedin?" diye sorduğumda, anlattı. Üç yıl önce benim bir seminerime gelmiş; o seminerin sonlarına doğru ben, "Bir insanın anavatanı çocukluğudur; çocukluğunu doya doya yaşayamamış bir insanın mutlu olması zordur. O nedenle, bir anne ve babanın en temel görevi çocuklarının çocukluğunu doya doya yaşamalarına olanak yaratmaktır," demişim.

"Hocam," dedi, "o seminerden sonra çalıştığım şehre gece otobüsüyle dönerken hiç uyuyamadım. Yarama dokunmuştunuz. Oğlum Emre 9 yaşındaydı; her akşam eve geldiğimde, 'Oğlum ödevini yaptın mı?' diye sorardım. Çocukluğu boyunca oğluma bir gün bile, 'Oğlum, bugün doya doya oynadın mı?' diye sormadım. Sormak aklıma bile gelmemişti ve siz o gün o sözü söyleyinceye kadar sormadığımın farkında bile değildim. İyi bir baba olmadığımı düşündüm, bütün gece. Ve yüreğim yandı. Nihayet bir karar verdim. Oğlum isterse beş yıl sınıfta kalsın ama çocukluğunu doya doya yaşasın. Ben baba olarak onun çocukluğunu doya doya yaşamasına kendimi adayacaktım. Eve gidince eşime heyecanla, 'Şahane bir seminer, şahane bir adam. Beni ikna etti, oğlum Emre'nin çocukluğunu doya doya yaşamasına kendimi adıyorum, isterse beş yıl sınıfta kalsın. Gel hanım sen de bana yardım et, çocuğumuzu okul ödevleri için sıkboğaz etmeyelim,' dedim.

"Eşim şaşkın şaşkın bana baktı, hayal kırıklığına uğradığı yüzünden belliydi. 'O ne biçim seminer? Kimmiş bu adam? Sen aklını mı kaçırdın? Çocuğu cahil mi bırakacaksın?' dedi.

"Fakat üç gece sabahlara kadar anlata anlata onu ikna ettim; ya da pes etti, 'Ne halin varsa gör!' diye beni serbest bıraktı. O gün, hatırlıyorum, bir perşembe sabahıydı, işe gitmeden önce spor ayakkabımı, eşofmanımı hazırladım. Akşam işten gelince, 'Oğlum bugün doya doya oynadın mı?' diye sordum. Çocuk şaşırdı kaldı; bana cevap veremedi, annesine baktı. Annesi, 'Bana bakma, babana cevap ver,' dedi. Başıyla 'hayır' işareti yaptı bir de 'cık!' dedi. O zaman, 'Haydi oğlum, çıkalım, doya doya oynayalım,' dedim. Sokağa çıktık, bizi gören arkadaşları da çıktı. Ve o akşam 18:30'dan 20:30'a kadar oynadık. Eve gelince toz toprak içindeydik, birlikte duş aldık."

A: Emre okuldan ne zaman geliyormuş? Babası işten dönmeden önce isterse ödevlerini yapacak zamanı var mıymış?"

D: İşten dönen babası, "Oğlum ödevini yaptın mı?" diye sorduğuna göre, demek ki Emre'nin ödevini yapacak zamanı varmış.

Anlatmaya devam ettim.

D: "Doğan Hocam, o günden sonra her gün işten eve dönüşte ona aynı soruyu sordum ve birlikte oynadık. On veya on iki gün sonraydı, banyodan çıkmak üzereyken Emre kolumdan tuttu ve bana sevecen bakışlarla bakıp, 'Baba be, ben seni çok seviyorum be!' dedi. Gözümde beliren iki damla yaşı ondan saklayarak kucakladım, öptüm.", "Neden gözün yaşardı?" diye sorduğumda, "Oğlum o güne kadar hiç böyle bir şey söylememişti ve ben söylemediğinin farkında değildim," dedi.

T: Hoş bir öykü baba. (Bir süre sustuktan sonra) Ama sorumluluk soruma bu nasıl bir cevap, anlayamadım.

D: Timur, ben şimdiye kadar yüzlerce seminer verdim ve büyük bir olasılıkla seminerlerime on binlerce baba katıldı. Emre'nin babası, bir seminerimde bir bilgi edindi ve edindiği bu bilgiden sorumluluk aldı. İşte...

T: Affedersin baba, sözünü kesiyorum, önemli bir şey söyledin. Tekrar etmeni istiyorum.

Benim yerime, konuşmamızı dikkatle dinleyen Arif cevap verdi.

A: Öğrendiklerinden, edindiği bilgiden sorumluluk almak, gereğini yapmak.

T: Evet! Bu önemli. Emre'nin babası o seminerde bir bilgi edindi; çocuğunun ve yanı sıra onun oyun oynamasının önemini... ve bu bilgiyi edinmemiş gibi davranmadı. Bu bilginin sorumluluğunu aldı ve onun hakkını vermeye çalıştı. Bu güzel bir örnek. Merak ettim, sonra ne olmuş Emre'ye?

D: Sonuç olumlu.

T: Nasıl yani?

D: Çocuğun ders notları yükselmiş. Ödevlerini daha özenle ve zevkle yapmaya başlamış. Sınıfta arkadaşlarıyla daha iyi geçinen, işbirliğine önem veren biri olmuş.

T: Bunu televizyon programlarında tüm Türkiye'ye anlatmalısın. Çocukların çocukluğunu yaşamasının gerekliliğini anne ve babaların bilmesi ve buna inanması önemli.

D: Haklısın. Televizyon programlarımda bunun üzerinde tekrar tekrar durmam gerek. Sana söz Timur, öyle yapacağım.

T: Ama bir sorum var: Varsayalım ki Emre, gerçekten doya doya oynamaya önem verdi ancak ödevlerini yapmadı ve gerçekten sınıfta kaldı. Yani, çocuk hep oynamak isterse ve hep derslerine çalışmak istemezse, ödevlerine hiç bakmazsa, Emre'nin babası ne yapacak?

D: Önemli ve kritik bir soru bu. Baba niyetinin saflığını keşfetmiş biri olarak mı, "İsterse beş yıl sınıfta kalsın," dedi, yoksa doya doya çocukluğunu yaşamasını istemesi aslında çocuğunun okul başarısına ulaşması için bir strateji miydi? Bu iki yaklaşım farklı sonuçlar doğuracaktır.

T: Nasıl?

A: Hocam, benim çevremde çocuğunun televizyon önünden, bilgisayar başından kalkmadığını söyleyen o kadar insan var ki. İşin can alıcı tarafı da hemen tümü, nasıl davranacağını bilmemenin çaresizliği içinde.

D: Şimdi yavaş yavaş, ana-baba çocuğuyla nasıl konuşmalı, konuşurken nelerin farkında olmalı, konusuna giriyoruz.

T: Evet, bence bu önemli bir konu.

D: Doğru, önemli bir konu. Öncelikle ana-babalar "Çocuğum mış gibi mi yaşasın, mış gibi yaşamasın mı?" arasında bir tercih yapmayı öğrenmeliler.

T: Hiçbir ana-baba çocuğunun mış gibi bir hayatı olmasını istemez herhalde.

D: Peki, bazı ana-babalar, farkında olmadan, çocuklarını mış gibi bir hayata hazırlıyor olabilir mi?

T: Olabilir.

D: Peki, sen baba olsan hangisine öncelik verirsin? Onun okul başarısına yardımcı olmak mı, yoksa yaşam başarısına mı?

T: Tabii ki yaşam başarısına.

D: Arif sen baba olarak hangisine öncelik tanırsın, okul başarısına mı, yaşam başarısına mı?

A: Doğal olarak yaşam başarısına.

D: Şu anda karşımda bir milyon anne ve baba olsa, aynı soruyu onlara sorsam, bana ilk soracakları, "Hocam, yaşam başarısı derken ne demek istiyorsunuz?" olurdu. Siz yaşam başarısının ne olduğunu bildiğiniz için bu soruyu sormadınız. Bu bir milyon ana-babaya yaşam başarısının ne olduğunu anlattıktan sonra, büyük bir çoğunluğu, hem de çok büyük bir çoğunluğu, aynen sizin gibi yaşam başarısını seçerdi.

Çünkü yaşam başarısı olmadan okulda başarılı olmak, diploma almak, meslek sahibi olmak, mesleğinde başarılı olmak, evlilik yapmış olmak, mış gibi bir hayatın olmasını önleyemez. Anlamsız, coşkusuz, güçsüz bir yaşam oluşur.

T: Yani baba, bu yolculukta konuşurken önceliğimiz "'Niçin mış gibi yaşıyoruz?' mu olsun!" demek istiyorsun?

D: Evet Timur, onu demek istiyorum. Benim inancım o ki, o gün karşımda duran Torosların bir köyünde büyümüş olan Yörük kökenli tıknaz kişi, yani Emre'nin babası, niyetinin saflığına ulaşmış biri idi. O, bilinçli olarak oğlunun yaşam başarısına odaklanmıştı.

Bir süre sessiz kaldık. Manzara, gittikçe Karadeniz manzarası özelliğine bürünmeye başlamıştı. Sessizliği yine Timur bozdu.

T: Baba, sorumluluk alana örnek verdin, şimdi ikinciye yani kişiyi sorumlu tutan, hesap soran ortama ilişkin örnek verebilir misin?

A: Doğan Hocam, izin verirseniz iki-üç örnek vermek istiyorum. Amasya'da, butik oteli olan bir tanıdığım var, adı Levent. Levent ağabey, Almanya'da yirmi yıldan fazla kalmış, sonra Amasya'ya dönerek doğduğu evi butik otel yapmış. Geçen yıl onu ziyarete gitmiştim. Amasya'da çalışmakta olan ve otelde kalan bir Alman'la ilgili gözlemlerini anlatmıştı. Timur, sanırım bu senin sorunla ilgili. Levent ağabey, "Bu Alman bize bir müşteri olarak geldi. Burada, ipek iplik işlenen bir fabrika var, fabrikada bazı sorunlar vardı ve bu şahıs fabrikadaki bu sorunları çözmek için buraya çağrılmıştı. Beni, tercüman olarak davet ettiler. Alman, bir hafta kadar burada kaldı iyi bir diyaloğumuz oluştu. Ve bir sürü şey tartışma imkânımız oldu. Bu kişi fikirlerini ortaya koyarak bazı şeyleri açık açık konuşmaya başladı. Hem kızıyor hem de hak veriyordum. Anlattıkları ilginç şeylerdi:

"Bir gün, önümden bir polis arabası gidiyordu ve sola dönülmez işareti olan bir yerde, hiç işaret falan vermeden pat diye sola döndü. Bunu görünce, dayanamadım, kornaya bastım. Bu, araçtaki polislerin dikkatini çekti, döndü baktılar. Polislerin onurlarına dokundu ki, el kol hareketleriyle beni durdurdular. Sağa çektim, durdum. Geldiler, neden korna çaldığımı sert bir şekilde sordular. Bozuk ve kısıtlı Türkçemle izah ettim. Burada sola dönülmez işareti var, siz kanunu temsil ediyorsunuz, işaret vermeden neden sola döndünüz, dedim. Polisler, aşağıya in, seni karakola götüreceğiz, dediler. Ben de, hiçbir yere gitmiyorum, sizin üstünüz kimse, siz bana onu getirin, o bana sizin bu davranışınızın izahını yapsın, dedim. Baktılar ki benimle baş edemeyecekler, çek git buradan, haydi def ol, dedikten sonra arabalarına binip, gittiler."

T: Herhalde bir Türk vatandaşı polise böyle bir tavır gösteremez.

D: Haklısın. Büyük bir olasılıkla göstermez. Böyle bir durumda Alman gibi düşünse dahi, onun yaptığını yapmaya cesaret edemez.

A: Levent ağabey şöyle devam etti, "Bu Alman, Türkiye'de gördüğü olayları internette bir yerlere bildiriyormuş. Bir gün İstanbul'da bir oteldeymiş, hatta otelin adını verdi, şu anda hatırlayamıyorum. Resepsiyondan telefon gelmiş, 'Sizi aşağıdan çağırıyorlar,' diye. Merak etmiş, adam kim olabilir diye. İnmiş aşağı. Karşısındaki kerli ferli bir adam, kravatlı filan, giyimli. 'Neden bunu yapıyorsunuz?' diye soran bu adam, otelin bulunduğu ilçenin belediye başkanı imiş. Besbelli Alman, bu belediyenin sınırları içinde gözüne batan şeyleri de bu sitede yazmış. Alman, 'Sizin altınızda çalışan onlarca, yüzlerce insan var. Benimle konuşacağınıza, yönettiğiniz insanları eğitin ve hataların yapılmamasını sağlayın,' demiş. Belediye başkanı bu konuşmayı duyunca çekip gitmiş."

T: Demek ki Türk vatandaşlarının, fazla değil, yüzde onu bu Alman gibi sorgulayan ve görevini yapmayanları takip eden olsa, eminim Türkiye'de bazı şeyler farklı olmaya başlar.

D: Evet Timur. "Kişiyi sorumlu tutan ortam"dan kastettiğim bu.

A: Levent ağabeyin anlattığı bir öykü daha var, onu hatırladım. Yine onun ağzından anlatayım: "Benim kaldığım yer Almanya'da, Frankfurt'a on beş kilometre uzakta, Langin diye bir yer. Langin'in bir çıkışında, hafif keskin bir viraj var. O virajda sık sık kaza olur ve bir gün vatandaşın biri orada kaza yapıyor; gece saat on bir gibi. Yol kenarlarında, ışığı yansıtan metal kaplamalara zarar vermiş. Ama bakıyor kimse yok, kaçıp gidiyor. Bir müddet sonra polisten, karakola davet mektubu alıyor. Apar topar karakola gidiyor, sebebini soruyor. Polisler şu gün, şu saatte, şu yerde kaza yapmışsınız ama polise bildirmemişsiniz. Ayrıca, orada beklemediğiniz gibi, kaçmışsınız, diyor. Adam durumu kabul ediyor ama polisin nasıl öğrendiğini de merak ediyor ve bunu onlara soruyor. Oraya 150 metre mesafede bir hastane varmış. Uyuyamayan bir hasta dürbünle dışarı bakarken bu kazayı ve kişinin kaçtığını görünce, aracın plakasını kaydediyor ve vatandaşlık görevini yapmak için polise haber veriyor."

D: Üstünde ısrarla durmak istediğim konu şu. Bu tartışmalardan, "Türk insanı sorumluluk almaz" sonucunu çıkarmak yanlış olur. Türk insanı trafik konusunda değil ama, insanı kendi değer verdiği konularda sorumlu tutar. Önemli olan hangi alanda sorumlu tuttuğudur.

T: Anlayamadım, biraz açar mısın?

Arif de tuhaf bakıyordu. Devam ettim:

D: Malatyalı bir arkadaşım, dedesiyle ilgili şunları anlattı. Dedesi, bir ramazan günü, Malatya'nın köy yollarından birinde, at arabasının üzerinde sigarasını tüttürerek giden bir köylü görmüş. Hemen eşeğini hızlandırmış ve köylünün hizasına gelince, bastonunu boynuna geçirmiş, çekerek onu arabadan düşürmüş. Ardından da bastonuyla birkaç defa vurmuş. Karakola gitmişler. Adam davacı olmaktan çekinmiş, mesele kapanmış. "Niye yaptın amca?" diye sorduklarında, "Ramazan vakti göz göre göre sigara içilir mi!" diye cevap vermiş.

A: Bu yine, sizin biraz önce söylediğiniz ortama getirilen bilinç, farkındalıklar konusuna geliyor.

T: Neydi o Arif, hatırlatır mısın?

A: "Uygarlıklar bilgi değil, farkındalıklar üzerine kurulur." Eğer bir toplumun üyeleri trafiğe ilişkin tüm bilgileri özümsemişse bir farkındalık ve duyarlılık oluşacaktır.

T: Yani mesele, Alman ya da Türk olmakla ilgili değil.

A: Ben öyle anlıyorum, öyle mi hocam?

D: Evet, mesele Alman ya da Türk olma meselesi değil. Bence mesele, bir toplumun hangi alanlarda değer farkındalıkları geliştirdiğidir. İşin özü bu.

T: Yani?

D: Yani, bir toplumun üyeleri hangi alanlarda bilinçlenmekten kendilerini sorumlu tutuyor meselesi.

Önce Sipahiler köyünü sonra 'Küre 20 km, İnebolu 50 km' yazılı tabelayı geçtik. Bir vadiden gidiyoruz. Solda bir dere çukuru var. Güzel bir yaz günü; gökyüzünde bulutlar kümelenmiş, ayrı bir gü-

zellik veriyor çevreye. Bunaltan bir sıcaklık yok. Karadeniz havasına giriyoruz, tatlı bir serinlik var. Timur ve Arif'le yolculuk yapmak ve bu konuları konuşmak benim için ayrı bir zevk, güzel bir duygu.

Timur hem manzaraya bakıyordu, hem de konuştuklarımızı düşünmeye devam ediyordu.

T: Baba, bu kadar konuşmadan sonra, sıra "mış gibi"nin tanımını yapmaya gelmedi mi? Bizi tehlikeye atan şoför mış gibi bir şoför olarak mı davrandı?

D: Timur, ya şoför mış gibi, ya da trafik kuralları. Neyi temel aldığımıza bağlı. Eğer trafik kurallarını, gerçeği temsil eden, trafik davranışlarımızı yöneten temel olarak alırsak, evet, bizi tehlikeye atan şoför, mış gibi davrandı. Tersini temel alırsak, o zaman bizim trafik yasalarımız mış gibi demektir.

T: Peki, o Alman'ın Amasya'da gördüğü ve öfkelendiği polisler, mış gibi polis olarak mı davrandı?

D: Yanıtım yine iki uçlu. Eğer, yasal bir düzen içinde yönetilmiyor olsaydık, devleti temsil eden her üniformalı, istediği gibi keyfi olarak davranıyor olsaydı, o zaman polislerin davranışı mış gibi olmazdı. Yasalara uygun yaşayan uygar, çağdaş bir toplum olduğumuzu söylüyorsak, evet, o polislerin davranışı mış gibiydi.

Arif'e baktım, düşünceme katıldığını belirten bir baş sallayışıyla beni onayladı.

Şimdi daha yüksekte bir yerdeyiz. Önümüzde sıra sıra dağlar var. Ağaçların türü değişti; artık çam değil, meşe ağaçları göze çarpıyor; daha geniş bir alana dalları yayılmış, görünüşleri daha heybetli dallı budaklı ağaçlar.

Solda, 'Yağlıca Köyü' tabelası var. Yol iyi kalitede; çukurlar ve yüzey bozulmaları yok. Timur'a sordum:

D: Yolu nasıl buluyorsun, iyi bir yol değil mi?

T: Evet, güzel bir yol. Baba, bana hatırlatır mısın, mış gibi olan ile olmayanı birbirinden nasıl ayıracağız?

Arif'le birbirimize baktık. Arif'in gözleri ışıldıyordu. Mış gibinin ayrıntılı tanımını Timur'a onun yapmak istediğinin farkına vardım. Ben de onun anlatmasını istiyordum. Arif kafasını toplamak üzere şöyle derin bir nefes aldı. O arada ben, yolun sağ tarafına bakıyorum; bir grup köylü bir traktöre buğday saplarını yığıyor. Üste bir adam çıkmış, kadınlar veriyor, o da sapları bastırıyor; traktörün yan tarafında bir eşek sap yiyor; bir çocuk da ona göz kulak oluyor.

Önümüzde bir araba yavaşladı camdan dışarı yırtılmış kâğıt parçaları atıldı. Arabadan kâğıt ve başka şeyleri dışarı atmayı insanlarımız o kadar doğal bir olay gibi ve masumane yapıyor ki, bunun yapılmaması gereken bir davranış olduğuyla ilgili hiçbir bilinç taşımadıklarını yüzlerine bakınca anlıyorum. Bu olay hepimizi irkiltti, bakıştık.

T: Bu beni müthiş rahatsız ediyor, yollarını kesip karşılarında durmak ve bunu ne kadar ayıpladığımı, kınadığımı söylemek istiyorum.

A: Beni de rahatsız ediyor.

D: Tabii beni de rahatsız ediyor. Şimdi bu adamlarla sakin sakin konuşma imkânımız olsa ve onlara, "Siz Müslüman mısınız?" diye sorsak, hiç şüphem yok ki, "Elhamdülillah Müslüman"ız derler.

A: Evet, bence de.

D: "Müslümanlıkta temizlik önemli midir?" diye sorsak, önemli olduğunu söylerler.

T: Gerçek bir Müslüman bunu yapar mı baba?

D: Bu insanlara, "Yola böyle kâğıt parçalarını savurduğunuza göre, siz gerçek Müslüman olamazsınız," desek, hayretle ve öfkeyle bakarlar. Çünkü onların kafasında yırttıkları kâğıtları yola atmak ile temiz olmak arasında hiç ama hiç ilişki yok.

T: Şaka yapıyor olmalısın! Benimle dalga mı geçiyorsun?

A: İnanması zor ama öyle. Evin dışındaki temizlikle ilgili bireysel bir sorumluluk geliştirmiş değiller. O nedenle kâğıt atarak sokağı kirletmek ile temiz olmak arasında bir ilişki kuramazlar.

T: Peki, vatandaş olmak ile arabadan kâğıt atmak arasında bir ilişki kurabilirler mi?

A: Biraz önce Almanya'da uzun süre kalmış olan Levent ağabeyin tanıdığı bir Alman'dan söz etmiştim ya...

T: Evet?

A: Onun bu konuda gözlemleri varmış, aklıma geldi, onu anlatayım istiyorum. Bu Alman iş nedeniyle arabayla İstanbul'dan Amasya'ya gelmiş. Levent ağabeye demiş ki, "Abartmıyorum, en azından sekiz on arabadan dışarıya meyve kabukları, plastik torbalar, kâğıtlar, sigara paketi atıldı. Sizler aptalsınız, sizler akılsızsınız. Sizler dayaklık insanlarsınız."

D: Sahi mi? Hah hah ha ha...

A: Devam etmiş, "Ben bir hafta buradayım ve burası benim vatanım değil, ama arabadan atılan bu pislikler beni rahatsız ediyor da sizi etmiyor. Belli ki sizin umurunuzda değil, çünkü siz aptalsınız."

T: Bu Alman için "vatandaş olmak" ile "arabadan çöp atmak" arasında bir ilişki var. Benim sorum, Türk vatandaşı için böyle bir ilişki var mı?

D: Malumat olarak evet, farkındalık olarak hayır.

T: Yani?

D: Yani bizim vatandaşlarımızın çoğu bunu onaylar, iyi vatandaş çöp atmaz, der. Ama davranışını takip edersen, kendisinin de sık sık attığını görürsün. Sevdiğim ve düşünce tarzına saygı duyduğum bir müftü tanıdığım var. O vaaz verirken cami kürsüsünden cemaate şu soruyu soruyor: "Yolu temizlemek imanın bir gereği ise, kirletmek neyin gereği?"

Yol çalışması var, yolu genişletiyorlar. İşçilerin, greyderlerin yanından geçiyoruz. Greyder makinistlerinden biri, Timur'a bir dakika bekle, sonra şimdi beni takip et işareti yaptı, sonra da tamam artık devam edebilirsin, işareti yaptı ve Timur'un teşekkür işaretine selam-

layarak yanıt verdi. Öyle anlaşılıyor ki bu yol inşaatı yapılırken bu bölgede gelip geçen trafiği yönetmek kendi başına önemli bir iş olarak görülmüyor; herhangi biri bu işi yükleniyor. Çalışanlarla yoldan geçen sürücüler bu işi kendi aralarında hallediyorlar.

D: Durması rahat bir yer bulursan, bir kenara çek de manzarayı seyredelim.

Timur birazdan arabayı gördüğü uygun bir yere park etti. Üçümüz, sessizce muhteşem dağ manzarasını seyrettik, sonra yeniden yola koyulduk. Yol kenarındaki bir çeşmenin yanında bir ateş yakılmıştı ve ateşin başında hiç kimse yoktu.

Biraz daha ileride iki ineğin başında bir genç kız duruyordu.

Şimdi üstümüzden geçen ve kalın teller üzerinden krom taşımak üzere kurulmuş teleferik sistemini görüyoruz. Yol boyunca kilometrelerce uzanıyor. Böylece kromu, kamyon kullanmadan ocaktan depoya taşıyabiliyorlar. Yolun, teleferiğin altından geçen kısımlarının üstüne perde gibi tel örgü koyarak, yoldan geçen araçları, düşebilecek madenden korumuşlar.

'Kabalar İlköğretim Okulu' işaretini görüyoruz. Yakınlarda bir yerlerde bu isimde bir köy olmalı. Yolun sağına soluna, karda veya siste araçlara yol kenarını gösterecek işaretler koymuşlar. Karadeniz'e bu kadar yakın yerde kar sanırım olmaz, ancak sık sık yoğun sis olmalı. Henüz Karadeniz'i göremiyoruz.

Yol kenarındaki tabela, İnebolu'ya 10 km kaldığını gösteriyor ve Karadeniz'in ilk görüntüleri karşımızda. Hâlâ yükseklerde, dağlardayız; solumuzda güzel bir vadi var. Yol kenarında genç bir erkek ve genç bir kız var; her ikisi de temiz köy giysileri giymişler ve yol kenarında bir şey satıyorlar.

Şimdi 'Aşağı Çaylı' tabelasının yanından geçiyoruz. Biraz önce 'Yukarı Çaylı'yı geçmiştik. 'Dikkat Sürücü Eğitimi Alanı' tabelasını görüyoruz. Bu yörede trafik işaretleri özenle konmuş ve gayet anlaşılır. Burada emniyete ayrı bir önem verilmiş. Trafik eğitim alanını yöneten kişi, öğrenme ortamını yaratmaya özen göstermiş. Yenigün

Tüneli'ne giriyoruz, 'Farlarınızı Yakınız' tabelası var. Yolun sağında, yakındaki otellerin tabelaları görülmeye başladı.

9500 nüfuslu İnebolu'ya geldik. Karışık ve pis bir şantiye içinden geçiyoruz izlenimi veriyor. Mermer atölyesi, taşlar, toz, pislik. Yavaş yavaş giriyoruz; solumuzda 'Musa Köyü' işareti var.

Yirmi dakika sonra nihayet Abana'ya varıyoruz.

6

"MIŞ GİBİ" DEYİNCE...

En temel özgürlük, insanın yaşamında kendisi olarak var olabilmesi ve kendi bütünlüğünü yaşayabilmesidir; dürüst insan özgürdür.

DOĞAN CÜCELOĞLU

Abana'ya geldik. Çarşı içinde bir lokantaya oturduk. Üçümüz de çorba ısmarladık; buna ilave olarak Timur Urfa kebap, Arif taskebabı, ben sebzeli yemek...

Yolun kenarında, kaldırımın üstüne konan masalardan birini seçmiştik. Orta yaşlı garson, "Evet abiler," dedi. "Mönü var mı?" diye sorduk. Adam anlamadı, "Efendim?" diye sordu.

"Mönü lütfen!"

Cevap vermedi, biraz canı sıkılmış bir adamın edasıyla çekti gitti. Daha sonra genç biri geldi, mönü niyetine bir kâğıt parçası bıraktı önümüze. Ondan sonra hep o genç garson hizmet etti. İçimden bir his, yaşlı garson bizi sevmedi, diyordu ama niçin olduğunu anlayamıyordum. Mönü istememize mi bozuldu acaba? Sanırım bizi şehir çocuğu gördü.

D: Arif yanlış yaptık.

A: Neyi yanlış yaptık hocam?

D: Lokantada garsona yanlış konuştuk.

A: Mönü istemekle mi yanlış yaptık?

D: Evet.

A: Peki, ne demeliydik?

D: Önce bir, "Merhaba," dememiz gerekirdi. Daha sonra, "Ne yiyebiliriz?" diye sormalıydık.

T: Mönü istemek, "Mahallenizde neden sokak levhası yok?" demek gibi. "Merhaba," deyip, "Ne yiyebiliriz?" diye sorduğunuzda, adresi bakkala sormuş gibi oluyorsunuz, değil mi?

Timur'un bu ilişkiyi kurabilmesi, beni çok memnun etmişti.

Oturduğumuz yerden yoldan geçenleri görmemiz mümkün oluyor. Geçenlerin çoğu orta yaşlı ve yaşlı erkekler ve yüz ifadeleri kendinden emin ve güçlü. Bu ifadelerin fotoğrafını o doğal halleriyle çekebilmek isterdim.

Timur'un arkasının dönük olduğu sokakta bir kadın var; yüzü asık, somurtkan ve mutsuz. Ama yanındaki kız çocuğunun gözlerinin içi gülüyor, cıvıl cıvıl.

Çocuğun yüzündeki mutluluk, gözlerindeki ışıltı, beni mutlu edeceğine hüzne boğdu. İç dünyamı gözledim ve hüznümün nedenini keşfettim. Bir süre sonra bu kızın da aynı o kadın gibi asık suratlı ve mutsuz olacağı kaygısı vardı içimde. Onun içindeki yaşama sevinci de annesininki gibi sömürülüp çöplüğe atılacak, endişesini yaşıyordum. Bu küçük kızın mutluluğunu kaybetmemesini ne kadar önemsediğimin farkına vardım.

Etrafımızdaki insan manzarası çok zengin; arabasının camını temizleyen şoför, dükkânın önünü süpüren teyze, masaları temizleyen oğlan çocuğu, ileride tavla oynayan yetişkin, posbıyıklı iki erkek, hepsi bu ortamın özgün görüntüleri. Yeni ıslık çalmasını öğrenmiş ergenlik yaşında bir erkek çocuk, ötmeyi yeni öğrenen horoz gibi denemeler yaparak sokakta yürüyor. Sarkık memeli köylü bir kadın tüm doğallığı içinde yürüyor.

Bu arada bir dizi araba, korna çalarak geçti. Düğün alayı oluşturmuşlardı. Bütün kasaba onlardan haberdar oldu ve onlara baktı; onların istediği de zaten farkına varılmak ve bakılmak. Arabalardaki şoför dahil herkesin yüzünde bir heyecan ve coşku vardı.

Kaldırım üstüne kurulmuş bir masada yemek yiyoruz ve yayalar caddede yürümek zorundalar. Bir kamyonet lokantanın iki aşağısındaki bir dükkâna yük getirdi. Onun arkasına, beyaz bir araba geldi ve park etti.

Böylece yol tek şeride düştü. Hemen iki dakika içinde, aynen beklediğim gibi, trafik düğüm oldu; çünkü her iki taraftan gelenler de sırayla geçmek değil, önce kendileri geçmek istedi. "Ben bilinci"nin ortaya çıkardığı çatışma durumu hemen oluşuverdi.

Her iki taraf da birbirine korna çalarak karşıdakinin yolu açmasını istiyor, bu arada yolu kapatan iki aracın sürücüsü olayı üstlenmiyor, sorumluluk almıyor, oluşan durumun onlarla hiç ilgisi yokmuş gibi normal konuşmalarına ve işlerini yapmaya devam ediyordu. Timur garip garip bakıyor, Arif ise tedirgin ve biraz kızgın.

Nihayet, dükkân sahibi dışarıya çıktı. Durumu gördükten sonra yük boşaltan arabanın şoförüne kamyoneti iyice sağa çekmesini söyledi. Sonra beyaz arabanın şoförü de bir şey söylemeye gerek kalmadan aynı şeyi yaptı. Sonunda trafik açıldı. Dükkân sahibi sözü dinlenen güçlü bir kişi olmalıydı.

Trafikte takılıp kalanlar, korna çalarak isteklerini, varlıklarını belli etmeye çalıştılar ama görünen o ki, yeteri kadar güçlü değillerdi ve araçların şoförleri tarafından ciddiye alınmıyorlardı. Ancak güçlü biri duruma el koyunca sorun çözüldü.

Bütün bu gürültünün içinde biz de konuşmamıza aralıklarla devam etmeye çalışıyoruz.

T: Evet. Şimdi "mış"lı konuşmamıza dönelim mi?

Arif bana baktı. Konuşmaya ben başladım.

D: Yaşamda ilk gördüğümüz olgudur.

T: Olgu ne?

D: Arabaların yol tıkayacak şekilde park etmesi ve gidemeyen araçların korna çalması. Gözlemlenebilen, ölçülebilen, üzerinde konuşulabilen her olay bir olgudur. Örneğin, hava kirliliği bir olgudur.

"..Ancak daha güçlü biri duruma el koyunca herkes itaat ediyor."

Boşanmaların, okullarda şiddetin artması ya da azalması bir olgudur. Her olay veya olgu, birtakım süreçlerin sonucudur.

T: Baba, sen hep örnekle anlatırsın. Bunu da bir örnekle anlatır mısın?

D: Tamam. Arif öğretmen olduğu için eğitim alanından bir örnekle anlatayım: Olgu şu olsun: Bir sınıfa giriyorsun, kelimelerin hakkını vermeden, sözcükleri yutarak ağzının içinden konuşan, öğrencilerle hiç göz teması kurmayan, asık suratlı bir öğretmen görüyorsun. Öğrenciler, öğretmenin ne dediğini anlamıyorlar ve ne öğretmenle ne de anlatılan konuyla ilgileniyorlar. Çok sıkılmış durumdalar ama dinlermiş gibi oturuyorlar. Öğrencinin ilgilenip ilgilenmediği de öğretmenin umurunda değil. Senin İstanbul'a ilk geldiğin gün Ulus Parkı'nda gördüklerin, parkın pislik içinde olması, çalışma yapıldığı halde hiç işaret konulmaması birer olguydu. Olay bir döngünün sonucu olarak ortaya çıkar. İşte bu döngüde "mış gibi"liğin tanımı yatar.

T: Sözünü ettiğin döngüyü anlayamadım.

D: Anlatayım. Kısaca yaşam döngüsü, niyet-bilgi-beceri-eylem ve sonuçtan oluşur. Niyet geleceğe ilişkin bir hedef belirler ve aynı zamanda eylem için bir neden oluşturur. Kişi, niyeti doğrultusundaki bilgiyi seçer ve onu hayata geçirir. Yaptığı bu şeyin sonucuna baktığı zaman beklentisini gerçekleştirip gerçekleştiremediğini görür. Bunun sonucunda kendini başarılı ya da başarısız hisseder. Bu noktada yeni bir niyetle yaptığını daha iyi yapmaya ya da yeni bilgiler edinmeye yönelir ve böylece bir döngü içinde yaşamına devam eder. "Niyet->bilgi->eylem->sonuç <-> beklenti karşılaştırması" ve yeniden "niyet->bilgi->eylem->sonuç <-> beklenti karşılaştırmasına" yaşam döngüsü diyorum.

Her ikisi de beni dikkatle dinliyordu. Timur'un yüzünde belirsizlik vardı. Daha somut bir örnekle devam etmek istedim.

D: Öğretmen örneğinden devam etmek istiyorum. Bu öğretmenin o gün sınıfa gelme niyeti vardı yani tesadüfen kendini o sınıfta bulmadı.

T: Doğru. Eğer programlanmış bir robot değilse, o sınıfa öğretmen olarak gelme niyeti olması gerekir.

D: Evet. Şimdi öğretmen olarak o sınıfa gelme niyeti olduğuna göre, öğretmen olma niyetine uygun olarak o gün anlatacağı dersle ilgili bilgiyi de derlemesi, toplaması ve anlatacak şekilde bir hazırlık yapması beklenir.

T: Evet, beklenir.

Arif dayanamadı, devreye girdi.

A: İşte burada niyete uygunluk ya da niyetten kopukluk testini yapabiliriz. Yani kişinin niyeti ile bilgisinin birbiriyle ilişkisi var mı? Bilgi ile niyet birbirine uygun mu, yoksa ilgisiz veya kopuk mu? İsteyerek öğretmen olmuş biri, istemeden öğretmen olmuş birinden farklı öğretmenlik yapar, değil mi? Timur, sen bu sorumu yanıtlamadan sana cebimde taşıdığım bir mektubu vereyim oku. Tanıdığım bir büyüğüm, öğretmen olmaya karar verdiğimi öğrenince bana bu mektubu gönderdi, hâlâ cebimde taşırım.

Timur mektubu okudu, yüzünde bir gülümsemeyle bana verdi, ben de okudum. Mektupta, iyi bir öğretmenin etkisi anlatılıyordu.

Ben İstanbul'un kenar mahallelerinde büyüdüm. Lisede çok değerli hocalarımız oldu ama biri vardı ki, öğrencisi olup da onu unutmak mümkün değil.

Kendisi sanat tarihi öğretmeniydi, aynı zamanda rehberlik hocamız oldu. Sınıfa girdiğinde, pahalı değil ama her şeyi bir uyum içinde kıyafetiyle her haliyle kendisine özen gösteren biri olduğunu hemen anladık.

Derse başlamadan önce tek tek gozlerimize bakar öyle konuşurdu. Ders anlatmaktan, önce kendisinin büyük bir zevk aldığı ortadaydı; biz de inanılmaz zevk alırdık. Dersi canlı, eğlenceli bir hale getirirdi. Öğrencilerine verdiği değeri kimisinin kravatını, kiminin saçını düzeltmesinden anlardık. Sürekli bizimle temas halindeydi ve anlattığı her şeyde bizim için ruhumuzu yüceltecek, bizi güçlü kılacak bir mesaj vardı. Ailelerimizin ekonomik durumunu anlar, hepimizin ismini teker teker bilirdi. Her birimize söz hakkı verir, dikkatle dinler, bizi anlamaya çalışır ve her zaman yüreklendirirdi.

Üniversite sınavına girmek için para bulamadığımı her nasılsa anlamış, bir gün benimle özel konuşmak istediğini söyledi. Önce konuşacağımız şeyin sadece ikimiz arasında kalacağına dair benden söz istedi, merak etmekle birlikte, "Evet," dedim. "Sen iyi bir öğrencisin, kafana koyduğun her şeyi başarabilirsin, ben sana inanıyorum. İzin ver, senin üniversiteye giriş paranı ben vereyim," dedi. Kabul ettim. O öğretmenim sayesinde, benim sözlüğümde şimdi imkânsız kelimesi yok. Bütün başarılarımın ilk adımı, o öğretmenimin beni fark etmesiyle ve bana değer vermesiyle başladı.[1]

Mektubun devamında öğretmen olmaya karar verdiği için Arif'i kutluyor ve onu nice insanın hayatını olumlu olarak etkileyeceğine inandığını söylüyordu.

(1) Anısını paylaşmama izin verdiği için Gürsel Yalçın'a teşekkür ediyorum.

Timur elini Arif'in omzuna attı. Seni tanıdığım için kendimi zenginleşmiş hissediyorum Arif, iyi ki öğretmen olmuşsun.

Bir süre sessiz kaldık. Daha sonra Timur aklına takılan bir soruyu sordu.

T: Kastamonu'ya giderken yaşamın dört alanından ve birbiriyle dengeli ilişkisinden söz etmiştin baba. Bu dört alanın yalnız dengesinden değil, bu dört alanın birbiriyle uyum ya da uyumsuzluğundan da söz edemez miyiz?

D: Yani, bilginin varoluşla, varoluşun eylemle ve hepsinin estetikle ilişkisini soruyorsun. Evet, edebiliriz. Kişinin niyeti gerçekten özünde oluşmuşsa, o, bu niyeti güçlü kılacak bilgiye doğal olarak yönelir, bu bilgiyi arar bulur ve kullanmak ister.

T: Ama verdiğiniz örnekte öğretmenin niyetinin onun özünde oluşmuş, yerleşmiş olmadığını gösteren bir sürü ipucu var.

A: Neler olduğunu tahmin ediyorum ama senin gördüğün ipuçlarının ne olduğunu merak ediyorum Timur. Neleri ipucu olarak görüyorsun?

T: Siz dediniz ki ben, yani Timur, bir sınıfa giriyorum ve kelimeleri yutarak konuşan, öğrencilerle hiç göz teması kurmayan, asık suratlı bir öğretmen görüyorum. Öğrenciler, onun ne dediğini anlamıyor ve ilgilenmiyorlar vs. Öğrencilerin ilgilenip ilgilenmemesi de öğretmenin umurunda değil. Aşağı yukarı böyle dedin, değil mi baba?

Evet, anlamında başımı salladım.

T: Bunların hiçbiri öğretmene yakışan özellikler değil. Öğrencinin ilgilenip ilgilenmemesinin öğretmenin umurunda olmaması da onun varoluşuyla ilgili. Bu bir hayata bakış, onu algılayış meselesi ve varoluşun bir parçası. Yani bu kişinin gerçek niyetinin öğretmenlik olduğundan şüphe ederim.

D: Doğru Timur. Niyet mış gibi olunca, artık tüm döngü mış gibi olur.

T: Tüm döngü dediğin, biraz önce anlattığın niyet-bilgi-eylem-sonuç, değil mi?

D: Evet. Bu işleyişin herhangi birindeki bir uyumsuzluk mış gibi durumu yaratır.

T: Ama sanırım bu döngüde en önemli öğe niyet.

D: Evet Timur. Niyet mış gibi olunca, diğerleri kaçınılmaz olarak mış gibi olur.

Timur, örnekle konuş baba, dercesine bakınca devam ettim.

D: Öğretmenin özünde gerçekten öğretmen olma niyeti yoksa hiçbir zaman ciddi olarak eğitimle, öğretimle, öğrencinin gelişimiyle ilgili şeylerle ilgilenmez ve böyle bir çaba içine girmez. O nedenle de istenen sonuçları alamaz.

Arif, görmüş geçirmiş ve hayal kırıklığı olan birinin ifadesiyle bıraktığım yerden aldı.

A: Ama durumu bunu gerektirdiği için öğretmen olma niyeti varmış gibi bir tavır sergiler, bilgiyle ilgileniyormuş gibi davranır, öğrencilerle ilgileniyormuş gibi konuşur ve olumlu geribildirim alıyormuş gibi davranışlar sergiler.

T: Yani bütün mesele niyetin saflığında.

A: Keşke bütün mesele niyetin saflığında diyebilsem. O zaman sorun tek tek öğretmenlerin kendisinde olur. Ama eğitim sisteminin tümünü düşünüyorum ve öğretmenin niyeti, bilgisi, becerisi ve performansıyla pek kimsenin ilgilendiğini düşünmüyorum. Tamamıyla göstermelik büyük ve karmaşık bir sistem yaratılmış. Bu sistem içinde öğretmenin niyeti, bilgisi, becerisi, performansı pek kimsenin umurunda değil. Niyetinin saflığı içinde kalmaya yönelen öğretmen gülünç durumlara düşebiliyor. Sistemin tümüne bakmadan çözüm üretmek bence gerçekçi değil.

T: Yani, öğretmenin birey olarak niyetinin saflığı tek başına yeterli değil. Öğretmenin içinde yer aldığı sistemin de niyeti saf olmalı!

Timur'un söylediğini tekrar ettim: "Öğretmenin içinde yer aldığı sistemin de niyeti saf olmalı!"

İkisi de bana baktı. Aklımdan bir sürü düşünce geçiyordu, bunları birbirine karıştırmadan, açık ve net nasıl söyleyebileceğimi bilemiyordum. Yemekten sonra biraz yürümeyi teklif ettim. Deniz ile çarşı arasında büyükçe bir alan var ve bu alandaki ağaçlıklı kısımların altına geniş bir alanı kapsayan masalar konmuş. Timur'un dikkatini çeken, kadınların bir masada, erkeklerin başka bir masada oturmasıydı. Kadınlı erkekli oturulan masa sayısı pek azdı.

Denize doğru yürürken kıyafetleriyle, görüntüleriyle, hal ve tavırlarıyla birbirinden farklı insanlar göze çarpıyordu. Bir taraftan çarşaflı bir kadın gelirken, deniz tarafından on üç-on dört yaşlarında bir kız mayoyla geliyordu ve bizim yanımızdan geçerken karşılaştılar ve ters yönlere devam ettiler. Müthiş bir resim olabilirdi: çarşaflı yaşlı kadın ve mayolu genç kız aynı ortamda, yan yana. Acaba çarşaflı kadın, mayolu genç kıza baktığında içinden hangi duygular ve düşünceler geçirdi? Ya o genç kız çarşaflı kadını gördüğünde içinden neler geçirdi?

Benim toplumumun geleceğini, bu tür insanların düşünce ve duyguları belirliyor, diye aklımdan geçirdim.

Bu sırada çarşıdaki camiden öğlen ezanı okunmaya başladı; hoparlörlerin sesi, çarşıdaki taş binalardan yankılanıyor daha da güçlenerek yayılıyordu.

Plajdakiler, çarşıda pazarda işi gücüyle uğraşanlar bu güçlü çağrıyı duyuyor ama herkes işine gücüne devam ediyordu. Ezanın okunması gözle görülür bir değişiklik yaratmamıştı.

Demek ki toplum bu yönden bir uzlaşmaya varmıştı. Ezan okunabilir, herkes daveti duyabilir ama isteyen gider, istemeyen gitmezdi. Ezan bittikten sonra hem yürüdük hem de konuşmaya kaldığımız yerden devam ettik.

D: Evet, niyetin saflığı önemli ve gerekli ama kendi başına yeterli değil. Döngüdeki her bir öğenin eylemin sonunda ortaya çıkan sonuçta kaçınılmaz olarak belirleyici bir etkisi var. Ve sistemin tümü bu döngünün öğelerinin ilişkisini belirliyor.

Bu kez Arif gülümseyerek, Doğan Hocam, bir örnekle açıklar mısınız, dedi. Timur'a da, sen sormadan ben sordum, dercesine baktı.

D: Toktamış Ateş bir kitabında(1) Ortaçağ Avrupası'nda teokratik düşüncenin ana temasını şöyle anlatır:

> İnanmayanların kurtarılması için her yolun kullanılması gerekir. Çünkü inanmayanların görecekleri cezalar düşünüldüğü zaman, bunları inanç yoluna çekmek için yapılan her şey, o günahkârların lehinedir. Kör bir adamı uçuruma düşmekten alıkoymak için, biraz zor kullanmak gereklidir. "Dinsizin" ötekileri zehirlemesine göz yummak, en büyük zalimliktir.
>
> Burada ifade edilen "niyet" yani "inanç yoluna çekmek", "kutsal ve saf" bir niyet olarak gösterilmektedir. Bu niyeti temel alarak kurulan engizisyon mahkemeleri yargılayarak "suçlu" buldukları kadınları, onların ve toplumun geleceğinin hayrını düşünerek diri diri yakıyorlardı.

A: Çünkü dini inançlarına göre kan akıtmak günahtı.

D: Evet. Peki, ne demek oluyor şimdi? Bireyle, yaşamla, inanç ve cezayla ilgili şimdi o kadar çok bilgi yüklenmiş durumdayız ki, "inanmayanların kurtarılması" niyeti artık bize "gülünç" görünüyor. Zaman içinde biriken felsefi ve bilimsel bilgi, niyete bakış tarzımızı etkiledi. Yani niyetin saflığının yanı sıra her bir öğenin, yani bilginin, becerinin, eylemin birbiriyle ilişkili ve uyumlu olması önemli. Yani bilginin bilimsel olması, becerinin uygulanabilir olması, performansın ölçülebilir ve gözlenebilir olması, niyetin saflığıyla birlikte düşünülmeli. Yaşam döngüsünün mış gibi olmamasından ben bunu anlıyorum.

---

(1) Toktamış Ateş, *Dünyada ve Türkiye'de Laiklik*, Ümit Yayıncılık, Ankara, 1994, s. 58.

A: Evet. Ben de öyle anlıyorum.

D: Evet, bir zihniyet, "Kızını dövmeyen dizini döver", "Dayak cennetten çıkmadır" diyor, bilimsel çalışmalar ise dayağın çocuğun kişiliğini yaraladığını, yok ettiğini ve çocukları dövmenin aslında bir terör olduğunu söylüyor. Ama dikkat et, dayak atan da, dayaktan bilinçli olarak kaçınan da, çocuğunun "iyiliği" için böyle yapıyor. Her ikisinin de niyeti çocuğa iyilik yapmak.

T: Doğru anlamışsam, niyetin saflığı önemli bir önkoşul ama kendi başına yetersiz, diyorsun. Bu bana, Amerika'da yakından tanıdığım bir arkadaşımın anne ve babasıyla ilişkisini anımsattı. Çocuğu, boyu kısa kalıyor diye doktora götürmüşler, doktor da hormon tedavisi uygulamış ve gerçekten arkadaşım uzun boylu bir erkek olmuş. Ama yetişkin olup evlendiği zaman ortaya çıktı ki, arkadaşımın boyunun uzamasına yararlı olan bu hormon tedavisi, onun sperm sayısını olumsuz etkilemiş ve şimdi arkadaşımın çocuğu olmuyor. Arkadaşım uzun yıllar anne ve babasına küstü. Hatta onun küsmesine annesi o kadar üzüldü ki, depresyon geçirdi ve tedavi olmak zorunda kaldı.

A: Halbuki onların niyeti boyunun uzamasına yardımcı olarak çocuklarının hayatına olumlu bir katkıda bulunmaktı. Önemli kritik bilginin doktorda olmasını beklersin, bu nedenle anne ve babayı sorumlu tutmak uygun değil, arkadaşının onlara küsmesi bence anlamsız.

D: Genellikle yaşamda şöyle bir yol izleniyor. Kişiler yaşamda ilk olarak sonuçla karşılaşıyor ve eğer sonuç işe yarar, olumluysa, o zaman kişinin niyetinin iyi olduğu düşünülüyor. Örneğin, iki farklı ailede iki farklı çocuk düşünün. Her ikisinin de babaları disiplinli ve asık suratla, bağırıp çağırarak çocuk yetiştiriyor. Birisi okuyor ve doktor oluyor. Ve diyor ki, "İyi ki babam asık suratlıydı ve beni baskı altına aldı, aksi halde ben okumazdım." Öbür çocuk pısırık, içine kapanık, elinden iş gelmez biri oluyor ve tanıdık bir muhasebecinin yanında az bir maaşla çalışmaya başlıyor. O da,

"Babam beni öyle bir baskı altında tuttu ki, hiçbir zaman kim olduğumu ve yaşamı tanıyamadım. Korkak ve ürkek bir insan olarak kaldım ve işte sonuç ortada." Doktor olan çocuk babasına iyi niyet yükleyecektir, pısırık muhasebeci çırağı ise kötü niyet. Yani, kişinin niyetine genellikle dışarıdan sonuca bakarak karar veririz ve bu aslında hiç de sağlıklı bir yaklaşım değil.

T: O zaman benim sorum şu: "Niyet-bilgi-beceri-eylem-sonuç"un birbiriyle ilgili ve uyumlu olmasından kim sorumlu olacak?

D: Timur, bizi tehlikeye atarak sollayan sürücüden söz ederken, hem bireyin hem de ortamın sorumluluğundan söz etmiştik. Bence durum burada da aynı, hem birey hem de ortam sorumlu. Kurallara uyarak araba kullanmaktan, önce sürücü, sonra toplum sorumlu olmalı. Öğretmenin gerçek öğretmen olmasından, önce kendisi sorumlu olmalı ama onun gerçek öğretmen olup olmadığını denetleyecek, onu izleyip değerlendirecek bir düzenin olması da zorunlu.

Arif bir şeyler söyleyecek gibiydi ama sanki tereddüt ediyordu. Sonra konuştu.

A: Timur, ne söyleyeceğim konusunda şu anda kafam net değil ama senin neler düşüneceğini ve hissedeceğini merak ettiğim için sormak istiyorum. Diyelim ki sen ve ben lokantada oturmuş yemeğimizi yiyoruz ya da ağaçların altında oturmuş çayımızı içiyoruz. Biri masamıza geliyor ve tepemizde durup, "Ezan okunuyor, duymuyor musunuz, haydi camiye!" diyor. Farz et ki böyle bir şey yaşadık; bundan ne anlam çıkarırsın?

T: Niye soruyorsun, öyle yapan mı var?

A: Hayır yapan yok, onun için, farz et ki, dedim.

T: Biri tepeme dikilip, "Ezan okunuyor, haydi camiye," derse onun, benim namaz kılmamı kendi sorumluluğu bellemiş biri olduğunu düşünürüm. Ama gerçek niyetinin bu olup olmadığını ya da ne olduğunu da sürekli kafamda sorgularım.

A: Peki, biri yapsa, nasıl bir duygu içinde olursun?

T: Tanıdığım bir dostum ya da onun yakını biri bunu söylüyorsa, benim farkına varmadığım, ama farkında olmam gereken bir şeyi söylüyordur, diye düşünürüm. Teşekkür ederim, ya namaza giderim ya da neyse durumum onu söylerim. Beni tanıyan ve benim kim olduğuma saygılı birine daha fazla açıklama gerekmez. Ama tanımadığım biri bunu yapma cüretini gösteriyorsa ilk duygum korku olur. Yani bu adam hangi yetkiyle, cesaretle masama gelip tepeme dikiliyor ve beni zorluyor, diye düşünürüm. Benden yapmamı beklediği bir şey var ve bunu bana hatırlatma yetkisini kendinde görüyor. Acaba başka ne gibi yetkilerle donatılmış olabilir. Kalkıp camiye gitmezsem bana neler yapabilir? En belirgin duygum merak, korku ve sinmek olur.

A: Merak, korku ve sinmek?...

T: Evet. Merak, korku ve sinmek. Çünkü içinde büyüdüğüm ailede ve laik toplumda, Tanrı ve kul ilişkisi son derece bireysel, öznel ve mahremdir. Bu ilişkiye karışmak büyük bir küstahlık ve kendini bilmezliktir. Bu kadar bireysel ve mahrem bir ilişkiye burnunu sokan kişi bu cesareti nereden alıyor ve gücü hangi kaynaklardan geliyor, onu bilmek isterim. Ben onun beklentilerini yerine getirmezsem, yani hemen kalkıp camiye gitmezsem, bıçağı çıkarıp gırtlağımı kesmeyeceğini nereden bilebilirim. Bu küstahlığı yapan, gırtlağıma sarılma cesaretini de gösterebilir, gibime geliyor.

Bu konuşma ilgimi çekmişti. Arif devam etti.

A: Farz et ki, masana gelip tepende sana emreden kişi, bunu sadece kendi kafasına estiği için bireysel olarak yapıyor.

T: Peki, öyle varsayalım. Sorun ne, onu anlayamadım.

A: Biri kafasına estiği için masana gelip camiye gitmeni emrederse nasıl hissedersin?

T: Bundan eminsem, o zaman şöyle bir bakar adamı tartarım. Benden güçlü kuvvetliyse yine korkar ve sinerim ama ondan güçlüysem kovarım, yanımdan def ederim.

A: Yani korkacağın biri mi, yoksa haddini bilmeyen öfkeleneceğin biri mi, anlamaya çalışırsın.

T: Benim duygum öyle olur.

A: Adama, "Teşekkür ederim hatırlattığın için, aksi halde namaz vaktini kaçıracaktım," gibi bir...

T: Arif, benim için din mahrem ve bireysel bir olgu. Eğer vakti geldiğinde camiye gitmek benim için önemliyse, önemli randevularıma nasıl gidiyorsam öyle bir bilinç içinde olurum, yani saatime bakar, vakti geldiğinde camiye giderim. Eğer biri tepeme dikilip, "Camiye git," dediği için camiye gidiyorsam, sonuçta bunu ben istemiş olmuyorum.

A: Sanırım bu da niyet-bilgi-beceri-eylem-sonuç döngüsünden bireyin mi yoksa ortamın mı sorumluluk aldığı konusuna bir örnek.

Arif'i içten içe takdir ettim. Bana önceleri hiç ilgisiz gibi görünen bir soru, gerçekten anlamlı hale gelmişti.

T: Bence güzel bir örnek. Eğer namaz kılarak Tanrı'yla ilişkimi anlamlı kılacaksam, bundan ben sorumlu olmalıyım.

D: Peki, Kaliforniya'da pazar günleri kiliselerin çanları çalınır, o zaman nasıl hissediyorsun?

T: İyi ki haftada sadece bir gün yapıyorlar. Baba, bana anlattığın müftü tanıdığının cümleleri geldi aklıma: Tanrı ve kul ilişkisi mahrem, çok derin ve belki de evrendeki en önemli ilişki. Bir insanın Tanrı'yla kurduğu ilişkiye müdahale etmek, o insanın özünün özgürlüğüne müdahale etmek demektir. Bu konuda hiçbir samimi inanç sahibi, kendi inancını diğer bir insana dayatmamalıdır. Dinde zorlama yoktur; bilgilendirme, hatırlatma vardır.

Hem konuşuyor hem de yürüyorduk ve yaz olduğu için ortam oldukça kalabalıktı. Kadın erkek yürüyen insanların çoğunda diğer insanlara çarpıyor muyum, önüne geçiyor muyum, rahatsız ediyor muyum, gibi bir bilincin olmadığını hemen görebiliyordum. Eğer tanıdık, bildik biri değilsen "dikkate alınacak biri" değildin.

Denize doğru yürüdük ve kumsala vardık. Kumsal pek kalabalık değildi, orada burada birkaç kişi oturuyordu. Denizde dört ya da beş kişi vardı. Kumsal çöplük gibi, kâğıt ve plastik parçalarıyla doluydu ve bu kimsenin umurunda bile değildi. Timur'un sinirlendiğini ve rahatsız olduğunu hissediyordum.

Deniz kıyısında çikolata, fındık fıstık paketlerinin jelatin ve kâğıt parçalarını atmak, bir veya birkaç kişinin yaptığı bir şey değil; herkes yapıyor. İnsanları gözledim, yediklerinin paket ve kabuklarını, doğal bir tavır içinde atıyorlar; yapmamaları gereken bir şeyin rahatsızlığı içinde değiller.

Sahilden geri dönüşte çarşıya doğru yürürken inanılır gibi değil ama bir Karadeniz yaratıcılığına denk geldik. Teknelerin içine toprak doldurularak çiçekler yetiştirildiğini ve üstlerine bayraklar konduğunu gördük. Birileri emek vermiş, planlamış ve başarmış.

Yürüyerek tekneleri geçince sağımızda üniversite çağındaki gençlerin oturduğu bir çay bahçesi gördük; kızlar ve erkekler karışık olarak oturmuş, gayet neşeli bir sohbet içindeydi. Bu çay bahçesinin müşterileri ve onların gösterdiği sosyal davranış, biraz önce gördüğümüz çay bahçesinden farklıydı.

Daha sonra ortada, etrafı tahta çitle çevrili küçük bir parka geldik; deniz tarafındaki köşede, yani parkın kuzeybatı köşesinde üç katlı bir ev maketi vardı. Kapısı, pencereleri, çatısı ve her şeyle gerçekçiydi ve gelen geçen herkesin ilgisini çekiyordu. Bu işleri bildiği belli biri tarafından emek verilerek yapılmıştı ve özgündü.

T: Baba buraya önem veren ve projeleri takip eden birileri olmasa bunlar gerçekleştirilemezdi.

D: Evet, ben de öyle düşünüyorum.

A: Abana'da, bu yöreye bilinçli olarak emek veren ve çevreyi güzelleştiren insanlar var, demek ki. O maket ev, kendi yaşam tarzlarına önem veren, bu tarz mimariyi seven ve sevdiği bir şeyi dünyayla paylaşmak isteği olan birinin bilincini yansıtıyor.

"..Televizyon çok güçlü."

Timur ve ben, Arif'in söylediklerini başımızla onaylayarak ona katıldığımızı belirttik.

Çarşıdaki bir eczaneye girdik. Oradan, cilt için yumuşatıcı bir sabun almam gerekiyordu. Eczacı hanım gülen bir yüzle, "Sizi biraz önce görünce tanıdım, ne güzel sizi burada, kasabamızda görmek," dedi. Biraz sohbet ettik. Sabunun ücretini almamakta ısrar etti ve ben de kırmayarak kabul ettim. Daha sonra arabamıza yürüdük ve Sinop'a gitmek üzere yola çıktık.

T: Baba, televizyon programı, senin böyle küçük bir kasabada dahi tanınmanı sağlamış. Televizyon ne kadar güçlü, değil mi?

D: Doğru Timur, televizyon çok güçlü, hiç umulmadık yerlerde dahi tanıyanlar çıkıyor.

Arabaya bindik, yine Timur direksiyonda, Sinop'a doğru gidiyoruz. Yol, arazinin girinti çıkıntılarını takip ederek deniz kıyısında ilerliyor. Güneş bulutların arkasına girdi ve hava hemen serinledi; yaz gününde hoş bir duyguydu. Keyifli bir yolculuk yapıyorduk.

Deniz kıyısındaki kayaları görünce Timur, "Hawaii'de hissettim kendimi; sanki orada araba sürüyormuşum gibi geldi," dedi.

Gerçekten de öyleydi, o deyince ben de farkına vardım.

Yol kenarında bir çeşme vardı; bir araba durmuş, yetişkin bir erkek, kadın, çocuklar çeşmenin başında ellerini yıkıyor, su içiyorlardı. Köklüce Köyü 4, Canlar 7 km levhasını gördük. Sis tepelerden yuvarlana yuvarlana iniyordu.

Cırcırböceklerini duyuyordum. Erozyon çok belirgin olarak etkisini göstermişti; alıp götürdüğü toprakların ardından alttan çıkan taşlar sipsivri görünüyordu. Sağda bir ev, önüne çamaşır asılmış ve çamaşırların arkasında bir inek vardı; Hindistan'ı hatırlattı bana; inek Hindistan'da gördüğüm türlerden biriydi galiba. Aşağıda bir plaj görüyoruz; lise, üniversite çağında gençler yürüyorlar. Birçok araba da var, demek ki plaja arabayla ulaşılabiliyor. Ağır ağır sahilden gidiyoruz. Timur'a, "Yeni bir kavramsal altyapı oluşumuna hazır mısın?" diye sordum. "Tamam, hazırım baba," dedi, Arif'le bakıştık ve konuşmaya başladım.

D: Şöyle bir durum düşün: Sen ve Arif aynı bardağa bakıyorsunuz. Bardağı, biriniz yarısı dolu, diğeriniz yarısı boş gördü. İkiniz de aynı küçük kıza baktınız; biriniz yüzü kirli ve sümüklü, diğeriniz gözlerinde yaşam ışıltısı gördü. İkiniz de aynı şekle baktınız; biriniz birbirine bakan iki kişi, diğeriniz bir vazo gördü. İnsanlar aynı şeye bakarak farklı şeyler görüyorlar. Olaya hangi zeminden baktığınla ilgili bir şey bu.

Her dilin ve kültürün de bir zemin olduğunu unutmayalım. Bununla ilgili yakın bir arkadaşımın anlattığı ilginç bir olayı sizinle paylaşayım! San Francisco'ya gittiğinde, Canikom adlı kedisinin ismini arabasının plakasına yazdırmış. Arabayı bir yıl o plakayla kullanmış. Bir gün tüm dünyası tepesine yıkılmış, çok utanmış. Niçin biliyor musun?

Timur kahkahalarla gülerek, "Tahmin edebiliyorum baba," dedi. Arif henüz gülmüyordu. Timur ona baktı. Onun anlamadığını görünce durdu ve benim anlatmamı bekledi. Devam ettim, daha ziyade Arif'e bakarak anlatıyordum.

D: Kırmızı ışıkta dururken yandaki arabadan genç bir adam, "Hey bayan, niye benden izin alma gereği duyuyorsun?" diye sormuş. "Senden ne izni istiyorum ki?" deyince, adam plakayı göstermiş ve arkadaşım ancak işte o zaman Türkçe CANIKOM'un birdenbire İngilizce "CAN I COME?"(1) olarak anlaşılabileceğini idrak etmiş. Telaşla evine giden arkadaşım hemen kendi elleriyle arabanın plakasını sökmüş ve ertesi gün yeni bir plaka için başvuru yapmış. Yeni plaka gelinceye kadar da arabasını kullanmamış.

Arif de güldü. Konuşmama devam ettim.

D: Bütün bu örneklerle neyi anlatmaya çalışıyorum: "Olgu" ve "olgunun anlamı"nın farklı iki şey olduğunu. Olgu, duyu organlarının alabildiği enerji karmaşasıdır. Bardaktaki suyun görüntüsü, küçük kızın yüzü, baktığımız şekil, arabanın plakasındaki yazı birer "olgu"dur.

Olgunun, olayın algılanıp yorumlanmasıyla "anlam" oluşur. Bir olgunun biri tarafından algılanıp, yorumlanıp, bilincinde anlamlandırılmış durumuna fenomen denir. Bir tek olay vardır ama her algılayana göre farklı fenomenler oluşur. Bardak için yarısı boş diyen de haklıdır, dolu diyen de. Fark, hangi zeminden baktıklarındadır.(2)

Algılamanın temeli olan zeminler yani algılama gözlükleri bilgi değildir; onlar varoluşumuzun bir parçası haline gelmiştir. Onları bebeklikten başlayarak içinde büyüdüğümüz ortamdan öğreniriz. O nedenle zeminler varoluşumuzda yer alır ve onları fark etmeden öğrenir fark etmeden de kullanırız.

A: Doğan Hocam, şimdiye kadarki konuşmalarımız içinde en kritik cümleyi kullandığınızı düşünüyorum. Bütün konuşmalarımızın özü burada.

---

(1) Amerikan İngilizcesinde *"come"* fiili, cinsel ilişkide "orgazm olmak" anlamında kullanıldığından, *"Can I come?"*, "Orgazm olabilir miyim?" anlamına geliyor.

(2) Doğan Cüceloğlu, *İletişim Donanımları,* s. 28-42, Remzi Kitabevi, İstanbul.

T: Hangi cümle o?

A: "Algılamanın temeli olan zeminler varoluşumuzda yer alır ve olaylara hangi zeminden bakacağımızı küçükten itibaren içinde büyüdüğümüz ortamdan öğreniriz."

Bakışından, Timur'un bu cümlenin niçin bu kadar önemli olduğu üzerinde düşündüğü belliydi. Ben konuşmama devam ettim.

D: Size başımdan geçen bir olayı anlatmak istiyorum. Otobüsle Bursa'ya gideceğim; biletimi internetten kredi kartıyla ödeyerek önceden ayırttım. Adımı soyadımı belirttikten sonra sistem, "erkek" mi, "kadın" mı olduğumu sordu. Koltuk numaraları verirken bu dikkate alınıyordu. Seyahat günü Etiler'deki ofisten biletimi alarak şirketin servisine bindim. Minibüste bavul konacak kısma bavulumu koyduktan sonra oturmak istedim. Bir bayan iki kişilik bir koltuğa oturmuş ve yanına çantasını koymuş. Benden önce binen erkekler kadının çantasını görüp bir şey demeden minibüsün arkasındaki kısımlara geçtiler. En son binen yolcuydum ve benim için arka sıralardaki bir koltuğa geçmek kolay değildi. Boş koltuğun önünde durdum, kadına baktım, kadın yüzüme bile bakmadı. "Zahmet edip çantanızı alırsanız, ben de oturabilirim!" dedim. Çantasını isteksiz bir şekilde alırken, "Arkada oturacak boş yer vardı," dedi.

Durumu hemen anladım. Kadın, bu otobüs şirketinin temsil ettiği bir kültürün zeminleri içinde olaya bakıyordu. Onun gözüyle bakınca, o bir "kadın insan"dı, ben bir "erkek insan"dım. "Münasip olan", onun yanına bir kadının oturmasıydı. Nitekim bilet alırken cinsiyetimi belirtmemi o nedenle istemişlerdi.

Diğer yandan benim gözümle bakınca, o da bir insandı, ben de bir insandım ve "münasip olan" en yakın ve kolay olan boş koltuğa oturmamdı. O bana "erkek" olarak bakıyordu, ben ona "insan"...

Hangimiz haklıydık?

T: Giyinişi nasıldı baba?

D: Dindar biri izlenimi verecek bir giyinimi yoktu. Düşündüm, ikimiz de haklıydık. Hangi kültürün zemininden baktığına göre "olay" farklı bir "anlam" kazanıyordu.

Bir çocuk, bir köpekle ilk karşılaştığı zaman yanındaki bir büyük, "Köpek ısırır, ondan uzak dur," derse korkmayı, "Ne tatlı şey, gel sevelim," derse sevmeyi öğrenir. Ve çocuğun sevmeyi ya da korkmayı öğrenmesi için bir tek deneyim yeter.

Yalan söylenen bir ortamda büyüyen çocuk, yalan söylemeyi yaşamın doğal bir parçası olarak görür. Kadını insan olarak gören bir ortamda büyüyen kişi ile kadın ve erkeğin sürekli ayrı tutulduğu bir ortamda büyüyen kişi o boş koltuğu farklı görür.

T: Baba sen Silifke'de büyümüşsün, kadının ne demek istediğini hemen niye anlayamadın?

D: Timur biliyorsun ben yirmi beş yıl Amerika'da üniversitede öğretim üyesi olarak çalıştım; üniversitede kadın ve erkek rahatlıkla yan yana oturabileceği bir ortam vardı; yavaş yavaş kadınla "insan insana" ilişki kurmasını öğrendim. Ve şimdi yeniden "kadın insan" ve "erkek insan" dünyasına uyum sağlamaya çalışıyorum.

T: Ne demek istediğini şimdi daha iyi anladım. Ben İstanbul'da Ulus Parkı'nda ve burada, Abana sahilinde pislik görüyorum. Bu benim anlam verme dünyam. Sen de sürekli bana "olay" ile benim algılamamın, yani gördüğüme verdiğim "anlam"ın aynı şeyler olmadığını söylemeye çalıştın. Çünkü benim bakış zeminim, Amerika'da, Amerikalı bir anne tarafından büyütülmüş biri olarak, buradaki insanların çoğunun zemininden farklı. Ve algılamayla ilgili Arif'i heyecanlandıran cümleni şimdi daha iyi değerlendirebiliyorum. O zaman benim sorum şu: Bir insanın algılamasında kullandığı zeminler nasıl oluşuyor?

Arif heyecanla ellerini ovuşturdu. Timur'a şöyle dedim;

D: Timur, çocuğun ilk beş-altı yılı önemli; bu süre içinde çocuk toplumsallaşıyor. Çocuk hangi ortamda toplumsallaşıyor konusu, bizim bu gezide ele alacağımız en önemli konu. Artık onu konuşmaya hazırız. Şimdiye kadar hep bir altyapı oluşturduk. Şimdi artık konuşmamız gereken en temel konuya girebiliriz. Ama ben biraz bu yolun güzelliğini içime sindirmek istiyorum. Konuşmamıza daha sonra devam edelim.

Arif, sanki hayal kırıklığına uğramıştı. Timur, "Tamam baba," diyerek arabayı sürmeye devam etti.

'Türkeli, Güzelkent, Kaçahmet' levhalarını geçtik. Yol bükülerek devam ediyor, deniz solumuzda bazen gözden kayboluyor, bazen uzaklaşıyor, bazen yaklaşıyor. Solumuzda şimdi bir tepe var, sağımızda ise uzunlamasına devam eden bir vadi. Şimdi Karabey'e giriyoruz. Karadeniz'de yerleşim bölgeleri birbirlerine yakın, her iki-üç kilometrede bir yerleşim bölgesi görebiliyoruz.

Karabey'deki caminin minaresi işlemeli ve o haliyle dikkati çekiyor. 30 km hızla yolumuza devam ediyoruz.

Sağda park etmiş arabaların bazılarında Alman plakası var; demek buraya tatile gelenlerin bazıları Almanya'da çalışan Karabeyliler. Tatil sezonunu birçok işçi böyle değerlendiriyor ve ailelerini ziyarete geliyorlar.

Dikkatimi çekti, etrafta incir ağaçları var; bu iklimde incir yetişebileceğini sanmıyordum. Demek iklim uygun, incir ağacının yetişmesine izin veriyor. Sağda, 'Ayaz Köyü' işareti var. İnsanlar yolun kenarında yürüyorlar. Kaldırım yok, yayalar arabalarla aynı yolu paylaşıyor.

Bir yerleşim bölgesine yaklaşıyoruz, jandarma levhası konmuş; daha sonra belediye binası, solda park gibi bir yer, parkta oturma yerleri var. Biraz ileride sağda, mobil telefonlar için bir iletişim kulesi var. Yine sağda ileride Petrol Ofisi'nin bir istasyonu var. Çıkışta Çatalzeytin levhası var. Bir derenin üstünden geçerek yola devam ediyoruz.

Evet, yolların gerçek hâkimi inekler, yayıla yayıla yürüyorlar. Bir inek yolun ortasına doğru geldi, Timur yavaşladı, ineğin arkasında yürüyen, elinde ot olan modern giyimli bir kız, ineğe bir şeyler söylüyor. Araba yavaşlayınca kızla göz göze geldik, utangaç bir gülümsemeyle baktı. Biraz ileride bir kadın kucağında bebek ve bebeğin bakışı... hepsi güzel bir tablo oluşturuyor. Küçük bir köpek yavrusu ve arkasında yine büyük bir köpek, yol kenarındaki çitlerin arasından geçerek yeşillikler arasında kayboluyor.

Geldiğimiz yerin tabelasını göremedim, ama buranın minaresi de süslü. Bu sırada bir çocuk arabanın önüne atladı, Timur tam zamanında durdu ve kaza olmadı.

Sağda, dikkati çeken ve sıra dışı bir görünümü olan bir ev var. Evin dışını süsleyen bazı fayanslar ekmek görüntüsü ve evin dışı ekmekle sıvanmış hissi veriyor.

Sinop'a 30 km mesafede, yol kenarında bir kız çocuğu duruyor. Kirden keçe gibi olmuş sarı saçlı, açık tenli bu çocuk, 9-10 yaşlarında ve yol kenarında böğürtlen satıyor. Araba yaklaşırken umutla elindeki tabağı gösterdi, araba geçtikten sonra arkamızdan baktı. "Alalım mı baba?" dedi Timur.

Arif'e baktım, o da bizim gibi çocuktan etkilenmişti. "Alalım Timur," dedim. Geri döndük. Biz yanlarına yaklaşıp arabadan inince, aşağıda evde çamaşır asan annesini gördük ve 3 yaşlarındaki oğlan kardeşi de kızın yanına geldi. Cana dokunan sevilesi bir halleri vardı. Kızın adı Selda, oğlanın adı Celal'miş.

Tabağı beş milyon olan böğürtleni aldık, bir naylon torbaya koyduk. Hem ben hem Timur resim çektirdik. Küçük oğlan, "Ben de sizle gelecem!" dedi.

Oğlanın bu yaşta bu kadar kendine güvenli ve atılgan olması dikkatimi çekti. Bu yaşta henüz ana kuzusu olmaları beklenir. Ne müthiş bir macera duygusu ve ne müthiş bir bağımsızlık. Annesi gülerek bize bakıyordu.

Timur, "Haydi seni götürelim, bizimle gelecek misin?" deyince, oğlan koca koca gözlerini açtı ve evet anlamında kafasını salladı. "Oğlunu götürüyoruz!" dedim gülerek. Kadın da gülerek, "Götürmeyin; babası özler," dedi.

Tatlı bir aile, sevgi dolu, güvenen insanlar; onları seviyorum. Güçlü ve özgür yaşamalarını istiyorum. Timur'un böyle insanları tanımasını istiyorum.

Timur ve Arif duygulandığımın farkındaydılar. Bir süre sonra artık Sinop'a giriyoruz. 'Sinop Cezaevi ve Fen Edebiyat Fakültesi' yazan soldaki tabelayı gördük. Şimdi yavaş yavaş binalar, evler, Sinop'un varlığına işaret eden levhalar kendisini göstermeye başladı.

Küçük oğlan "ben de sizle gelecem!" dedi

7

ORTAMA GETİRİLEN İLETİŞİM BİLİNCİ

İlişkilerinin bilincinde olmak, erdemli yaşamın temelidir.

DOĞAN CÜCELOĞLU

Timur ve Arif'le bu geziye başlamadan önce, seminer verdiğim bir bankanın yönetimindeki arkadaşlardan, Türkiye'nin kalacağımız değişik yerlerinde otel bulmamızda yardımcı olmalarını rica etmiştim. Memnuniyetle kabul ettiler ve Kastamonu'da olduğu gibi Sinop'ta da kalacağımız oteli, kentteki şube yöneticileri önerdiler.

Kente girmeden önce, bankanın Sinop şubesinde çalışan arkadaşa telefon ettim, "Bankanın önünde buluşalım," dedi. Zaten kent dışından gelen yol, kent içinde Sakarya Caddesi'ne bağlanıyor ve banka bu ana cadde üzerinde. Bankanın önünde bu arkadaşı bekledik. Cumartesi olduğu için arabayla beklememiz bir sorun yaratmadı. Bir süre sonra, konuştuğum kişi geldi. Sürekli oturmaktan Timur'un bacakları yorulmuştu, o nedenle biraz egzersiz olsun diye yürümek için yanımızdan ayrılmıştı. Bankacı arkadaş geldiğinde Timur yoktu, benimle ve Arif'le el sıkıştı.

O sırada 35-40 yaşlarında tıknazca bir bey geldi, bana baktı ve "Siz tahmin ettiğim kişi misiniz?" dedi. Sol elinde kitap taşıyordu, sağ elinde ufak bir çanta vardı. "Evet," dedim, el sıkıştık. "Ben sizi tanır gibi oldum, ara sıra programlarınızı seyrettim; ama en çok eşim sizin hayranınız, kendisini bir ziyaret edin. Kendisi buradaki meslek lisesinin müdürüdür. Ziyaret edin, hoşuna gider," dedi. O da öğret-

menmiş. Çocuğu hâlâ uyanmadığı için bizi eşiyle birlikte karşılayamadığını söyledi. Onu ziyaret etme fırsatı bulabileceğimi sanmadığımı söyledim, selam gönderdim.

"Kendisini ziyaret edin," deyişi dikkatimi çekti. "Nerede kalıyorsunuz? Sizi ziyaret edebilir miyiz?" yerine, "Kendisi meslek lisesi müdürüdür; kendisini ziyaret edin!" sözlerini, üzerinde düşünmeye değer buldum.

O gittikten sonra banka görevlisiyle konuşmaya başladık. Hafiften Arif'i andırıyordu ama o bıyıksızdı. İstanbul'dan Sinop'a tayin olmuş. Daha önce bankanın lojmanında oturuyormuş, fakat lojman şubenin bir parçası haline gelince kiraya çıkmış.

Timur geldi, hep birlikte kalacağımız otele doğru arabayı sürdük. Otelimiz Sinop'un sivri burnunda. Büyükçe konak gibi bir binayı, kır oteli gibi yapmışlar; asansörü falan yok. On dört odası varmış. Biz, en yukarıda, denize bakan cephedeki odaları aldık. Ortada bir hol var ve bu hol bir terasa çıkıyor. Yukarı çıkınca terasın ilerisinde deniz görünüyor.

Timur odasına yerleşti, koşmak için hazırlandı. Arif'e, "Haydi sen de gel," dedi. Arif, "Uzun zamandır koşmuyorum, ben gelmeyeyim," diyerek bu teklifi kabul etmedi.

Akşam yemeğini balkonda yedik. Sabahleyin otelin önündeki bahçede kahvaltı yaptık. Kahvaltı yaparken Timur anlattı. Dün koştuğunda, manzarası güzel olan bir tepeye gitmiş ve o şahane manzaraya bakmak ve dinlenip geri dönmek için durmuş. Kendini kâğıtlar, plastik torbalar, jelatinler, pet şişeler ve daha başka bir sürü pislikten oluşan bir çöp yığını içinde bulmuş.

T: Türkiye'de evlerin içi, başka yerlerde göremeyeceğim kadar temiz, ama evin dışındaki halkın kullanım alanları pislik içinde. İnsanlar evlerinin dışının temizliğinden niçin sorumluluk almıyorlar?

Timur'a yanıt vermeden önce kendi içime bir göz attım, bir dizi düşünce ve duygu cirit atıyordu. Hepsini şimdilik bir kenara koydum ve şöyle dedim.

D: Halkın kullanımına açık alanların temizliğinden neden sorumluluk almadığımızı şu ana kadar açıklamadık. Açıklayabildiğimiz zaman, insanımızı ve toplumumuzu anlama konusunda önemli bir adım atmış olacağız.

Bir süre sessiz kaldık. Ülkemin, halka açık kullanım yerlerinin bu kadar pis olması içimi sızlatıyordu. Konuşsam. "Yurttaş olmanın tanımı" konusunda acaba anlaşabilir miydik?[1]

Düşündüm. Bu kitabı okuyacak kaç okur, "Gittiğiniz her yerde çöp görmek zorunda mıydınız" diye düşünerek çöplerle ilgili anlatılanlardan rahatsız olacak? İçimden geçenleri şimdilik içimde tutmaya karar veriyor ve dün gece gördüğüm bir rüyayı paylaşmaya karar veriyorum.

Rüyamda bir büyükbaba var ve bu büyükbaba, oğlunun küçük kızına bakıyor. Bu küçük kızın annesini görmüyorum, babasını görmüyorum, ama büyükbaba benim arkadaşım. Onu biliyorum. Ben gelip giden biriyim, orada oturmuyorum ama orada oturan büyükbabanın bir arkadaşı var ve bunlar beraberce küçük kız çocuğuna bakıyorlar. Çocuk beni görünce seviniyor ve hep benimle olmak istiyor. Sanki bana özel bir bağlılığı var ve bu, dikkatimi çekiyor.

Bir keresinde kız beni görünce bana gelmek istiyor. Onu kucağında tutan da vermek istiyor ama aramızda bir varil su var. Tam ba-

---

(1) *Geliştiren Anne-Baba* kitabımda evlilik ve ailede nelerin farkında olmamız gerektiği konusunda yazdım. Korku Kültürü kitabını yeniden basmak için gözden geçirirken "Yurttaş Olmanın Beş Farkındalığı" hakkında kitap yazdığımı hayal ettim. Böyle bir kitapta şu konuları ele almak isterdim: 1- Yurttaş kime denir? 2- Yurttaşın niyeti ne olmalıdır? 3- Bu niyeti gerçekleştirecek yurttaş kimliği nasıl kazanılır? 4- Uygar bir toplumun yurttaşının bilmesi ve yaşatması gereken farkındalıklar nedir? 5- Birbirini hasım değil, aynı yurdu ve kaderi paylaşan insanlar olarak görebilmek için hangi değerlerin yaşamasına özen göstermeliyiz?

na verirken kız elimizden kayıyor ve cup diye suyun içine düşüyor. Hemen yakalayıp çıkarıyorum. Kız hiç korkmuyor ve ağlamıyor. Bana gülerek bakıyor, müthiş bir güven duyuyor ve içimdeki his, ona yakın olduğum yönünde. İçten içe, bu kızın büyümesi, gelişmesi, mutlu bir hayata kavuşması için neler yapabilirim diye düşünüyorum. İlginç bir rüya olarak bende bir iz bıraktı.

Rüyamı anlattıktan sonra herkes bir süre konuşmadan kahvaltısını yaptı. Hiç kimse bir yorumda bulunmadı. Sessizliği ilk bozan yine ben oldum. Arif'e döndüm, dünkü konuşmalarımızda geldiğimiz noktayı kısaca özetlemesini istedim. Arif aldığı notlara bakarak kısaca özetledi.

A: Dün, sınıfa giren bir öğretmen örneğinden hareket ederek niyet-bilgi-beceri-eylem-sonuç döngüsünü irdeledik. Niyetin saflığı önemli ama kendi başına yeterli değil. Döngüdeki her öğenin birbiriyle ilişkili ve uyumlu olması önemli, aksi halde mış gibi dediğimiz durum oluşuyor.

Daha sonra, bu döngüden kim sorumlu, konusunu ele aldık. Niyet sahibi kişinin kendisinin ve ortamın, olmak üzere iki sorumluluktan söz ettik. Mış gibi yaşamamanın en garantili yolu, kişinin yaşamının sorumluluğunu kendisinin alması. Ortamın sorumluluğu kişinin davranışını etkiliyor ama temel sorumluluğun bireyde olması gerektiği üzerinde durduk.

Abana'da sahilin çöplük halinde olması gözleminden hareketle buranın temiz ya da pis olmasından kim sorumlu, sorusu üzerinde durduk ve olay ile olaya verilen anlam arasındaki ilişkiden söz ettik. "Anlam, bir olayın belirli bir zeminden algılanarak kişinin anlam verme dünyası içinde oluşur," dediniz. O zaman Timur şu soruyu sordu: "Bir insanın algılamasında kullandığı zeminler nasıl oluşuyor?

Arif'e teşekkür ettim. İkisi çaylarını yudumlarken ben bu kitabın temelini oluşturacak olan konuya girdim:

D: Arif ve Timur, bugün konuşacağım konular bu gezimizin en temel kavramlarını oluşturacak. O nedenle ayrıntılı olarak ele almak istiyorum. Bazı durumlarda sizlerin zaten bildiği kavramları yeniden dile getirebilirim. Sabrınızı ve anlayışınızı istiyorum. Anlamadığınız konular olursa, hemen beklemeden sorun, çünkü her şeyin adım adım açık seçik anlaşılması önemli.

Her şeyden önce, insan nedir, sorusuna bir bakalım. İnsan muhteşem bir potansiyeldir. Bu muhteşemliği anlamak için küçük bir çocuğun sinir sistemine ve davranışına bakmak yeter. Bu yaşlardaki bir çocuğun sinir sisteminde yüz milyarın üstünde, nöron adı verilen sinir hücresi var. Her bir nöronun sinaps adı verilen, diğer nöronlarla oluşturduğu sinir kavşakları var. Bu kavşaklar öğrenmenin temelindeki süreçleri barındırır, o nedenle bunların sayısı ve sağlıklı olması çok önemlidir. Bir nöronda on binlerce sinaps yani sinirsel kavşak var.(1)

T: Sinir sistemindeki sinaps sayısını hesaplamak gerçekten zor.

D: Evet Timur. Bir insanın sinir sisteminde 10 üzeri 24 sinaps olduğu düşünülmektedir. Saniyede bir sinaps sayacak olsan sayması milyonlarca yıl alır.

A: Bu, muhteşem bir donanım.

D: Sinir sisteminde bir kural var, bu kural kısaca, "kullan ya da kaybet" olarak bilinir. Eğer bir sinaps uzun süre kullanılmıyorsa pörsüyor, o sinaptik ilişki yavaş yavaş çözülüyor. Tamamen ortadan kalkmıyor ama işlevsel olamıyor ve çocuk sanki bu kuralı his-

---

(1) Beyinle ilgili bilgilerin derlendiği kitaplar:
- Pierce J. Howard, *The Owner's Manual for the Brain*, Bard Pres., Atlanta, 2000.
- Marcus Buckingham, Curt Coffman, *Önce Bütün Kuralları Yıkın*, Remzi Kitabevi, İstanbul, 2006.
- Jeffrey M. Schwarts, Sharon Begley, *The Mind and the Brain*, Regan Books, 2002.
- Richard Restak, *The New Brain*, Rodale, 2003.
- Steven Pinker, *How the Mind Works*, Norton, 1997.

sediyor ve beynindeki sinapsları kaybetmemek için sürekli onları uyarmak istiyor.

T: Gerçekten de küçük çocuklar her şeyle ilgilenir, her şeye burnunu sokmak ister; bu nedenle demek ki.

A: İki-üç yaşlarındaki bir çocuk mikro düzeyde hiçbir şeyi gözden kaçırmaz, örneğin karıncanın bacağındaki kılları bile görür. Bu arada makro düzeyde de her şeyle ilgilenir; Ay'la, yıldızlarla ilgili sürüyle soru sorar.

D: Çünkü içinden bir his onu itiyor, "Kurtarabildiğin kadar sinaps kurtar; senin zihninin, aklının gücü oradan gelecek," mesajını sanki işitiyor. O nedenle çocukluğun ilk yıllarını bol miktarda ve değişik uyaranların olduğu bir ortamda geçirmek çocuklar için önemli.

A: Yani apartman çocuğu olarak değil, kırsal bölgede köy çocuğu olarak yetişmek beynin gelişmesi yönünden daha avantajlı.

D: Çocuğun değişik hayvanları görmesi, onların seslerini duyması, yavrulamalarını görmesi, onlara dokunması, onları beslemesi; tarlada, bahçede bitkileri görmesi ve onlarla haşır neşir olması, çocuğun beyninin gelişmesi bakımından ideal ortamlar oluşturur.

T: Peki baba, çocuğun içinde yetiştiği ortamdaki insan ilişkilerinin kalitesi, sayısı önemli değil mi?

D: Önemli Timur. Ben de şimdi o konuya değinecektim. İnsan beyniyle ilgili söylemek istediğim bir şey daha var; onu da söyleyeyim, daha sonra çocuğun içinde yetiştiği ilişkiler ortamına geçmek istiyorum.

Söylemek istediğim şu: Nasıl ki bir bilgisayarın donanımından ve yazılımından söz edilir, beynin de donanım ve yazılımından söz edebiliriz. Beynin donanımı dediğimiz zaman nöronlardan, sinapslardan ve beynin yapısından konuşmuş oluruz. Artık elektronik aletler aracılığıyla beynin, işleyiş anında "elektronik resmini çekmek" mümkün olabilmektedir. Böylece beynin yapısı ve işleyişi üzerinde yoğun olarak çalışma olanağı doğmuştur ve gerçekten pek çok araştırma yapılmaktadır.

Bütün bu yapının içinde bir programlama, bir yazılım barınmaktadır. Dünyanın hiçbir yerinde bir anne veya baba normal, sağlıklı bir çocuğu için şunu söyleyemez: "Çocuğum doğuştan meraksız; hiçbir şeyle ilgilenmiyor, araştırmıyor, soru sormuyor!" Böyle bir şey söylemek mümkün değil, çünkü çocuk doğuştan şöyle bir ilkeyle doğmuş: "Belirsizliği, bilinmeyeni araştır ve belirgin, bilinir hale getir."

T: Belirsizlik beni rahatsız eder.

D: Çocuğu da rahatsız eder. Belirsizlik kaygı verir ve kaygıdan kurtulmak için o konuyu belirgin hale getirmek isteriz. Bu anlamda çocuğa verilen yazılımı daha bir üst kademede, "Mutlu olmanın yollarını araştır ve bul" şeklinde de ifade edebiliriz. Çocuk, böyle muhteşem bir bilgi işlem donanımı ve yazılımıyla donanmış olarak doğar ve çocukluk döneminde bu muhteşem potansiyel gelişir ya da heba edilir. İşte bir bireyin yaşamındaki en önemli konu, doğuştan getirdiği potansiyeli ne kadar geliştirebildiğidir. Ana-babaların çocuklarıyla ilgili en önemli konusu da onların potansiyelinin gelişimine ne kadar olanak sağladıklarıdır?

A: Bence, bir ulusun en önemli konusu da bu olmalıdır; çocuklarının potansiyelini ne kadar geliştirebildiği.

D: Katılıyorum! Bu potansiyelin gelişmesinde çocuğun içinde büyüdüğü ortamdaki insan ilişkilerinin etkisi büyük.

T: Baba, şimdiye kadar sizlerle yaptığım konuşmalardan şunun farkına vardım: Bir olaya anlam vermenin temelinde algılama ve algılamanın da temelinde kişinin varoluşundaki zeminler temel etken. Bu zeminler nasıl oluşuyor, diye sordum. Şimdiye kadar anlattıklarından anladığım, bu zeminler çocuklukta, çocuk büyürken oluşuyor.

D: Çocuğun kişiliği oluşurken, zeminler de bu sürecin bir parçası olarak oluşuyor. İşte bu sürece sosyalleşme, toplumsallaşma adını veriyoruz. Şimdiye kadar konuştuğumuz bütün sorunların temelinde toplumsallaşma yatıyor. O nedenle bu konuyu ayrıntılı olarak ele almak istiyorum.

T: Deminden beri sözünü ettiğim çocuğun içinde yetiştiği ortamdaki insan ilişkileri, bu toplumsallaşma sürecinin önemli bir parçası herhalde.

D: Konuştuğumuz bütün konuların can damarı işte burada.

T: Nerede?

D: Çocuğun hangi ortamda toplumsallaştığında.

T: O zaman çocuğun toplumsallaşmasını inceleyelim.

D: Ben de onu yapacağım. Ne var ki, çocuğun toplumsallaşması bir ilişkiler ağı içinde gerçekleşir ve ilişkiler ağının doğasının ne olduğunu ve çocuğu nasıl etkilediğini anlayabilmemiz için önce insan iletişimiyle ilgili bazı temel kavramları yerli yerine oturtmamız lazım.

T: Baba yolda konuşabilir miyiz? Çünkü önce burada denize girmek istiyorum, daha sonra bavulumu toplayacağım.

Arif de denize girmek istediğini söyledi, birlikte Karakum Plajı'na gittik. Plajda bir buçuk saat kadar kaldık ve daha sonra saat 13 civarında otelden ayrıldık.

Sinop yarımadasını kıyıdan gezerek kentten ayrılmak istedik ve Timur'un dün koşarak gittiği yolu izledik. Tepede en güzel manzaralı yerde durduk. En güzel manzaralı yerin en çok çöplüğe dönüşmüş olduğunu gördük, resimlerini çektim. Geldiğimiz noktada, ne kadar ilerilere koştuğuna Timur'un kendisi de hayret etti.

Timur böyle güzel manzaralı yerlerde pislik görünce, hükümet ve yerel yönetimden önce, neden işadamları bir araya gelip bir şeyler yapmıyor, sorgulamasını yapıyor. Ona göre, ortamı temiz tutarak daha iyi iş yapacaklarını işadamları görebilmeliler. Burada açılacak bir "kafe" ne kadar güzel iş yapar, diye düşünüyor.

Gerçekten şahane bir manzarası var ve havası, yazın bu sıcağında tertemiz ve püfür püfür. Hawaii'ye benziyor; kayalık, açık de-

niz, küme küme bulutlar. Ama nereye baksan kendini pislikle çevrilmiş görüyorsun.

T: Bak şurası ne kadar değerli olacak bir arazi; turizme açılsa ve tertemiz kullanılsa. Buraya önemli bir kazanç kaynağı olur. Avrupalıların akın ettiği, kaldığı, eğlendiği bir yer olur. Baba şu kartala bak, gökyüzünde ne muhteşem süzülüyor.

Gerçekten de kartal kanatlarını açmış keyifli keyifli havada süzülüyordu. Timur hayran hayran kartala bakarken arabayı yavaş yavaş sürüyor.

İleride, Amerikalıların kullanmış olduğu radar istasyonu var. Artık boşaltılmış, etrafta inekler yayılıyor ve Sinoplular burayı çöp dökme alanı olarak kullanmaya başlamış. Bir kartal daha süzülüyor. Askeri bölge işaretleri konmuş ve o işaretlerin hemen dışına moloz ve çöpler dökülmüş.

Şimdi üç kartal veya doğan daha; bunlar sıradan değil, özel kuşlar. Buralarda bir yerde çoğalma olanağı bulmuşlar.

İnekler yatmış, geviş getiriyor. Askeri mıntıka ağaçlandırılmış, hiç ağaç olmayan yerde bodur bodur ağaçlar yetişmiş. Demek ki dikilirse ağaç yetişebiliyor.

Hedefimiz Ordu. Bir çeşmeyi geçtik, çeşmenin başında iki araba, kadınlar çocuklar, tabii çamur ve çamurun etrafında pislik, yolun solunda çukurlar var, çukurların içine su birikmiş ve çeşmeye varmak isteyen vıcık vıcık çamura basmak zorunda. Bu çukurları aynı zamanda çöplük olarak kullanılıyor. Şimdi aşağıya doğru iniyoruz. Otlar var ve yine her taraf çöp içinde.

Sinop'tan Samsun'a doğru yol alıyoruz, Gerze yoluna giriyoruz ve Güzelceçay'ı geçiyoruz. Yolda oğlan ve kız çocukları, aynı zamanda ergen yaşta gençler var, böğürtlen topluyorlar.

Anne ve babalar çocuklarına yatmadan önce kitap okuyorlar mı? Bu sorusuyla Timur, neler konuşmaya başladığımızı hatırlattı.

A: Evvelden nineler masal anlatırmış, şimdi masal anlatan yok ama kitap okuyan da yok. Çocuklar ne annelerini, ne babalarını, ne dedelerini, ne ninelerini, ne ağabeylerini, ne ablalarını, ne dayılarını, ne komşularını ve en acısı ne de öğretmenlerini kitap okurken görüyorlar. Hiç kimseyi okurken görmüyorlar.

T: Metro'da, otobüste, uçak yolculuğunda?

D: Timur, daha sonra anlatacağım nedenlerle, kişinin birey olmasını, kendi olarak gelişmesini teşvik eden her şeyi az görürsün. O nedenle, bu ülkede kitap okuyan insan da azdır. Hatta kitap okumayı kendine özgü nedenlerle tehlike olarak gören bile vardır. Türkiye'de oldukça tanınmış bir holdingin başındaki kişiyle konuşuyordum. Bana, "Sanırım kitap okumak o kadar iyi bir şey değil," dedi. Niçin öyle düşündüğünü sorduğumda, "Çünkü diğer insanların düşünceleri senin beynini yıkar," dedi. "İnsanlar kendi fikirlerine sahip olmalı ve ona göre davranmalı." Bu düşünceye ne dersin Timur?

T: Bu beni hayrete düşürmedi. Gördüğüm şey... İş yaşamında her işin özü aslında fikirlerden oluşur. Eski iş eski fikirler, yeni iş yeni fikirler demektir. İyi iş demek, yeni bir fikri ürün olarak piyasaya çıkarabilmek ve bunu mümkün olan en çok sayıda insana ulaştırmak demektir. Ben kendi düşüncemi, yani o düşüncenin temsil edildiği ürünü, her topluma, her kültüre ulaştırabilir ve satabilirsem o kadar başarılı, o kadar zengin bir işadamı olurum. Kitap okumaktan özellikle kaçınmak yanlış, daha da açıkça söyleyeyim, ahmakça bir tutum. Eğer bir holdingin yönetim kurulu başkanı böyle düşünüyorsa sanırım o holding uzun süre ayakta kalamaz, yıllar içinde tarih olur. Nasıl gidiyor işleri?

D: Evvelden isimleri duyulan bir şirketti. Şimdi hiç sesleri sedaları çıkmıyor; bir varlık işareti görmüyorum.

Arif merak etti, holdingin ismini sordu, söyledim. O da benim gözlemime katıldı.

T: Amerika'da bir holdingin başındaki kişi böyle bir şey söylese, bu gazetelerde ve televizyonlarda haber olur ve bu nedenle holdingin hisse senetlerinin değeri aşağılara yuvarlanır. Ve bu adamın sözüne karşı ana-babalar, eğitimciler, kitap okumayı destekleyen bir kampanya başlatır.

Yolculuğumuz devam ediyor. Günlerden pazar olduğu için bazı aileler pikniğe çıkmışlar ve kırsal alanlarda oturduklarını görebiliyoruz. Sinop'ta kaldığımız yerden devam etmek istediğimi söyledim. Her ikisi de dinlemeye hazır olduğunu belirtti, konuşmaya başladım.

D: Toplumsallaşma sürecini inceleyebilmemiz için çocuğun içinde yetiştiği ilişki ortamını iyi anlamamız gerek. O nedenle temel iletişim kavramlarını incelemek istiyorum. İlk söylemek istediğim şu: Çocuk, bir ilişkiler ağı içine doğar. Bu sosyal ortamdaki iletişim bilinci, çocuğun çevresindeki insan ilişkilerini etkileyen en temel etkendir.

T: Sosyal ortamdaki iletişim bilincinden neyi kastediyorsun?

D: İnsanlar iletişim içinde olduklarının ne kadar farkındalar, onu kastediyorum.

T: İnsan iletişim içinde olduğunun farkında olmaz mı?

D: Arif, şimdi anlatacağım. Timur'a tuhaf ve muhtemelen gerçek dışı görünecektir ama sana aşina geliyor mu, onu merak ediyorum. Oturduğunuz apartmanın asansörüne biniyorsun ve ne sen kimseye günaydın diyorsun, ne de onlar sana bir şey diyor.

A: Her gün yaşadığımız bir olay bu!

T: Gerçekten mi?

A: Gerçekten. Timur, şimdi bizim şu konuşmamızı İstanbul'da apartmanlarda yaşayanlar duysa, onlar da senin hayret etmene hayret ederler.

T: Gerçekten mi?

D: Evet Timur. Bir keresinde bir şirket çalışanlarına seminer vermek için asansöre bindim. Şirkette üst kademe mevkide olduğunu daha sonra öğrendiğim biri de asansöre bindi. Birbirimize baktık ve klasik bir şekilde birbirimize bir şey söylemedik.

T: Baba sen de, "merhaba" veya "günaydın" türünden bir şey söylemedin mi?

D: Söylemedim.

T: Neden?

Arif benim yerime cevap verdi.

A: Doğan Hocam, ortamdaki iletişim bilincinin doğal durumunu görebilmek için önce pasif bir gözlemci olarak o ortama girer.

D: Evet Timur. Ortamdaki iletişim bilincini anlamak için genellikle insanların ilişkilerini gözler, sonra kendi tarzımı sergilerim.

T: Peki daha sonra "günaydın" dedin mi?

D: Evet ama hayal kurup içimden dedim. Yani bir fantezi.

T: Nasıl bir fantezi?

D: Adama dönüp bir inek gibi böğürdüm.

T: Bunu yapmadın, değil mi!

D: Hayır, fantezi dedim ya. Hayalimde adama dönüp bir inek gibi böğürdüm. Adam bana döndü ve hayretle baktı. "Ne oluyor, ne demek istiyorsunuz?" diye sordu. Ben de ona, "İnsan olarak selamlaşamadık, bari inek olarak böğrüşelim," dedim.

"...tabii bu, hayal ettiğim bir fantezi"

T: Neden inek gibi böğürdün? Koyun gibi meleyebilirdin.

D: Benim büyüdüğüm kırsalda, daha çok inek vardı. Bir tarladaki inek, başka tarladaki bir ineğe böğürerek selam verir. Onların selamlaşmalarını gördüm, o nedenle inekleri taklit etmeyi hayal ettim.

T: Peki baba, bütün bunlarla neyi anlatmak istiyorsun?

D. Sosyal ortamlarda, insanların birbirinin farkında olduğu ortamlarda, iletişimsizlik söz konusu değildir. İki insan birbirinin farkına varınca iletişim başlar. İki insan birbirinin farkına varınca söylediği söylemediği, yaptığı yapmadığı her şey, yüz ifadesi, beden duruşu; her şey bir anlam ifade eder. Zaten iletişim, anlam alışverişidir. İnsanların bulunduğu sosyal ortamlarda iletişim içinde olmamak mümkün değildir.

A: Doğan Hocam bir seminerinizde, bir insanın gelişmiş, olgun olup olmadığını, ortama getirdiği iletişim bilinciyle tanımlamıştınız. Onu tekrar eder misiniz?

D: Ben, gelişmiş, olgun olan ve olmayan insanlar arasındaki en temel farkı şöyle tanımlıyorum: Gelişmiş, olgun insan, verdiği mesajların farkındadır ve onlardan sorumluluk alır; gelişmemiş insan farkında değildir ve doğal olarak farkında olmadığı şeyden sorumluluk alamaz.

T: Çocuk büyürken çevresindekilerin iletişim bilincinin ne kadar gelişmiş olduğu önemli, bunu mu demek istiyorsun?

D: Evet ve şunu da söylemek istiyorum: İletişim bilinci gelişmiş olgun insan, her mesajın üç temel hedefi olduğunu da bilir.

T: Üç temel hedef?...

Arif bana bakarak, "Bunu ben anlatabilir miyim?" diye sordu ve ben onaylayınca devam etti.

A: Şimdi Timur, ben sana bakarak konuşuyorum ve şu anda sen benim hedef kişim oluyorsun. Herhalde kabul edersin ki, seninle iletişim halindeyim.

T: Tabii, benimle iletişim içinde olduğunu kabul ederim.

A: Mesajın üç hedefinden ilki, karşındaki konuştuğun kişidir. Şimdi seninle konuştuğum gibi. Seninle konuşurken baban da duyuyor, o da kendine göre bazı mesajlar alıyor. Örneğin, "Timur yakışıklısın, aynı babana çekmişsin," desem, hem sana konuşmuş oluyorum, hem de babana bir mesaj yollamış oluyorum. Bizde bir söz vardır, "Kızım sana söylüyorum, gelinim sen anla" diye.

T: Evet, anlıyorum. Doğrudan veremeyeceğin mesajları bir başkasının üstünden verebilirsin.

A: İşte bu mesajın ikinci hedefidir, çevreye yöneliktir.

T: Tamam, anladım.

A: Mesajın üçüncü hedefi de kişinin kendisidir. Ben sana, "Timur yakışıklısın, aynı babana çekmişsin," dediğimde, kendi söylediğime inanıyor olabilirim. Bu durumda kendime verdiğim mesaj, "Doğruları söyleyen bir insansın Arif," şeklinde olacaktır. Ama farz et ki, ben, aslında ne seni ne de babanı yakışıklı buluyorum, sizden bir çıkar sağlamak amacıyla hoşunuza gidecek bu sözü söylüyorum. Bu durumda kendime verdiğim mesaj, "Çıkarı için yalan söyleyen bir insansın Arif," olacaktır.

T: Kendime verdiğim mesajı ancak ben bilirim; bu önemli bir gözlem.

D: Timur, mesajın hedeflerinden her biri, bireyin yaşamındaki bir ilişki olarak anlatılabilir. Yani bireyin, konuştuğu kişiyle, içinde bulunduğu ortamla ve bir de kendisiyle ilişkisi vardır.

T: Evet, doğru.

D: Bu üç ilişkiden en önemlisi sence hangisi?

T: Baba, bence kısa vadede bu üç ilişkiden herhangi biri, içinde bulunulan duruma göre en önemli olabilir. Ama uzun vadeli etkiyi de soruyorsan...

D: Timur, önce seni kutlarım, sorumda belirtmediğim halde değerlendirmeni kısa vade ve uzun vade olmak üzere iki boyutta yapmana hayran oldum. Evet, aslında onu demek istedim. Yani uzun vadede bu üç ilişkiden en önemlisi hangisi?

T: Kişinin kendiyle kurduğu ilişki.

Timur, "Sen ne diyorsun?" anlamında Arif'e baktı. Arif, "Kesinlikle," dedi ve ilave etti, "bir insanın yaşamındaki en önemli bilinç kişinin kendiyle kurduğu ilişkinin farkında olmaktır."

T: Şu ana kadar konuştuklarımızdan anladığım şu: Ortama getirilen iletişim bilinci gelişmiş bir insan, sürekli iletişim içinde olduğunun farkındadır, bu bir. Ayrıca, her iletişim eyleminde karşıdakine, çevredekilere ve kendine mesaj verdiğinin bilincindedir, bu iki. Doğru anlamış mıyım?

D: Evet Timur, doğru anlamışsın.

T: Ortama getirilen iletişimin başka boyutları var mı?

D: Var Timur. Bilinci gelişmiş olgun kişi, insan yaşamının iki düzeyinde iletişim içinde olduğunu bilir.

O sırada yol kenarında kurumaya bırakılmış tütün kümeleri gördüm ve Timur'a, "Bu gördüklerin, kurumak üzere güneşe bırakılmış tütün yaprakları," dedim.

T: Gerçekten mi?

D: Evet. Tütün yetiştirilen bölgelere giriyoruz.

Silifke Mersin arasındaki yola benziyor; bisikletliler, motosikletliler, sağda solda mısır tarlaları, sürülmüş tarlalar, kenara çekilmiş arabalar.

Şimdi Alaçam'a giriyoruz. Nüfusu on iki bin. Yol ikiye ayrılıyor. Alaçam deresinin üstünden geçiyoruz; su azalmış, yosun bağlamış, yosunlar arasından biraz su gidiyor. Bir benzin istasyonunun büyük bir tabelası: 'European Diesel'

Timur, evet baba, "Bilinci gelişmiş olgun kişi, insan yaşamının iki düzeyinde iletişim içinde olduğunu bilir," diyerek nerede kaldığımızı hatırlattı.

D: Evet! Devam edelim mi?

A: Bir önerim var. Ortama getirilen iletişim bilincinin iki önemli boyutundan bahsettik. Bunlardan biri, sürekli iletişim içinde olduğumuzun, diğeri de sosyal ortamlardaki her iletişim anında üç farklı hedefe mesaj verdiğimizin bilincinde olmak. Şimdi merak ediyorum, sürekli iletişim içinde olduğunun bilincinde olan ile olmayan arasındaki fark ne? Yani, bu onların bireysel ve toplumsal yaşamında ne gibi sonuçlar yaratır?

Timur Arif'e takdir eden bir bakış fırlattı.

T: Arif güzel bir soru sordu. Aynı mantığı kullanarak, üç farklı hedefe mesaj verdiğimizin bilincinde olup olmamanın sonuçlarını merak ediyorum.

Bir süre düşündüm. Başladığım kavramsal altyapı oluşturmasını bitirip sonra mı bu soruları yanıtlayayım, yoksa bu soruları şimdi yanıtlayayım, daha sonra mı kavramsal altyapı oluşumunu tamamlayayım? Önce soruları yanıtlamaya karar verdim.

Tam ağzımı açacakken, düşünsel olarak tıkandığımı gördüm. Kavramsal altyapıyı tamamlamadan bu soruları hakkıyla yanıtlamamın olanağı olmadığının farkına vardım. Düşündüklerimi paylaştım, biraz gönülsüz kabul ettiler. Kavramsal altyapıyı oluşturmak üzere yeniden konuşmama devam ettim.

D: Ortama getirilen iletişim bilincinin üçüncü boyutu da, her iletişim anında insanın, hem bireysel hem toplumsal varlık olarak iki düzeyde etkileşim içinde olduğunun farkında olmaktır.

T: Herhalde örnekleyeceksin, değil mi?

D: Evet, örnekle anlatayım. Her insanın kendine özgü bir psikolojik iç dünyası vardır, bir de herkesle paylaştığı dıştan görülebilen toplumsal dünyası. Bir seminer ortamını düşün. Örnek olarak benim seminerime gelen insanlardan söz edeyim. İnsanlar benim seminerime gelirken giyinişleri, salona girişleri, salonda nereye oturdukları, kiminle konuştukları, ne konuştukları, hangi ses tonuyla konuştukları, birbirlerine ne kadar yakın ya da uzak oturdukları, ben konuşurken ne yaptıkları, telefonlarını kapatıp kapatmadıkları; bunların hepsi, içinde yaşadığımız toplumun beklentilerine uygun olmak durumundadır. Yani her şey kuralına uygun, "münasip" denecek biçimde olmalıdır. Tersi davranmak ise "münasebetsiz"lik addedilir yani toplumun beklentisinin dışına çıkmaktır.

Seminerlerime katılanlara soruyorum: "Ben de şu anda uygun olmayan bir şey görüyor musunuz?" Hayır, anlamında başlarını sallıyorlar. "Peki, buraya eşimin eteğini giymiş olarak gelseydim ve bu semineri şu anda konuştuğum şeylerin aynısını söyleyerek devam ettirseydim, yine her şey uygun diye düşünür müydünüz? Yine, "Hayır" diyorlar.

Bir seminerimde, Amerika'dan yeni geldiğim günlerdeydi, pantolonumun önü açık kalmış. "U düzeni"nde oturan katılımcıların arasına girerek konuşmaya devam ederken önüne geldiğim katılımcılardan biri, hafif bir sesle ve gülümseyerek bana, "Dükkân açık," dedi. Anlam veremediğim için üstüme alınmadım. Konuşmama devam ettim, ama o kişinin gerçekten bana bir şeyler söylemeye çalıştığını görüyordum. Yanına yaklaştım, yeniden, "Hocam, dükkân açık," dedi. Önce ne demek istediğini anlayamadım, sonra birden anladım. Evet, pantolonumun fermuarı açıktı, mahcup oldum, sırtımı döndüm ve fermuarı kapattım.

Timur ve Arif anlattıklarıma gülüyorlardı. Devam ettim.

D: Her sosyal ortamın kendine özgü beklentileri vardır. Örneğin şu anda biriniz yellenirse, "münasebetsizlik" yapmış olur. Ben konuşurken biriniz beni dinlemese başka bir şeyle ilgilenmeye başlasa, hoş olmaz. İşte sosyal ortamlarda herkesten beklenen davranışların sergilenmesi toplumsal alanı oluşturur. Böyle bir toplumsal alan mutlaka ve her kültürde vardır.

T: Toplumdan topluma neyin münasip, neyin münasip olmadığı değişebilir herhalde.

D: Ben Çin'e gitmedim. Onun için ilk elden bilmiyorum. Söylediklerine göre, bir davette yemek sonrası yüksek sesle geğirmek, ziyafetin hoşa gittiğinin bir işareti olarak algılanırmış.

T: Amerika'da geğirmek ayıptır. Diyebilirim ki, yellenmek kadar kötüdür.

A: Türkiye'de de ayıptır ama yellenmek daha ayıptır.

D: Toplumsal alan içine toplumsal roller, normlar, kurallar, beklentiler, gelenek ve görenekler girer.

T: Baba her birine bir örnek verebilir misin?

D: Anne olmak, baba olmak, öğretmen olmak, yönetici olmak, öğrenci olmak; bunların hepsi birer toplumsal roldür. Bir toplumda normlar, o toplumdaki insanların çoğunluğunun neyi, ne zaman, ne kadar, nasıl yapması gerektiğini belirleyen kurallardır ve bunlar, topluma uygun bir gereksinme oluşturur. Eğer toplumda bunlar karşılanmazsa o toplum kaos, karmaşa, karışıklık yaşar.

T: Kişinin, ortama getirdiği bilinçte, içinde bulunduğu sosyal ortamın gereksinmelerini karşılayıp karşılamadığının farkında olmasının önemli olduğunu anlıyorum. Aynı iletişim ortamında bir de kişinin iç dünyası var.

D: Evet, bir de iç dünyası var: İnsanın toplumsal yönüne "yüz" bireysel, psikolojik yönüne "can" diyorum.

Toplumsal yaşamın devamı ve işlevselliği için toplumsal gereksinmelerinin karşılanması gerekir. Bireyin psikolojik yaşamının sağlıklı işlevselliği için de karşılanması gereken can gereksinmeleri vardır.

Timur yorulmuştu, direksiyona ben geçtim. Çarşamba'dan çıktık. Önümüzde büyük bir benzin tankeri var. Yalnız kendi şeridini kullanmıyor, diğer şeridin de yarısına taşmış ve 30 km hızla gidiyor. Onu geçmek için solladım ve diğer şeridin dışına taşarak geçtim. Bu durumda solladığım zaman, karşıdan araç gelip gelmediğini tam olarak görmem mümkün değildi. Ama ya geçecektik ya da köstebek gibi toz yutarak saatlerce, saatte 30 km hızla, o tankerin ardı sıra gidecektik. Bu tankeri geçtik ve şimdi önümüzde iki kamyon daha var. İçimizde kaygı var; yolların kalitesi kötü. İyi hesaplanmış hızlı geçişler yapmalısın ama ne kadar iyi hesaplarsan hesapla, önemli bir risk alıyorsun. Bir süre böyle gittik, dinlenince tekrar direksiyona Timur geçti.

8

İLETİŞİM BİLİNCİ NE FARK YARATIR?

Hakkaniyet anlamını kaybederse,
zamanla her şey anlamını kaybeder.

UÇAK YOLCULUĞUNDA TANIŞTIĞIM
BİR YOLCUNUN SÖZÜ

Timur direksiyona geçince, Sinop'tan ayrılmadan önce gittiğimiz bir lokantadaki gözlemlerimi paylaşmak istedim. Lokantanın adı, bir yörenin damak tadına göre yemekler bulunabileceğini ima ediyordu.

D: Tuvalete gitmek istedim. El yıkanacak yer yani lavabo, hemen tuvaletin önündeki bir açıklıkta. Tek tuvaletin kapısının üstünde kocaman kırmızı ışıklı bir levha, büyük harflerle OCCUPIED yani meşgul yazısını gösteriyor.

A: Evet, hatırlıyorum, demek ki buraya çok turist geliyor, diye düşündüğümü hatırlıyorum.

D: Evet dolayısıyla, sadece Türklere değil, Türkçe bilmeyen turistlere de, "İçeride biri var, kapıyı açmaya çalışarak insanları rahatsız etmeyin," demek isteniyor. Hem kadın hem erkek aynı tuvaleti kullanıyor. Ben kırmızı yandığı için çok sıkışmama rağmen içeridekinin çıkmasını beklemeye başladım. Beklerken elimi, gözlüklerimi yıkadım. Baktım kimse çıkmıyor, bari burada beklemeyeyim, masada bekleyeyim diye çıktım.

Beni gören garson, iki kadına, "Serbest, girebilirsiniz," dedi. Garsonun bir hata yaptığını düşünerek, "Ben tuvalette değildim, lavaboda ellerimi yıkadım çünkü içeride biri var, ışık yanıyor, ben de onu bekledim ama çıkmadı," dedim. Garson önemsemeyen bir tavırla, "O ışık sürekli yanar," dedi ve iki kadını sırayla tuvalete almaya başladı. Böylece ben kırmızı ışığın sürekli yandığını bilmeyen saf olarak tuvalete girememiş oldum ve daha da önemlisi adamda, benim durumumu anladığına dair bir emare bile yoktu; ben buna empati(1) yokluğu diyorum.

T: Hay Allah, ne kadar can sıkıcı. Ama baba Türkiye'de bu durumların yaygın olduğunu görüyorum. İstanbul'da uçaktan iniyorum, terminale götürülmek üzere otobüse biniyorum. Otobüste, telefonda konuşulmaz işareti koymuşlar yan camlara. Ama bakıyorum, herkes telefonunu çıkarıp konuşuyor. Park edilmez işaretinin altına arabalar park etmiş, polis de orada, doğal karşılanıyor, hiç kimsenin umurunda değil. Senin seminerlerine bir keresinde ben de katıldım. Hem ilan edilen saatten 15 dakika sonra başladı, hem de 15 dakikalık aradan sonra kişiler ancak 20 dakika sonra yerlerine gelip oturdu. Kuralların ve işaretlerin bir anlamı yok.

D: Kimi kişiler böyle durumlarda yazılı kurala uyunca, kendini "keriz" hisseder. Doğal olarak ikinci bir kez böyle işaretlere uymama davranışı göstermeye başlarlar.

A: O nedenle "meşgul" yazdığı halde tuvaletlerin kapısını zorlayarak açmaya çalışanlar olur ya da sen içerideyken kapıya tak tak vuranlar...

T: Böyle "işaretlerin gerçekten işlevsel anlamı olmayan bir dünya"dan "işaretlerin gerçekten anlamı olan bir dünya"ya geçildiğinde, örneğin uçağa ilk defa binen bir Türk tuvalete gittiğinde, tuvaletin kapısındaki OCCUPIED kelimesi onun için hiçbir anlam taşımayacak, kapıyı açmaya çalışacaktır.

---

(1) Alanya'da bir konuşmamdan sonra Toros köylüsü olduğunu söyleyen Emine Hanım, "Senin empati dediğine bizim köyde, 'halden anlamak' derler," dedi. Katılıyorum ve katkısından dolayı teşekkür ediyorum.

D: Eğer hostes Türk ise, sanırım bu durumu anlar ve daha insaflı yargılar. Ama bir Alman bu davranışı akıl alamayacak kadar "düşük zekâ" örneği olarak algılayacaktır.

T: Diğer taraftan bu davranışı yapan, yazılanın gerçekten doğru olduğunu görecek ve muhtemelen hayret edecektir.

D: Türkiye'de çoğu şey göründüğü gibi değil, alttan alta başka bir sistem işler ve bu görünmeyen sistemi öğrendiğin zaman insanların neden öyle davrandığını anlamaya başlarsın.

T: Baba benim sorum şu: Neden alttan alta işleyen o görünmeyen sistem bir türlü görünen sistem haline gelmez? Neden bu iki farklı sistem yer alır? "Park Yapılmaz" veya "Durmak Yasaktır" işaretlerinin altında arabaların park yaptığını ve durduğunu herkes görüyor ama kimse yadırgamıyor. Yazılan şeylerin anlamı yok mu, var mı? Varsa niye uyulmuyor? Yoksa niye o işaretler oraya konuyor?

D: Senin sorduğun bu soruları soran, bu durumu yadırgayan çok vatandaş var Timur. Bu yolculukta zaten bu durum niye böyle, ikincisi de farkında olanlar neden kendilerini azınlıkta hissediyor ve etkisiz kalıyor konularını konuşacağız.

A: Levent Bey'in tanıdığı Alman'ın sözlerini hatırladım.

T: Kim?

A: Hani, Amasya'da trafik polisine, "Niye dönülmez denen yerden dönüyorsunuz?" diyen Alman.

T: Ha, evet.

Daha önce Arif'in dile getirdiği önemli konuyu ele almak ve irdelemek istiyordum. Ondan, daha önce sorduğu soruyu yinelemesini rica ettim.

A: Bir sosyal ortama getirilen bilincin üç temel boyutundan bahsettik. Boyutlardan ilki, iki insan birbirinin farkına varınca iletişim içinde olduğunun farkında olmaktır. İkincisi, her iletişim eyleminde karşıdaki konuştuğu kişi, ortamdaki diğer kişiler ve bir de kendisine mesaj verdiğini bilmektir. Üçüncü boyutta her mesajın hem toplumsal hem de bireysel gereksinmeleri karşıladığının farkında olmaktaır.

T: Peki, iletişim bilinci gelişmiş ya da gelişmemiş kişi olmanın yararı ne?

D: Örneklerle anlatayım. Önce karı koca ilişkisini ele alalım. Adam eve geliyor, yorgun, kapıyı açıyor, içeri giriyor. Karısının mutfakta olduğunu tencere, tabak ve su sesinden anlıyor. Kadın adamın geldiğini kapı sesinden anlıyor. Şimdi, iletişim bilinci gelişmiş erkek, "Selam, ben geldim, kolay gelsin!" gibi bir şey söyler.

T: Söylemek zorunda mı?

D: Evet, söylemek zorunda! Hiçbir şey söylemediği zaman, "Sana önem vermiyorum, ağzımı açtığıma bile değmezsin," mesajını verir. O nedenle iletişim bilinci gelişmiş insan mutlaka bir şey söyler ya da mutfağa girip, eşine dokunur.

A: Benim anlamak istediğim şu: Kadının iletişim bilinci gelişmemişse kocasının bir şey söylediği ya da söylemediği durumları farklı farklı değerlendirir mi?

D: Arif, yerçekimi, sen biliyorsun diye mi etkisini gösteriyor? Newton, ilgili formülünü bulmadan önce de yerçekimi vardı ve etkisini göstermeye devam ediyordu. İletişim, iki insan birbirinin farkına varınca başlar. İletişim bilinci gelişmiş ya da gelişmemiş olsun, kocası kapıyı açarak girdiğinde karısına hiçbir şey söylemese bile kadın mutlaka bir mesaj alır. Ve söylediğim gibi, bu mesaj genellikle olumsuzdur.

Kadının iletişim bilinci gelişmişse kocasının davranışını anlar ve belki de konuşarak onu da farkına vardırmaya çalışır. İletişim bilinci gelişmemiş bir kadın ise, kendini kötü hisseder, neden böyle kötü hissettiğini anlamaz ama içinde kocasına karşı, sebebini kendisinin de anlamadığı bir soğukluk, sinsi bir öfke gelişmeye başlar.

T: Böyle bir ilişkiye zamanla ne olur?

D: Ne olur! Kestirmesi zor değil; nişanlıyken birbirleriyle cıvıl cıvıl konuşan iki genç, evlendikten altı ay gibi kısa bir zaman sonra, soğuyarak birbirinden uzaklaşır.

A: Peki, adam içeri girdiğinde, "Selam karıcığım, nasılsın?" dediği halde, kadın cevap vermiyorsa, ne olur?

T: Dalga mı geçiyorsun Arif?

A: Yani, iletişim kurmak, merhaba demek, sadece erkeğin sorumluluğunda mı, onu anlamak istiyorum.

Timur, "Öyle şey olur mu!" dedi ve ne diyeceğimi merak ederek bana baktı.

D: Kadın, erkeğin selamına mutfaktan cevap vermiyorsa, erkek, kadının vermediği cevaba bir anlam verecektir. Yani iletişim mutlaka başlayacaktır ve daha önce belirttiğim gibi, bu durumlarda söylenmeyen sözlerin, sessizliğin verdiği mesajlar, olduğundan daha olumsuz yorumlanır.

Erkeğin iletişim bilinci gelişmişse içinde hissettiği olumsuzluğun nedenini bilir ve karısıyla konuşarak onun da farkına varmasına yardımcı olmaya çalışır.

T: Ne kadın ne erkek farkında değilse?

D: Hem kadının hem de erkeğin iletişim bilinci gelişmemişse ilişkileri bu tür masum sessizlikler yüzünden süratle hastalanıp, yaralanabilir. Sevecen iki insan, kendilerini kısa sürede mutsuz ve coşkusuz bir yaşam içinde bulabilir. Bu örnekleri, ana-baba-çocuk ve öğretmen-öğrenci ilişkisinden gösterebildiğimiz gibi, yönetici-çalışan ilişkisinden de alabiliriz.

Şimdi Ünye'ye giriyoruz. Anacaddesi var; öyle ahım şahım değil ama kaldırımları var. Bu sırada bir düğün alayı kornalar çalarak bizi geçti. Düğün alayının çocuksu neşesi ve kornaların gürültüsü hepimizi güldürdü. Yanı sıra konvoyun keyifli hali bize de yansıdı. Âdeta üçümüzün de iç çocuğu uyarıldı.

Timur, caddeyle ilgili gözlemlerini dile getirdi.

T: Bu kaldırımlar yapılırken özen gösterilmiş, kaldırım ile yol arasına çimen ve çiçekler konmuş. Solumuzda deniz var ve deniz kıyısında yürünecek yerler yapılmış. Bunlar temel belediye hizmetleri, yapılması hiç de zor olmayan basit şeyler. Şehrin evleri yine çirkin, sabun kalıbı gibi yapılmış ve boyası badanası yok. Ama belediyenin şu birkaç basit yeşillendirme hizmeti, çimen, çiçek, kaldırım ve kaldırım taşları da olumlu bir etki yapıyor. Deniz kıyısındaki park yerinde spor yerleri de düşünülmüş. Bu kent yönetimi, belli ki burada yaşayanların temiz hava almak için parkta yürümesine, çiçek görmesine önem vermiş.

A: Belediye başkanları kentler için önemli. Aydın bir insansa, Avrupa'ya veya diğer gelişmiş ülkelere gitmişse, kendi ekibini oluşturmaya başlıyor ve şehrin görünümünde gerçekten bir fark yaratabiliyor.

T: Evet, benim de söylemek istediğim bu. Biraz planlama ve mimarlığı dikkate alarak uygulamanın ne kadar büyük bir fark yarattığını vurgulamak istiyorum. Tek tip evler insanı sıkmaya başlar. Ama kaldırımlar, parklar, bahçeler ve sokaklardaki çiçekler bakımlı olduğu için evlerin tekdüzeliğinden gelen sıkıcılık bir dereceye kadar kayboluyor.

Yol işaretleri yoldan ayrılan istikametleri veriyor ama üzerinde bulunduğumuz yolun Ordu'ya gittiğini yazmıyor. Demek ki akıl yürütme yoluyla yani, "Değişiklik olsaydı yazarlardı" mantığını kullanarak yola devam etmemiz bekleniyor. Ne var ki, psikolojik olarak insan bunun Ordu'ya giden yol olduğunun bir daha altının çizilmesini bekliyor. Timur'a soruyorum, "Bende de böyle bir beklenti var, sende de var mı?" diye. "Evet, Ordu yazısını bekledim," diyor. Timur yeniden ilk sorusunu hatırladı ve sordu.

T: İletişim bilincinin gelişmesinin sonuçlarıyla ilgili, diğer boyutlara ilişkin örnekler de verecek misin?

D: Evet. Arif, hangi boyuta geldik, hatırlat.

A: Her iletişim eyleminde mesajın üç hedefi olduğuna geldik.

Bir süre düşündüm ve konuşmaya başladım.

D: Bunu anlatabilmek için gördüğüm iki olayı anlatacağım. Birinde yaşlı bir kadın olayın kahramanı ve olay büyükçe bir markette yaşandı. İkinci olay bir uçakta ve olayın kahramanı 25C koltukta oturan kırk yaşlarında bir erkekti. Şimdi birinci öyküye "yaşlı kadın öyküsü," ikinciye de "25C öyküsü" adını vereceğim.

Şimdi yaşlı kadın öyküsünü anlatıyorum. Levent'te, Beşiktaş Belediyesi binasının altında büyük bir market var. Ben üç parça eşya aldığım için ekspres kasaya girdim. Kasa kuyruğuna girişte görülebilir şekilde büyük harflerle, "Ekspres Kasa, En Fazla 5 Parça" diye yazan bir levha asmışlar.

Ben kuyruğa girdiğim zaman önümde bir adam vardı; onun önünde yaşlı bir kadın ve onun da önünde genç bir kadın. Kasiyer genç kadının eşyalarını kasaya okutuyordu. Yaşlı kadın sepetinden aldığı malları çıkarmaya başladı; altı, yedi, sekiz, dokuz... çıkarmaya devam ediyordu.

Kasadaki genç kadın, "Hanımefendi, burası ekspres kasa, en fazla beş parça," dedi. Duymazdan gelen kadının hemen arkasındaki orta yaşlı adam da kadının duymadığını sanarak, "Ekspres kasa, beş parça," diye uyarmaya çalıştı. Kadın, sizi duymak istemiyorum ve duymayacağım, dercesine, hiç aldırış etmeden, sepetten eşyaların gerisini çıkarıp tezgâha koymaya devam etti. Kasadaki kadın bir kez daha uyarmayı denedikten sonra anladı ki, yaşlı kadın bilinçli olarak ekspres kasayı seçmiş ve diğer kasaların kuyruğunda daha uzun süre beklemek istemiyor.

Kasiyer kızın yüzü kıpkırmızı oldu. Sinirlendi, söylenmeye başladı ve birinin kendini duyup hak vermesini istercesine sesini yükselterek konuşuyordu: "Ne düşüncesiz insanlar var! Şimdi ben ne yapacağım? Parasını almasam geri göndersem, yönetim benden anlayış bekliyor; hizmet versem diğer insanların hakkını yemiş oluyorum, yönetim görürse beni uyarıyor."

Kadının arkasındaki orta yaşlı adam, "İşte bunlar bizim analarımız olacak! Şu kadının yetiştirdiği insandan hayır mı gelir! Toplumun rezil hali de zaten bunu gösteriyor!" dedi.

Ben hayretle dinliyor ve yaşlı kadının yüzünü görmeye çalışıyordum. Yaşlı kadının yüzü duvar gibiydi. Hiç aldırmıyor görünen bir tavır içinde, sepetindeki bütün eşyaları çıkardı ve sırada beklemeye devam etti. Bu sırada kasiyer işini yaptığı genç kadının parasını aldı ve onunla işini bitirdi.

Orta yaşlı adam bayağı öfkeliydi, öfkeli öfkeli konuşmasına devam etti: "Yazıklar olsun, yazıklar olsun senin yaşadığın o yıllara, yazıklar olsun senin yaşına. Boş yaşamışsın, boş! Şu yaptığından hiç utanmıyorsun, sağır numarası yapıyorsun; senin kulağın değil, ruhun sağırlaşmış."

Kasiyer kız yaşlı kadınla hiç göz teması kurmadan eşyaları kasaya okutmaya başladı ve bütün bu süre içinde orta yaşlı erkek olumsuz şeyler söylemeye devam etti. "Böyle örnekler görünce bu ülkede neden hırsız ve arsızın çoğaldığına hayret etmemek gerek," türünden sözler söyledi. Kadın hiç renk vermedi, duvar gibi söylenenleri duymamış gibi işini bitirdi, parasını verdi ve oradan ayrıldı. Kasiyer, adama kadınla ilgili hiçbir şey söylemedi, ne hissediyorsa kendi içinde tuttu.

T: Yaşlı kadınla markette sorumlu olan yöneticiler konuşmadı mı?

D: Hayır! Kasiyer kız herhangi birini çağırıp durumu söylemedi. Sadece ikaz etti ve kadın da bu ikaza aldırmadı.

T: Zavallı kız, yönetim kuralı desteklemeyince, müşterinin karşısında tek başına zayıf kalır. Peki, baba bunun iletişim bilinciyle ilişkisi ne?

A: Evet, bunun iletişim bilinciyle ilişkisi ne? Kadın, kasiyer kıza ve sıradaki orta yaşlı adama, yani karşısındakine ve çevresindekine, "Size aldırmıyorum" mesajını veriyordu ve böyle bir mesaj verdiğinin de farkındaydı.

D: Evet, farkındaydı. Bu kadın ekspres kasa sırasına tesadüfen girmedi. Daha kısa olduğunu gördü ve 10-15 dakika daha fazla beklememek için bu kuyruğa girdi.

T: Yani bir kazancı mı vardı?

D: Biraz zaman kazandığı kesin, ama kaybettiği bir şey oldu mu?

A: Diğer insanların saygısını kaybetti.

T: Diğer insanlara önem vermiyordu ki. Onların saygısını kaybetmeye neden önem versin! Peki, baba sence kaybettiği bir şey oldu mu?

D: Hayır Timur, bu kadının kaybedecek hiçbir şeyi yoktu. O nedenle bunu yaptı.

A: Anlayamadım! Ne demek kaybedecek hiçbir şeyi olmaması?

D: Bu kadının kendisine saygısından başka kaybedecek hiçbir şeyi yoktu. O nedenle, 10-15 dakikalık bir zaman kazancı, onun anlam verme dünyası içinde en anlamlı seçenekti.

T: Ne demek istediğini biraz açar mısın baba? Bunun iletişim bilinciyle ilişkisini pek göremedim.

Arif pür dikkat dinliyordu. Timur da konuşmaya kendini vermişti, ama dikkatini yola vermekten de geri kalmıyordu.

Fatsa'yı geçiyoruz. Yol Timur'un tabiriyle süper oldu. Ama karşıdan ters yönde, bizim yolun şeridinde bir araba, işaret falan vermeden son sürat bize doğru geldi ve bizi geçti.

Hepimiz donduk kaldık. Kaza ihtimali o kadar büyüktü ki, sanırım yıllar geçse de bu olayı anımsayınca tüylerim diken diken olacak. Bir süre sonra Timur kendini toparladı ve sordu:

T: Tamam, evet. Kadının kaybedecek hiçbir şeyi yoktu, dedin. Bunu biraz açar mısın?

D: Bu kadının diğerlerine önem vermediği, saygısı olmadığı için kaybedecek bir şeyi yoktu. Ama en önemlisi, işte bu kilit kavram, yaşlı kadının kendiyle ilişkisinin anlamı yoktu, yani kendine saygısı yoktu. O nedenle gerçekten kaybedecek bir şeyi yoktu.

A: Peki, bu durumda yaşlı kadını ekspres kasa sırasından çıkaracak ne olabilirdi?

Timur da vereceğim cevabı dikkatle bekliyordu.

D: Daha önce davranışın iki sorumluluk kaynağından etkilendiğini konuşmuştuk. Birincisi, kişinin kendi içindeki bilinçten gelen bir sorumluluk, ikincisi de yaşadığı ortamdan gelen.

Market yönetimi kendi koyduğu kuralların arkasında durmuyor, kasiyer kızın söylemesiyle kalıyor, yönetimin eylemiyle kurallar güç kazanamıyor. Kadının kendine saygısı yok, dolayısıyla kendi içindeki değerlerle yüzleşmek ve hesaplaşmak gibi bir derdi yok. O nedenle çıkarı nerede ise oraya yöneliyor. Bu durumda kadını, alıştığı bir şeyle yönlendirmek gerekir.

T: Nasıl?

D: Kurumdan bir yetkili yaşlı kadınla kibar ama kesin bir tavırla bu kuyrukta işlem yapılmayacağını söylese ve onu diğer kuyruğa bizzat kendisi yönlendirse diğer müşterilerin ve çalışanın gözünde şirket saygınlık kazanırdı.

T: Peki, bu yaşlı kadının kendiyle ilişkisinin bir anlamı olsaydı, nasıl davranırdı?

D: İşte şimdi 25C öyküsünü anlatmanın zamanı geldi. İki öyküyü karşılaştırdığın zaman, kendi özüne saygılı bir insanın, nasıl yaşlı kadından farklı davrandığını görebilirsin.

Ordu'ya doğru yol alıyorduk. Solumuzda kalan denize bazen yaklaşıyor, bazen uzaklaşıyorduk. Ordu'da kalacağımız oteli ayarlayan bankanın Ordu şubesi yöneticisini telefonla aradım, otelin adını verdi ve nasıl gideceğimizi tarif etti. Günün sıcaklığı kaybolmuş, öğleden sonranın serinliği yavaş yavaş hissedilmeye başlamıştı.

Biraz durdum, soluklandım. Sonra önem verdiğim 25C öyküsünü anlatmaya başladım.

D: Bir uçak yolculuğunda ben 25D numaralı koltukta oturuyordum. Biliyorsunuz, insanları ve ilişkilerini gözlemeyi severim. 60 yaşlarında bir kadın, 35 yaşlarında kızı ve 2 yaş dolaylarında görünen torunuyla konuşa konuşa, numaralara baka baka geldiler ve 24A, 24B ve 24C'ye oturdular. Yaşlı kadın pencere kenarında, genç kadın koridorda oturuyordu ve küçük çocuğu ortalarına aldılar. Bir süre sonra 21-22 yaşlarında, siyah kıvırcık saçları olan genç bir delikanlı geldi ve 24A'da pencere kenarında oturan kadına, "Sizin koltuk numaranız 24A mı?" diye sordu. Kadın kızına baktı, aralarında bir şeyler konuştular. Hepsi ayağa kalktı, koridora çıktılar. Delikanlı çantasını üst kabine yerleştirdikten sonra 24A'ya oturdu.

Ben görmedim, sanırım bir ara genç kadın öne gitti ve hostesle konuştu. Bir süre sonra hostes geldi ve genç adama, "Burada kalabalık bir aile var, sizden koltuğunuzu değiştirmenizi rica edebilir miyim? Uçak dolu değil, boş koltuklar var. Pencere kenarı veremem, ama bir koridor verebilirim." Delikanlı hiç tereddüt etmeden kabul etti, aileye yardımcı olmak istedi. Hostes, "Anlayışınıza teşekkür ederim," dedi ve ilave etti, "6D boş, oturabilirsiniz." Sonra yaşlı kadın pencere kenarına oturdu, çocuk ve genç kadın eski yerlerini aldılar. Genç adam ön tarafa gitmek için üst kabinden çantasını alırken hostes önden telaşlı adımlarla geldi ve "Affedersiniz, 6D'nin sahibi geldi," dedi ve şöyle etrafına bakındı, benim arkamdaki koltuğun boş olduğunu gördü. "26D boş, oraya oturabilirsiniz," dedi. Ardından delikanlı, gayet sakin ve efendi bir şekilde çantasını yeniden üst kabine koydu ve hemen arkamdaki koltuğa oturdu. Hostes, gösterdiği anlayış nedeniyle ona teşekkür etti ve öne doğru gitti.

T: Kötü bir durum. Böyle yapanlardan nefret ederim.

D: Hostesten mi?

T: Hayır, o küçük çocuğun annesini kastediyorum.

Timur'un söylediği Arif'in de ilgisini çekmişti, her ikimiz de Timur'un yüzüne bakıyorduk. Timur devam etti.

T: Bu durumu bilet alırken düşünüp ona göre davranmaları gerekirdi. Onların tedbirsiz, plansız davranmalarının sıkıntısını, şimdi hostes ve bu genç adam çekiyor. Belki dikkatinizi çekmiştir, bayağı sinirlendim. Çünkü Amerika'da benim sık sık başıma gelir. Birinde, orta koltuğa oturan bir bayan, "Affedersiniz, ben orta koltukta rahatsız olurum, benimle yer değiştirir misiniz?" diye bana sordu. Benzer olayı birkaç kez yaşadım. Önceleri olumlu davranıyordum, şimdi reddediyorum.

A: Nasıl reddediyorsun, yani ne diyorsun?

T: "Şimdi mi aklınıza geldi? Özür dilerim, ama ben de orta koltukta rahatsız olurum ve o nedenle cam kenarı veya koridor aldım," diyorum.

D: Belki geç bilet almıştır ve orta koltuktan başka koltuk kalmamıştır.

T: Baba, Amerika'da bir söz vardır, bilirsin: *I will not make your not planning my emergency*. Anlamı, "Senin planlamamanı, önceden düşünmemeni, ben kendi acil sorunum haline getirmeyeceğim"dir. Neyse, peki sonra ne oldu?

D: Evet, delikanlı 26D'ye oturdu. Uçağın kalkış saati yaklaşıyordu; kapıları kapamaya hazırlanıyorlardı ki, biraz kilolu bir adam telaşla geldi ve bir yandan terini silerken bir yandan da 26D'de oturan delikanlıya, "Affedersiniz, doğru koltukta mı oturuyorsunuz, burası sizin yeriniz mi?" diye sordu. Delikanlı adama hayretle, "Sizin yeriniz mi?" diye sordu. Telaşlı adam elindeki bileti gösterdi. Genç adam kalktı, üst kabinden çantasını aldı ve öne doğru yürümeye başladı. Canım sıkıldı tabii.

T: İş yönetimi açısından bakınca hostesin hatasını hemen görebiliyorum.

A: Öyle mi? Hostesin ne yapması daha doğru olurdu?

T: Hostes delikanlıyı hemen yerinden kaldırmayacaktı. Ona durumu anlattıktan ve yer değişimi için onayını aldıktan sonra kapıların kapanmasını bekleyecek, ondan sonra genç adamı gerçekten boş bir koltuğa yönlendirecekti. Ama baba, ben bu öyküde çocuk sahibi genç kadının bencilliği ve hostesin kötü yönetiminden başka bir ders göremedim. Bunun marketteki yaşlı kadının durumuyla ne ilgisi var?

A: Ben de bir ilişki göremedim.

D: Tabii bir ilişki göremezsiniz, çünkü gerçek öykü şimdi başlıyor.

T: Yaa, şimdi ilgimi çekmeye başladı. O zaman gerçek öykü ne?

D: Hatırlayın, bu öykünün adı 25C. İşte öykü şimdi başlıyor. Kapıların kapanması anonsu yapıldıktan hemen sonra hostes önden arkaya gidiyordu, 25C'de oturan 40 yaşlarında, herkes gibi blucin giymiş, açık renkli saçları olan, gözlüklü bir adam hostese, "Affedersiniz," dedi. Hostes, durdu ve "Buyurun," diyerek onu dinledi. Adam, gayet alçak bir sesle, yalnız hostesin duymasına özen göstererek konuşuyordu, ama ben 25D'de oturuyordum, yani onunla aramda sadece koridor vardı ve tam anlamıyla kulak kesilmiştim, o nedenle dediklerini duydum. "Biraz önce yerinden kalkan genç adam orta koltukta oturuyorsa ya da oturduğu yeri beğenmiyorsa, ben kendi koltuğumu vermek istiyorum." Sesini biraz daha alçalttı ve ilave etti, "Ben yedek listedeydim, biraz bekledikten sonra bana bu koltuğu verdiler; herhalde o pencere kenarını daha önceden almıştı. Benim koltuğum pencere kenarı değil, ama orta koltuktan daha iyidir; eğer tercih ederse ben yerimi o delikanlıya vermek istiyorum," dedi.

Timur ve Arif önce birbirlerine daha sonra bana baktılar, dikkatlerini tümüyle anlattığım öyküye vermişlerdi.

D: Hostes, benim anlayamadığım bir şeyler mırıldandı. Adam, "Ha, tamam," gibi bir şeyler söyledi. Besbelli duyduğu onu tatmin etmişti. Yeniden elindeki kitaba döndü. Etkilenmiştim.

A: Ben de etkilendim.

T: İşte benim saygı duyduğum, bu tür insanlar.

D: Evet, etkilenmiştim. Adamın gösterişsiz hali, hostesle alçak sesle konuşması, yaptığını gösteriş olsun diye değil, doğru bulduğu için yaptığını gösteriyordu. Böyle bir insan o anda sol tarafımda vardı, yaşıyordu, soluk alıp veriyordu, uzansam dokunacak mesafede idi. Konuşmak istiyordum ama ne diyeceğimi, söze nasıl başlayacağımı bilemiyordum.

Yol boyunca adamla konuşma fırsatı nasıl bulurum diye içim içimi yedi; hep bir fırsat kolladım. Panait İstrati'nin *Arkadaş* adlı romanının kahramanı Adrian'ın Mihail'e duyduğu hayranlık ve dost olma isteğini içimde hissettim. Uçak artık inişe hazırlanırken okuduğu kitabın ilginç olup olmadığını sordum. Çok ilginç bulduğunu ve okumamı tavsiye ettiğini söyledi. Kitabın adını yazmak istedim ama inişe geçiş durumunda bu pek mümkün olmadı ve bana, "İnince bir iki dakikanız varsa, o zaman vereyim," dedi. Nihayet istediğim fırsat doğacaktı, mutluydum. Bavulları beklerken okuduğu kitabın ismini aldım. Teşekkür ettim ve bir soru daha sorma izniminin olup olmadığını sordum. "Tabii, buyurun," dedi. Yerini niçin vermek istediğini sordum. Neden bahsettiğimi önce anlayamadı. "Genç adama yerinizi vermek istediniz, daha rahatsız bir yere gitmeye gönüllü oldunuz. Niçin?" Hatırladı ve "Ben yedek listeden o koltuğa gelmiştim, o delikanlı rahat yerde oturmayı benden daha çok hak ediyordu," dedi. Çok etkilendiğimi söyledim. Etkilenecek bir şey göremediğini anlatırcasına, "Genç adam rahat koltukta oturmayı benden daha çok hak ediyordu," dedi. "Başkasının hakkını yememe, adil olma sizin için önemli bir değer; bunu anlıyorum," dedim. Ömür boyu unutamayacağım bir şey söyledi.

T: Ne dedi baba?

D: "Bir insanın yaşamında hakkaniyet anlamını kaybederse, zamanla her şey anlamını kaybeder."

Üçümüz de sustuk. Bir süre konuştuklarımızı içimize sindirmek istedik. Güneş artık arkadan vuruyordu ve nefis deniz, dağ, vadi ve gökyüzü manzaraları içinde gidiyorduk. Timur bir süre sonra sessizliği bozdu.

T: Kendi özüne hesap veren bir insan ile hesap vermeyen arasındaki farkı bu iki öykü açıklıkla anlatıyor. Değil mi, Arif?

A: Evet, hemfikirim. Tabii, hemen aklıma gelen soru, neden biri bu yaşlı kadın gibi oluyor, diğeri 25C'de oturan adam gibi?

D: "Neden mış gibi yaşıyoruz?" Soru bu zaten. Bunu çözdüğümüz zaman gerisini anlamak kolaylaşacak. Herhalde farkındasınızdır, hakkaniyet duygusunun temelinde empati, yani halden anlamak, yatıyor.

T: Baba ben de öyle hissediyorum, ama tam olarak nasıl öyle bir ilişki kurduğunu göremiyorum; açıklar mısın?

A: Ben görebiliyorum aradaki ilişkiyi. Empati, kendini karşısındakinin yerine koymak, onun gözüyle ortama, duruma, soruna bakmak demek, değil mi hocam?

T: Evet.

A: Uçaktaki adam delikanlının yerine kendini koydu ve durumu o şekilde değerlendirdikten sonra yapılanın hiç de doğru olmadığın görebildi.

D: Timur, bu adamın davranışı, senin geçenlerde Ulus Parkı'nda küçük çocuğa yaptığına benziyor.

Arif, neden söz ettiğimi anlayamadı, ona kısaca izah ettim.

D: Timur, geldiğinin ilk günü koşmaya çıkmıştı. Dönüşte Ulus Parkı'ndan geçmiş. Küçük bir oğlan çocuğu, bakkaldan almış olduğu malları taşıyormuş ve bayağı ağır bir yükü varmış. Oflayıp puflayarak yürüyormuş. Timur çocuğa yardım etmek istemiş, yükünün bir kısmını taşımaya başlamış.

T: Çocuğa yardım ettiğimi sana söylemedim; nereden anladın?

D: Timur sen anlatırken dedin ki, "Çocuğun arkadaşları çalılıkların arasına saklanmışlar ve biz yukarıya doğru çıkınca bir araba lastiğini aşağıya doğru bırakıverdiler."

T: Evet, doğru. Çalılıkların arasından araba lastiğini aşağıya doğru bırakıverdiler. Lastik aşağıya doğru yuvarlanmaya başladı ve az kalsın çocuğu altına alıyordu. Biz hizalarına gelince gülüşerek kaçıştılar. Ama yardım ettiğimi nereden anladın?

D: "Biz yukarıya çıkarken," dedin. Orada "biz" kelimesini kullandın. "Çocuk yukarıya çıkarken," diyebilirdin. Çocuğa yardım ettin, değil mi?

T: Evet, ettim.

D: İşte orada da empati vardı. Kendini o çocuğun yerine koydun ve içinden yardım etmek geldi.

T: Doğru. Çocuğun yükünü hafifletmek istedim.

D: Burada sorumlulukla ilgili gayet somut iki örnekle karşı karşıyayız. Yaşlı kadının kendi iç sorumluluğu sıfırdı. Ortamdan biri onu zorlamadıkça o ekspres kasa sırasından çıkmayacaktı ve çıkmadı. Empati, hakkaniyet, kendini kasadaki genç kızın, diğerlerinin yerine koyma ve hakkını yememe, ona hiçbir şey ifade etmiyordu. Davranışının tüm sorumluluğunu ortama yüklemişti ve ortamda da o yönden bir boşluk vardı. Ama 25C'de oturan adam ya da Timur sen, ikinizin de yardım etme isteğinizde ortamda sizi zorlayan hiçbir şey yoktu. Siz kendi iç sorumluluğunuzla yardım etmeye karar verdiniz. Peki Timur, sen o çocuğa yardım etmeseydin, kendini nasıl hissederdin?

T: Rahatsız. Kendim gibi hissetmezdim. Yaşamımdan bir şeyler alınmış götürülmüş gibi hissederdim.

Timur bir süre sessiz kaldı ve sonra devam etti.

T: O zaman bu iki insan, yaşlı kadın ve 25C'deki adam nasıl, hangi ortamlarda yetişerek bu hale geliyorlar, onu incelememiz, anlamamız gerekiyor.

Ordu'ya yaklaşmıştık. Üçümüz de yorulmuştuk. Timur spor yapmak istiyordu, ben sıcak bir duş yapmak ve sonra yatıp dinlenmek. Arif de biraz kitap okumak istediğinden bahsetti.

9

İKİ KÜLTÜR

İnsan sevmeden anlayamaz.

GOETHE

Otelde sabah kahvaltı yapmak için sıraya girdim. Mavi gömlekli, bıyıklı, benden daha kısa boylu bir müşteri sürekli, "cık cık" diyerek bir şeyi tasvip etmediğini belli ediyordu. Bir şeylere sinirlendiği açıktı. Ekmek kesmeye çalışıyor ve kesemiyordu. "Kesilmiyor mu?" diye laf attım. "Kesilmiyor," dedi sinirli bir tonda ilave etti, "ekmek bıçağı değil ki bu!" Hafif gülümsedim ve "Yavaş yavaş her şeyi öğreniyoruz, değil mi?" dedim. "Yok canım, beş yıldır aynı şey! Öğrendiğimiz falan yok!"

Bana eksik şeyleri göstermeye başladı. "Şuna bak, domates almak için ne kaşık ne de çatal var. Zeytin, peynir, salatalık... hiçbirini almak için bir şey koymamışlar; elimizle mi alacağız?"

Benim o an aklımdan geçen şuydu, acaba bu kişi şikâyetlerini otel yönetimine hiç ifade etti mi? Yoksa sık sık görülen tipik davranışlardan birini mi yapıyor? Tipik davranış nedir? Hatanın üzerine odaklanırsın, dır dır şikâyet eder durursun, ama yapıcı hiçbir faaliyette bulunmazsın.

Bugün Ordu'dan Amasya'ya gideceğiz. Samsun üzerinden gitmek yerine, kestirmeden yayla yollarından gitmek istedik. Otelde ayak işlerine bakan genç, "Dağ yolları tekin değil," dedi. Bana pek inandırıcı gelmedi. Ünye'de durumu soruşturmaya karar verdik.

Dinlenmiş olarak arabaya bindik ve güzel bir temmuz sabahı Ordu'dan Ünye'ye doğru, dün geldiğimiz yolu gerisingeri gidiyoruz. Timur, Ordu'yla ilgili izlenimlerini paylaşmak istiyordu, Arif ve ben de dinlemeye hazırdık.

T: Biliyorsunuz dün akşam saat sekiz otuzda Ordu'ya geldik. Otele yerleştikten sonra ben koşarak kentin yukarı kısımlarından geçen yola gittim. Arnavut kaldırımlı, hoş bir yoldu. İstinat duvarları Avrupa'da göreceğin türdendi, yani küçük bir Avrupa kenti duygusunu veriyordu.

Oradan aşağıya doğru koştum, çarşıdan geçtim, parkın yanında güzel bir gezi yolu vardı, Santa Monica'daki Promanade'ı hatırlatıyordu, orada koştum. Dükkânlar açıktı, halk geziniyor, alışveriş ve yürüyüş yapıyordu. Yani bu kent, halkın iyi vakit geçirmesine önem veren bir bilinci yansıtıyordu. Ve halk da gerçekten yürüyüş yaparak, gezerek bunun hakkını veriyordu.

Pazar akşamı saat dokuz-dokuz buçuk gibi parka gittiğimde, bir basketbol turnuvası olduğunu gördüm. Hip hop müziği çalıyor ve yüz kadar insan toplanmış basketbol seyrediyordu. Çocuklar, genç kızlar, delikanlılar hep birlikte seyrediyorlardı. Neşeli bir kente benziyordu.

Park deniz kıyısını takip ediyordu, temizdi. Gezinenler güler yüzlü, mutlu insanlardı. Durdum, birine sordum, bu her hafta sonu mu oluyor, diye. Bu, özel bir karşılaşmaymış, her hafta yapılan bir şey değilmiş. Şimdiye kadar gördüğümüz kentlerden daha çok faaliyet ve eğlence vardı. Ordu'nun nüfusu 110 bin civarında; Kastamonu'nun iki misli. Orada geçirdiğimiz akşam sessizdi. Sanki çok sayıda yaşlılar evi olan bir kasabaydı Kastamonu. Ordu'ya gelince gençleri de görüyor, birden hayat olduğunu hissediyorsunuz. Yani daha mutlu, daha bakımlı, belediyenin hizmetleri iyi olan bir kent izlenimi elde ettim. Kaldığımız otelde bir düğün vardı, sizin de dikkatinizi çekmiştir. Büyük mutlu bir aile oradaydı. Sanırım orada iki yüz kadar insan vardı. Yani Ordu ziyareti bana farklı bir izlenim verdi.

Yolların eşkıyadan dolayı kapalı olması biraz tuhaf ve korkutucu ama şimdi Amerika'da da bu tip olaylara tanık olmaya başladık. Amerika'daki tehlike dağlarda, yollarda değil, daha ziyade şehirlerde, kalabalık ortamlarda. Güvenliği sağlamak için sıkı önlemler alıyorlar ve yaygın bir korku var.

Timur artık Karadeniz yollarına daha alışmış bir rahatlıkla araba sürüyordu ve eskisi kadar şikâyet etmiyordu. O anlattıktan sonra, ben de o akşam yaptıklarımı anlatmak istedim.

D: Banka şube müdürü akşam geldi, beni otelden aldı. Şubeden birkaç arkadaşın tayini çıkmış, bir veda yemeği veriyorlarmış, beni de aralarında görmek istemişler. Yorgun olmama rağmen gitmek istedim ve Müdür Bey'in davetini kabul ettim.

Park içindeki büyük bir lokantanın bir bölümünü şube yemeği için ayırmışlar. Bütün şube çalışanları oradaydı; onları tanımak hoşuma gitti.

Sonra Arif'e sorduk dün akşam ne yaptığını, o da, güzel bir duş aldığını ve biraz kitap okuduktan sonra uyuduğunu söyledi. Daha sonra Timur üzerinde konuştuğumuz konularla ilgili sohbeti başlattı.

T: Baba, dün bize iki öykü anlattın. Şimdi benim sorum, anlattığın öykülerdeki yaşlı kadın ve 25C'deki adam nasıl, hangi ortamlarda yetişerek bu hale geliyorlar? Bu konuyu irdeleyelim istiyorum.

A: Önce bir belirleme yapalım. Bu iki insan arasındaki fark, bilgi eksikliği ya da fazlalığından kaynaklanmıyor, değil mi? Yani biz onların bilgi eksikliğinden söz etmiyoruz, değil mi?

T: Yani yaşama farklı zeminlerden bakan ve bu nedenle iki farklı anlam verme dünyası içinde var olan iki kişiden söz ediyoruz. Anlam dünyalarının temelindeki zeminleri nasıl kazandıklarını öğrenmek istiyorum.

D: İnsanların inandıkları değerler, içinde büyüdükleri ortamla sıkı sıkıya ilişkili. İletişim bilincinin üçüncü boyutunu, yani bireysel ve toplumsal gereksinmeleri tartışırken bu soruyu irdeleyeceğimizi söylemiştim. Şimdi başlayabiliriz. Çocuğun içinde yetiştiği ortam "İnsan nedir?" sorusuna nasıl yanıt vermiş? Neleri düşünerek insanın doğasını tanımlamışlar? İşte bu önemli bir başlangıç noktası.

A: İnsanın doğasıyla ilgili düşünce, çocuğun içinde yetiştiği ortamın nasıl bir yetişme ve gelişme ortamı olacağını belirliyor. Bunu mu demek istiyorsunuz?

D: Evet. Bunlardan biri, insanı, doğuştan kötü ya da kötü olmaya eğilimli kabul eder.

Timur aşina olduğu bir konudan söz edercesine hemen, "Ortaçağda bu inanış yaygındı. Teolojik bir yaklaşım," dedi. Ben, teoloji kelimesini biraz daha açmak istedim.

D: Teoloji "tanrıbilimi" yani "ilahiyat" demektir. Yunanca *theos*, "Tanrı", *logos*, "bilim" kelimelerinden oluşmuştur. Teolojiyle ilgilenen kişiye teolog, ilahiyatçı veya tanrıbilimci denir.

A: Teşekkür ederiz Doğan Hocam, bilgimizi tazelemiş oldunuz.

T: Ortaçağda kilise, çocuğun günahkâr olarak doğduğunu kabul ederdi.

D: Evet, Adem ile Havva'dan tevarüs etmiş.

T: Tevarüs?

D: Yani, aktarılmış, geçmiş; Adem ile Havva'nın çocukları, ilk günahı yüklenmiş olarak doğuyorlardı.

A: Peki bu düşüncenin sonunda ne oluyordu?

D: Hiç kimse kötü bir şeyi geliştirmek istemez. Onu değiştirmek, kötülüklerden arındırmak ister.

A: Buna kim karar verir?

D: Otoriteler.

A: Yani?

D: Yani gücü elinde bulunduranlar.

A: Yani bunlar kim? Gücü elinde bulunduranlar kim?

D: Çocuk söz konusu ise, ailede gücü elinde bulunduranlar, aile büyükleridir. Şirket söz konusu ise, o şirketi yönetmekle sorumlu olan patron ve yönetim kurulu başkanı ve üyeleridir. Eğitim, okul söz konusu ise, Arif'çiğim sen biliyorsun gücü elinde bulunduranların kimler olduğunu.

A: Sınıfta öğretmen, okulda müdür ve daha sonra eğitim hiyerarşisinin tümü.

D: Değişik alanlarda böyle otorite dediğimiz insanlar ve kurumlar vardır.

T: Yani çocuğa bakışımıza göre bir çocuk yetiştirme ve eğitim ortamı oluşturuyoruz. Baba, bunu demek istiyorsun herhalde.

D: Evet. Ortaçağ, insanın günahkâr doğduğunu düşünürken, bugün bilim, insanın muhteşem bir potansiyelle doğduğunu gösteriyor. Bu potansiyel geliştirilmelidir. Çocuk kendi gelişimine en uygun ortam içinde yetiştirilmeli, eğitilmelidir. "Çocuk doğuştan kötüdür değiştirilmelidir" ile "iyidir geliştirilmelidir" olmak üzere iki temel eğitim felsefesinden hâlâ söz edebiliriz.

"..çocuk doğuştan" kötüdür değiştirilmelidir" ile "iyidir geliştirilmelidir" olmak üzere iki temel anlayış.."

A: Bu iki anlayışa birer isim versek?...

D: Verelim. Gücü elinde bulunduran otoriter kişilerin yaklaşımı, çocuğu daha önce belirlenmiş kalıplara sokma niyetini esas alır. Neden böyle bir şey yapmak isterler, neden böyle bir niyetleri vardır? Çünkü çocuğun kötülüklerden kurtulmasını, işe yarar iyi bir insan olmasını isterler. Niyetleri kesinlikle çocuğa kötülük yapmak değildir. Bu yaklaşıma, *kalıplayıcı yaklaşım* diyelim.

T: Çocukların hangi kalıplarla kalıplanacağına, biraz önce sözünü ettiğimiz otoriteler karar verir, değil mi?

D: Evet, evet. Yani, çocuğun kendisi, ben şu olacağım, ben şöyle biri olmak istiyorum, deme hakkına sahip değildir.

T: Peki, var sayalım ki o kişi, otoritenin kendisi için yaptığı seçimi istemiyor. O zaman ne olacak?

D: Onun öyle bir özgürlüğü yok. Kendinden güçlü olanın seçimini kabul etmek zorunda.

T: Ya kabul etmezse?

D: Kalıplayıcı yaklaşımı kullanan anlayışın temel inancı güçtür.

T: Yani?

D: Yani, güçlü olan her zaman haklıdır ve güçsüzlerin onun sözüne itaat etmesi gerekir.

T: İtaat etmezse?

D: Cezalandırılır. İbretiâlem için cezalandırılır ve o nedenle ikinci bir kez kimse o tür itaatsizliği yapamaz.

T: Yani temelde korku var.

D: Evet. Korku, kaygı kalıplayıcı yaklaşımın temelidir. Korku temel olduğu için bu dünya görüşüne "korku kültürü" adını veriyorum. Böyle bir dünya görüşü içinde korkmak, itaat etmek, otoriteye karşı sesini çıkarmamak, söyleneni sorgusuz sualsiz yapmak meziyet kabul edilir.

A: Bu yaklaşıma "kalıplayan korku kültürü" diyebilir miyiz?

T: Ben bu ifadeyi sevdim, her şeyi açık ve net anlatıyor.

D: Ben de sevdim. Tamam, ilk yaklaşımın adını bulduk: "Kalıplayan korku kültürü." İleride kısaca yalnız korku kültürü dediğimde ne demek istediğimi anlarsınız artık.

Her ikisi de başıyla onaylayarak anladığını belirtti. Arif heyecanla, "Gelelim ikincisine," dedi.

D: İkinci yaklaşım, esasta çocuğun muhteşem bir potansiyel olduğunu düşünür. Bu potansiyeli, gelişebileceğinin en üst düzeyinde geliştirmek ister. Bu nedenle buna, *geliştirici yaklaşım* diyelim. Bu yaklaşımdakilerin de niyeti çocuğa iyilik yapmaktır. Çocuğun güçlü, anlamlı, coşkulu bir yaşamı olmasını isterler.

A: O zaman şöyle bir durumla karşılaşıyoruz: Hem kalıplamak hem de geliştirmek isteyen aslında çocuğun iyiliğini istiyor. Biri kalıplayarak, öbürü geliştirerek iyilik yapacağına inanıyor. Ama hangisinin çocuk için gerçekten iyi ya da kötü olduğunu nasıl ayırt edeceğiz?

T: Ben de aynı şeyi soracaktım.

D: Niyete göre değil. Hangi bilgiye dayanarak hareket ettiklerine göre değerlendirme yapacağız. Ben sinir sisteminden bahsederken size bir sürü bilimsel araştırmanın sonucundan söz ettim. Yani, insan muhteşem bir potansiyeldir derken bilimsel araştırmaların ortaya koyduğu bir gerçeği ifade ediyordum, kendi tespitlerimi değil.

A: Yani biri bilimsel, diğeri dogmatik bir yaklaşım içinde.

D: Evet, aynen öyle!

T: Niyet-bilgi-beceri-eylem-sonuç döngüsünde, kalıplayan ve geliştiren tavırların kullandığı bilgiler farklı. Bilgi farklı olunca sonuçlar da farklı olacaktır.

D: Şimdi neyi kalıplayacağız ya da geliştireceğiz? Bilgi olarak bunun yanıtı artık bizde var. İnsanın bir toplumsal yönü var, bir de iç dünyası, psikolojik yönü. Korku kültürü insanın toplumsal yönüyle, yani yüzüyle daha çok ilgilenir, onu kalıplara sokma sürecine "eğitim" der.

Geliştiren yaklaşımda ise bireyin iç dünyası, onun canı ilk plana alınır, daha önemlidir; geliştirilecek olan candır.

T: Can aslında kişinin özü, onun bilincinin oluştuğu yer değil mi?

D: Evet, bilincinin oluştuğu yer. Kalıplamada otoritenin beklentisi önemlidir; otorite kalıbı seçer, kimin, nasıl, ne zaman, ne kadar, ne tür bilgi ve eylemle kalıplanacağına ve nasıl bir sonuç alınacağına önceden karar verir. Kişinin kendisi, fabrikaya girmiş hammadde gibidir.

A: Doğan Hocam, siz bir keresinde, "Sevgi, insanın olabileceğinin en iyisi olarak mutlu olması için ona emek ve zaman vermektir," demiştiniz. Eğer sevginin tanımı bu ise, kalıplayan korku kültüründe sevgi var mıdır?

T: Erich Fromm da sevgiyi böyle tanımlar ve ben bu tanıma katılıyorum. Korku kültüründe sevginin olması pek olası değil çünkü sevginin tanımında dikkate alınacak iki koşul vardır: 1. İnsanı olduğu gibi kabul ederek emek ve zaman vermek, 2. Olduğu gibi kabul ettiği bu insanın mutlu olmasını istemek.

A: Olduğu gibi kabul etmek, yani saygı duymak kendi başına yetmiyor.

T: Yetmiyor. İnsan sevdiği kişinin mutlu olmasını ister.

A: O zaman bir şeyler yapmak ister. Sevdiği kişinin mutlu olması için çaba göstermek ister.

D: İşte burada çok dikkat edilecek bir noktaya geldik Arif. O mutlu olsun diye, onun için karar verip hareket etmeye başladığın an, sen de diğer otoriterlerden biri gibi davranmaya başlarsın.

A: Birçok iyi niyetli ana-baba, farkına varmadan çocuklarının mutlu olması için bu hatayı yapıyor.

T: Herhalde burada şu bilgi kritik: İnsan ne zaman mutlu olur? Mutlu olmanın temel koşulu nedir? Bu konuda psikoloji bilimi ne diyor baba?

D: Gönlünün muradını keşfederek, kendi istediği alanda gelişerek bir şeyler yapma, istediği alanda başarılı adımlar atma, kendi yaşamında kendi olarak var olmak insan mutluluğunun temel bir koşuludur.

T: Yani bir insanın kendi isteği yoksa, senin tabirinle gönlünün muradı olmayan bir alanda onu geliştirmeye çalışmak, bir şeyler başarmasını istemek, onu mutlu etmez.

D: Hayır etmez. Mutluluk, canın istediği bir alanda yaratıcı, üretici olmaktan, kendi yaşamında kendisi olarak var olmaktan geçiyor.

T: O zaman seven kişi, sevdiğinin yaratıcı ve üretici olabilecek biçimde gelişmesini ister.

D: O zaman yüz baskın kalıplayan korku kültürünün karşıtı olarak, bu ikinci anlayışın adını "geliştiren saygı kültürü" koyalım mı?

T: Neden sevgi kültürü değil de saygı kültürü?

D: Çocuğun çevresindekiler çocuğun kim olduğuna, onun gönlünün muradına, ne istediğine saygı göstermezlerse "sevgi" içi boş bir laftan ibaret kalır. O nedenle ana-baba-çocuk, öğretmen-öğrenci, yöneten-yönetilen ilişkisinde olması gereken önkoşul "saygı"dır. Saygı olmadan sevgi hayata geçemez. O nedenle benim önerim "can baskın geliştiren saygı kültürü". Yine kısaltarak ileride sadece saygı kültürü diyebiliriz.

A: Güzel, öyle diyelim.

T: Şimdi ikisini, yani yüz baskın kalıplayan korku kültürü ile can baskın geliştiren saygı kültürünü karşılaştırabiliriz.

Fatsa'ya geldik. Benzin aldık. Tuvalette, "Temizlik elinizde, lütfen sifonu çekiniz" yazısının resmini çektim. Bu ifade bana yeni fikirler verdi, sanki bu kalıba uyarak yeni şeyler söyleyebilirmişim gibi geldi. Örneğin, "Temizlik zihninizde başlar, ellerinizle ifadesini bulur" veya "Temizlik zihninizde ise eller onu yansıtır" veya "Zihni temiz olanın elleri temiz bir dünya yaratır" gibi.

Fatsa'da, Sohbet Lokantası'na gittik. İçeri bir girdik... karanlık, yoğun sigara dumanlı bir yer. Herkesin önünde mezesi, birası veya rakısı var ve anladık ki biz bir meyhaneye girmişiz ama gündüz tam öğle saati ve oradakilerin hepsi erkek. Şaşırdık kaldık. Sahipleri bizimle hemen ilgilendi, iyi yemekleri vardı ve dışarıya çıkarabilecek şekilde hazırlayacaklarını söylediler. Yemekleri şeffaf streç filmle kaplayıp verdiler. Deniz kenarındaki parka gittik, kayaların üstüne otur-

duk, yemeğimizi yemeye başladık. Ama maalesef oradan denize lağım akıttıkları için hem su pisti hem de arada sırada pis pis lağım kokusu geliyordu, hatta orada bir lağım faresi gördük.

Daha sonra yanında iki gençle orta yaşlı bir adam geldi ve bizimle konuşmaya başladı. "Merhaba. Oturdunuz, burada yemek yiyorsunuz." Beni ve Timur'u göstererek, "Baba oğulsunuz değil mi? Evet evet, birbirinize benziyorsunuz, tahmin ettim." Biraz konuştuktan sonra, "Haydi gelin," dedi, yandaki kafeyi gösterdi, "size çay ısmarlayayım." Teşekkür ettik, buradan memnun olduğumuzu söyledik. "O zaman," dedi, "ben size çay göndereceğim, lütfen çayları içtikten sonra bardakları yukarıya teslim edin." Çayları içtikten sonra bardakları götürdük ama o kişiler artık orada değildi. Halbuki ben orta yaşlı olanı oranın sahibi ya da müdürü sanmıştım.

Yemeğimizi yiyip çayımızı içtikten sonra Timur'a o adam için bir kitap imzalamamın iyi olup olmayacağını sordum. Timur, "İyi olur," dedi ve arabaya gitti, bir kitap getirdi. İçeri girdik, meğer adam orada tesadüfen bulunan bir müşteriymiş, garson onun kim olduğunu bilmiyordu. O nedenle kitap bırakamadık.

Güzel bir duyguydu. Beni tanıdığı için değil, baba, oğul ve bir arkadaş; baş başa yemek yiyen üç kişi onun yüreğine dokundu ve bizimle sohbet etmek istedi, ama biz kafeye gitmeyince çay ısmarlamakla yetindi.

Arabaya bindik yola koyulduk ve şimdi Ünye'ye giriyoruz. Nüfusu 61,600. İlk trafik ışığında Ünye'de yol işaretlerini göreceksiniz demişlerdi; yol levhalarına dikkat edeceğiz.

Ünye'den sola saptık, Kaş ve Tokat işaretlerini takip ederek dağlara tırmanmaya başladık, güzel doğa manzaraları var; tepeler sivri keskin değil, yumuşak ve kavisli. Timur ve Arif'e sağımda kalan bulutları gösterdim. Bulutlar güzel, tepeler yemyeşildi.

Timur ve Arif manzaraya hayran kaldılar. Şahane güzellikler içindeyiz. Bu yolu tercih ettiğimize şu anda memnun oldum. Önümüzde yavaş giden kamyon, minibüs, diğer arabalar olduğu zaman, Timur bir fırsatını bulup geçiyor, ben de ona, "Canavar Timur," diyorum. İlk söylediğimde "canavar" kelimesini kötü anlamda almış, "Trafik canavarı olmayın!" yazısındaki canavar gibi algıladı ve "Ben canavar değilim!" dedi. Ben de ona, "canavar" kelimesinin bazen olumlu anlamda kullanıldığını anlattım. "Canavar gibi çalıştı ve sınavlara hazırlandı," örneğinde olduğu gibi. "Canavar Timur," dediğimde, "kendini araba sürmeye tam vermiş, tüm dikkatiyle ve enerjisiyle araba süren Timur demiş oluyorum," diye anlattım. İlginç bir konu aslında, kötü kelimeler bazı bağlamlarda olumlu bir anlam verilerek nasıl kullanılabiliyor.

Şimdi bir yerleşim bölgesinden geçiyoruz. Köy gibi bir yer ama kocaman, iyi bakımlı, şahane büyük bir bina var. Resmi bir binadır diye düşünüyorum. İmam Hatip Okulu imiş, önünden geçiyoruz.

Sağ tarafımızda bir köpek, dilini çıkarmış, tin tin tin gidiyor. Ufacık ufacık arazi parçalarında mısır ve fındık ağaçları, orman gibi gür bir şekilde yetişmiş, hava esintili olduğu için güneş yakmıyor, hafif rutubet hissediliyor.

Şimdi önümüzde bir kamyon var, yavaş yavaş onun arkasından gidiyoruz.

Manzara şahane.

A: Sanki Çin'de çekilmiş fotoğraflara bakıyorum. Çin resimlerindeki gibi yumuşak hatlı, sivri değil, yemyeşil tepeler.

T: Hawaii'de de göreceğimiz türden bir manzara.

'Akkuş 43 km ve Tokat 140 km' yazan bir tabela var. Yola devam ediyoruz. Geçtiğimiz köyün adı İnkur'muş.

T: Kalıplayan korku kültürü ile geliştiren saygı kültürünü karşılaştıralım istiyorum. Heyecanlı bir yere geldik, devam edelim, lütfen.

A: Niyet-bilgi-beceri-eylem-sonuç döngüsü içinde karşılaştıralım.

D: Tamam, karşılaştıralım. Korku kültürünün niyeti, bireyi önceden karar verilmiş bazı düşünce ve davranış kalıplarının içine sokmaktır. Birey ancak bu şekilde otoritenin istediği biri haline gelir. Bekledikleri sonuç otoriteye bağımlı, kendi başına bir şey yapamayan, sürekli otoriteye danışan, itaat eden, otoritenin beklentilerini yerine getirmeyi yaşamının en yüce hedefi sayan, söylenenleri sorgusuz sualsiz kabul eden, sözden çıkmayan, birbirine benzer, prototip bir insan yetiştirmektir.

Kalıplayan korku kültürünün bilgisi gelenek ve göreneklerin içinde sakladığı inanç ve dogmaların ötesine geçemez. Örneğin, "Kızını dövmeyen dizini döver" onlar için geçerli bir özdeyiştir. Bu özdeyişin anlamının sorgulanması bile yasaktır.

Eyleme geçmek için kullanılabilecek yegâne motivasyon kaynağı kaygı ve korkudur. Güçlü kaygılandırılıp korkutmalı, güçsüz korkmalıdır. Korkunun olmadığı yerde anarşi oluşur. İnsanları denetlemenin ve istenileni yaptırmanın tek yolu onları korku içinde tutmaktır. İnsanların ancak korktukları kişinin dediklerini yaptıklarına inanırlar. Bu söylediklerimin anlaşılmadık bir yanı var mı?

Timur ve Arif bir süre sessiz kaldılar, söylediklerimi özümsemeye çalışan bir halleri vardı.

İleride, solumuzda bir yerlerde yağmur yağıyor. Sanırım birazdan biz de yağmurlu bölgeye gireceğiz. Yağmur yağan bölge koyu ve dağları sis bürümüş; yağmayan bölge ise açıklık ve o kısma güneş vurmuş; çok hoş bir manzara.

T: Peki, geliştiren saygı kültürünü niyet-bilgi-beceri-eylem-sonuç döngüsü içinde nasıl değerlendiriyorsun?

D: Geliştiren saygı kültüründe niyet, kişiyi yetenekleri doğrultusunda geliştirmektir. Çocuğun, kendini bulmasına ve onun, bu bireyselliğinin bozulmadan gelişmesine özen gösterilir.

Saygı kültürünün beklentisi ilkinden farklıdır. Onun istediği insan tipi kendine güveni olan, girişimci, kendi ayakları üzerinde durabilen, kendi seçimleriyle yaşamını oluşturan ve yaptığı bu seçimlerden sorumluluk alan, vicdanına hesap verendir. Bu insan yaratıcı, üretici ve paylaşımcıdır ve kendi gereksinmeleri ile toplumun gereksinmelerini dengelemiştir.

Geliştiren saygı kültürünün bilgisi bilim ve sanat temelli gerçeklere dayanır. Bilgi, insanın biyolojik, psikolojik, toplumsal yönlerini sürekli araştıran, gözlemleyen bir tavır içinde irdelenir, sorgulanır.

Bu kültürün eyleminin temelinde, kişinin öğrenme ve gelişme isteği yatar. Şevk, istek, merak, sebat, azim gelişimin temel basamaklarıdır. Bilgi, bunlarla özümsenir ve onun bir parçası haline gelir.

Onun hesap vereceği en yüce otorite kendi vicdanıdır; yaşamının anlamı kendi vicdanıyla yaptığı hesaplaşma süreci içinde oluşur.

A: Doğan Hocam, korku kültüründe otoritenin beklentisi üzerine odaklanılmış durumda, çünkü otoritenin en iyisini bildiği, en iyisini istediği varsayılmaktadır. O nedenle söz konusu kişi, kendi yaşamında söz hakkına sahip değildir, onun adına, onun yararını gözettiğini söyleyen otorite (ya da otoriteler) her şeye karar vermektedir. Bazı bölgelerimizde evlenen değil evlendirilen kız ve erkekler buna örnek olarak verilebilir.

T: Bir babanın, kızının veya oğlunun kiminle evleneceğine karar verebildiğini biliyorum ve buna hep hayret ediyorum.

A: Halen bu durumda olan çok aile var.

T: Bu benim aklımın, mantığımın kabul edebileceği bir şey değil. Yani bence bu akıl almaz bir şey. Bu, esaretin ta kendisi!

A: Ama Timur unutma, bu olaya senin verdiğin anlamı evlenen kız ya da oğlan vermeyebilir. Onlar bu sistem içinde büyüdüler ve olaylara bakış zeminleri, kendileri hakkında karar veren otoriteler tarafından zaten oluşturulmuş durumda.

D: Aklıma yaşadığım bir olay geldi, onu paylaşmak istiyorum. Bir bankada seminer verirken, bankanın bana tahsis ettiği arabanın şoförüyle bayağı sohbetimiz oldu. Güneydoğu'da bir köyde doğmuş olan, şimdi ismine Şerafettin diyeceğim kişi delikanlı olunca, aile onu akrabalarından bir kızla evlendirmeye karar vermiş. Şerafettin teyzesinden rica etmiş, ne olur, bu kızı bana bir kere gösterin, demiş. Teyze dayanamamış, kabul etmiş. Bir akşamüstü teyze kızın evine gidecek ve kızın pencerenin önünden geçmesini sağlayacak, pencere dışında bekleyen Şerafettin de böylece evleneceği kızın yüzünü görmüş olacak. Ama kız manzarayı çakmış ve pencerenin önünden, başörtüsüyle yüzünü örterek geçmiş.

Bunun üzerine Şerafettin daha cesur bir karar alarak habersizce bir akşamüstü pencere kenarında beklemeye başlamış, hatta tutunarak içeri bakmaya çalışmış. Bunu anlatırken, "Hocam, bizim aşirette böyle şeyler yasaktır. Kızın ağabeyleri beni o vaziyette yakalasalardı, hemen oracıkta kurşuna dizerlerdi. Ama işte cahillik, merakıma yenik düştüm ve pencere kenarına tutunarak içeri baktım," demişti.

Nişanlanacağı kız belli ki uyanık biri, yüzünü kapatarak pencere kenarına gelmiş ve "Helalin olmadan yüzümü göremezsin, şimdi satırla kafanı kesmeden, çek git buradan," demiş. Şerafettin oradan hemen toz olmuş ve bir daha böyle bir girişimde bulunmamış. Evlenmiş, Almanya'ya gitmişler, Şerafettin orada çalışmış, emekli olmuş, geri gelmiş, Ümraniye'de kendilerine bir yer almışlar, dört katlı bir bina çıkmışlar. İleride her bir katta bir çocuk oturacak. İki kızı bir oğlu varmış.

Anlattığı bazı olaylardan dolayı kadının gücü beni etkilemişti ve Şerafettin Bey de ondan büyük bir hayranlıkla söz ediyordu. Bu aileyle tanışmak istedim. Kendimi davet ettirdim ve bir akşam yemeğe gittim. Beni misafir odasında başköşeye oturttular. Şerafettin Bey yakınıma oturdu. Askerden yeni terhis olmuş oğlu, kapının yanında yere diz çökerek oturdu. Bütün ısrarlarıma rağmen koltuğa oturmadı.

Şerafettin Bey, "Hocam biz onun yaşındayken, önemli misafir geldiği zaman odanın içinde bile çömelemezdik; kapının dışında oturmak zorundaydık," dedi ve ilave etti. "O yine içeride çömeliyor, sizin gibi değerli bir insanı görmek ve duymak şerefini yaşıyor, daha ne ister!"

Yemek zamanı, ısrarımı kırmayarak oğlunun da yemek masasına oturmasına izin verdi. İki kız ve gelin oturmadılar, yemek için hizmet ettiler. Kızlardan biri lise ikide imiş, beni hiç umursamaz bir havada, ağzında sakız, gayet özgür bir ergen kız havası estiriyordu.

Çayları hep birlikte içmek için ısrar ettim ve nihayet Şerafettin Bey'in eşiyle çay faslında tanıştım. Kafamda, karısıyla ilgili olarak şöyle bir düşünce oluşmuş: "Köyden çıkan bu zeki kadın, evlendikten sonra Almanya'da bir süre yaşadı ve geleneksel yapı içinde kadının ne kadar ezildiğini orada anlayarak kendi kızlarını daha modern insanlar olarak yetiştirdi."

Bu düşüncenin etkisiyle, "Ne güzel, şimdiki genç kızlar, artık evlenecekleri kişiyi kendileri seçiyor, daha özgürce, gönüllerine göre karar veriyor," dedim.

Kadının yarasına dokunmuşum, öfkeyle konuştu: "Kendileri seçiyorlar, iyi bok yiyorlar, onlar ne bilir! İnsanın atası varken kendisinin seçmesi ne oluyor ki. Benim babam beni köpeğe verse giderdim, onlar benim atam, kimi münasip görmüşlerse benim kısmetim oymuş der, en iyi hizmetimi yapardım. Şimdikilerin ne evliliği evlilik, ne hayatları bir boka benziyor."

Ne diyeceğimi bilemedim, dondum kaldım. Bu arada genç kız annesinin söylediğini çiklet çiğneyerek dinliyordu ve yüzünde küçümseyen bir gülümseme vardı. İnsanın çocukken içinde yetiştiği kültür ortamının gücünü görebiliyordum. Bu olay üzerinde daha sonra düşündüm.

T: İnanmak zor ama anlattığın bu olay yaşamla ilgili bir gerçeği yansıtıyor. Peki baba benim bir sorum var. İki aile düşün, bunlardan biri kalıplayan korku kültürü diğeri de geliştiren saygı kültürü içinde çocuk yetiştirmeye karar versinler. Bunlardan birine "iyi", diğerine "kötü" diyebilmemiz için kullanacağımız ölçütler var mı?

A: Önemli bir soru.

D: Evet, önemli bir soru. Kullanabileceğimiz en önemli ölçüt, "gerçeğe uygunluk"tur.

T: Gerçeğin ne olduğunu kim biliyor ki?

A: Benim de irdelemek istediğim temel konu bu.

D: Sen gelmeden önce Timur, son zamanlarda "gerçek" kavramını sürekli kafamda irdeliyordum; neden bilmiyorum, o konuda açıklığa kavuşmak bana çok önemli görünüyor.

A: Çünkü hemen her konuda karar verebilmek için o konudaki "gerçek"i bilmek gerekiyor.

T: Şu şekilde akıl yürütüyorum: Benim dışımda bir âlem var. En geniş anlamda bu âlemin tümüne evren diyoruz. Evrenin gerçeği ne? Evren dediğimiz şey ne? Herhalde aklı ermeye başlayan çocuğun en temel sorusu bu olmuştur. Benim için halen en temel soru bu.

D: Benim için de aynı. Sinir sisteminden söz ederken sinir sisteminin donanım ve yazılımından söz etmiştim. Doğarken getirdiğimiz yazılım bizi sürekli soru sormaya, deşmeye, irdelemeye, gördüklerimiz üzerinde düşünmeye itiyor. Evet, aklı ermeye başlayan çocuğun en temel sorusu gerçekten bu.

T: Peki baba, ben gelmeden önce "gerçek" konusunu kafanda irdelemeye başladığını söyledin, şimdi nereye geldin?

D: Anlatayım. Bu soruyla ilgili şimdiye kadar üç temel yaklaşım tanıdım: Birincisi dogmatik yaklaşım: Birileri evrenin gerçeğini bildiğini söylüyor ve bazen açık açık, bazen üstü örtülü biçimde bu gerçeğin ne olduğunu anlatıyor. Anlatıyor ve diğerlerinin kendisine inanmasını bekliyor. Bazı insanlar inanıyor, bazıları inandırılıyor ve sonuçta evrenin ne olduğuyla ilgili bir inanç sistemi oluşuyor ve bu inancı paylaşanlar evrenin ne olduğu konusunda aynı "gerçeği" paylaşıyorlar.

T: Ama inandıkları gerçeğin "gerçek" olduğunun kanıtları yalnız onların inanç sisteminde var. Yani, onların inancını paylaşmayan, o inanç siteminin dışında kalan birine gösterebilecekleri herhangi bir kanıtları yok. Doğru mu?

A: Evet, doğru. Zaten onun için bu yaklaşıma "dogmatik yaklaşım" deniyor. Dogmaları kaldırdığın zaman geriye konuşacak hiçbir şey kalmıyor...

D: Ama unutmayın, dogmatik ya da değil, varsayılan bu evren kapsamlı bir gerçektir ve bu inancın altında evlilik, çocuk yetiştirme, yaşam biçimi, bireysel ve toplumsal yaşamın her yönü anlam bulur. Böylece bu inanç sistemi içinde oluşmuş kültürler ve uygarlıklar gelişir; müzikle, mimari tarzlarıyla, aile yapılarıyla, devlet yönetimi ve kanunlarıyla bir yaşam düzeni oluşur. Her karmaşık sosyal düzenin altında paylaşılan bir anlam verme düzeni bulunur.

T: Tarihte bu tür dogmatik sistemlere örnek, herhalde akla, mantığa ve yoruma kapalı dinler olur.

A: Bence yalnız dinler değil, akla, mantığa ve yoruma kapalı dogmatik ideolojiler de var.

D: Toktamış Ateş, *Laiklik*(1) adlı kitabında şöyle diyor: "Yobazlık ve bağnazlık salt din açısından değil her türlü düşünce açısından geçerli olan, geçerli olması gereken bir özelliktir. Her düşüncenin her inancın her ideolojinin yobazları ve bağnazları vardır. Yobazlık ve bağnazlık inançları konusunda tartışmaya yer vermeyen, tek doğru şeyin kendi doğrusu olduğuna inanan, kendi gibi düşünmeyenlere en ağır biçimde saldıran, hoşgörüsüz ve sevgisiz insanları nitelemesi gereken kavramlardır. Bir Müslüman yobaz ve bağnaz olabileceği kadar bir dinsiz ya da ateist de yobaz ve bağnaz olabilir; hatta Atatürkçülerin de yobaz ve bağnazı ola-

(1) Toktamış Ateş, *Dünyada ve Türkiye'de Laiklik* (s. 433), Ümit Yayıncılık, Ankara, 1994.

bilir. Laikliğe en sert darbeleri vuranlar, en büyük zararı verenler arasında yobaz ve bağnaz Atatürkçüleri de saymak gerekir."

Yani bazı Atatürkçülerin dogmatik ve bağnaz olduklarını söylüyor. Ben bu kişilerin mış gibi Atatürkçü olduklarını düşünüyorum. Gerçek Atatürkçüler bilimsel düşünceyi benimseyenlerdir. İdeolojiler de özgür düşünme ve irdelemeyi yasakladıkları zaman bu tür bir dogmatik sisteme dönüşebiliyorlar.

T: Ama klasik olarak herhalde katı kuralcı dinler bu tür dogmatik anlam verme sistemlerinin örneklerini oluşturur.

D: Doğru.

T: "Gerçeğe" üç temel yaklaşımın birincisi dogmatik yaklaşımdı, ikincisi ne?

D: İkincisi felsefi yaklaşım. Dogmatik yaklaşım evrenle ilgili inancın irdelenmesine izin vermez. Ama felsefi yaklaşım irdeleme, inceleme ve araştırma üzerine kurulmuştur.

Birileri evrenin gerçeğini sorgular ve kendinden önce aynı konuda fikir beyan edenlerin fikirlerini teker teker ele alıp irdeler ve onların eksikliklerini göstererek kendi anlayışının üstün taraflarını ifade eder. Bunu yapabilmek için önce bir sistem geliştirir, kendi düşüncesinin temel boyutlarını oluşturur ve kendinden önce kullanılmamış yeni kavramlar ortaya koyar; ondan sonra kendinden önce gelenlerin ne dediğini inceler, irdeler ve kendi sistemiyle kıyaslar. Böylece kendine özgü bir düşünce sistematiği geliştirir.

A: Kendine özgü bir kavramlar sistemi geliştirmesinin altını çizdiniz.

D: Evet. Arif'çiğim bunun gözden kaçmamasına sevindim. Bir filozof, düşünce tarihi öğreten birinden farklıdır. Filozof farklıdır, felsefeci farklı.

T: Nasıl farklıdır?

D: Felsefeci, filozofların düşüncelerini bir kütüphaneci gibi toplar, tasnif eder ve gelecek nesillere sistematik olarak aktarır. Bu nedenle bilginin kuşaktan kuşağa aktarılmasında önemli bir rol oynar. Ama gerçek düşünür, filozof yeni bakış tarzları, dünyaya bakarken kullandığımız yeni kavramlar, anlamlar üretir.

T: Bir felsefeci aynı zamanda bir filozof, bir düşünür de olamaz mı?

D: Tabii olur. Ama yalnız felsefeci olanların sayısı daha fazladır. Gerçek filozof, geliştirdiği kendi düşünce sistemi içinde kendinden öncekilerin görüşlerini değerlendirir ve onların artı ve eksilerini gösterirken kendi getirdiği katkıları da belirtme ortamı yaratır. Yeni düşünceleri sürekli izler; çünkü izlemek ve gelişmek zorundadır. Geliştikçe ya kendi görüşünü savunur ya da yeni düzeltmeler yapar. Böylece sürekli düşünme, ifade etme, gözden geçirme ve yeniden düşünme süreci başlamış olur.

Felsefi yaklaşımlardan bazıları inançlar haline dönüşünce o zaman dogmatik bir özellik kazanır ve o andan itibaren o düşüncenin irdelenmesine, incelenmesine, kurcalanmasına izin verilmez. İşte daha önce konuştuğumuz ideolojiler dogmatikleşmiş felsefi yaklaşımların örnekleridir.

T: Peki, kalıplayan korku kültürü ve geliştiren saygı kültürü dogmatik ya da ideolojik olarak değerlendirilebilir mi?

A: Bence, üçüncü yaklaşımı da gözden geçirdikten sonra bu soruyu ele alalım.

D: Öyle yapalım. "Gerçeğe" üç temel yaklaşımın üçüncüsü, bilimsel yaklaşım. Felsefe kavramlarını, felsefenin evrenle ilgili temel varsayımlarını "test eden" yaklaşım, bilimseldir. Bilimsel yaklaşım, gerçekle ilgili varsayımları gözlemlerle, deneylerle, toplanan verilerin istatistik analizleriyle "test eder".

T: Üniversitede bizim temel derslerimizden biri idi, araştırma yöntemleri ve analiz teknikleri.

A: Sen mühendislik okumadın mı?

T: Stanford Üniversitesi'nde mühendislik öğrencileri de psikoloji ve felsefe dersleri alır.

Psikoloji dersinde de araştırma yöntemleri ve analiz tekniklerinden kısa da olsa söz edilir. Felsefe, çağdaş Batı uygarlığının tarihsel kökenlerini incelerken okuduğumuz bir ders ve oldukça önemli filozofların sistemleri gözden geçirilir.

A: Bunu bilmiyordum.

T: Üniversite, yalnız meslek adamı yetiştiren bir meslek yüksekokulu değildir. Profesyonel meslek insanı yetiştirmenin yanı sıra demokratik özgür bir toplumun geleceği için aydın insan yetiştirmekle de görevlidir.

A: Anlıyorum.

D: Devam ediyorum. Bilimsel yaklaşım hipotezler geliştirir ve bu hipotezlerin doğruluğunu test eder. Örneğin, Dünya evrenin merkezinde ise ve Güneş, Dünya'nın etrafında dönüyorsa, gökyüzünde görülen yıldızların şöyle bir yapı içinde görünmesi ve bu yapının değişik mevsimlerde değişmemesi gerekir. Beklenen yapı görünmüyor ve görülen farklı yapı mevsimden mevsime değişiyorsa, o zaman, ikinci bir hipotez geliştirir. Örneğin, Güneş'in etrafında dönen Dünya hipotezini ortaya atar ve bu yeni hipotezi gözlemleriyle ve deneylerle test eder.

Biliyorsunuz Polonyalı Kopernik, Alman Kepler, İtalyan Galileo gözlemlerini özgür bir ortamda yapıp buldukları sonuçları rahat şekilde ifade edemediler.

T: Evet, biraz önce sözünü ettiğim çağdaş Batı uygarlığının tarihsel kökenlerini inceleyen derste uzun uzadıya bu anlatılır. Aynı şey İngiliz Newton ve Darwin için de söylenebilir.

D: Doğru. Zamanın baskın güçlerinin inandıkları dogmatik sistem, kendine ters düşecek düşünce ve inançların gelişmesine fırsat vermek istemezdi. Ama bu, tüm dogmatik düşünce sistemlerinin doğasından kaynaklanır. Hiçbir din, hiçbir dogmatik ideoloji, kendi temel inançlarını sorgulayan, irdeleyen filozof ve bilim insanına hoş bakmamıştır.

T: Peki, felsefenin ideolojik olarak dogmalaşması gibi bilimsel kuramların ve yaklaşımların da dogmalaşması ve kendi düşüncesinden başkasını yaşatmaması söz konusu olabilir mi?

D: Bence olabilir. Freud'un takipçilerinin çoğunun psikoanalitik anlayışını dogmatikleştirdiğini görüyorum. Einstein'ın gençlik yıllarında karşılaştığı direnç, Newton fiziğine dogmatik bağlanmış bir anlayıştan kaynaklanıyordu. Toktamış Ateş'in sözünü ettiği dogmatik Atatürkçüler de bence bu sınıfa girer. Thomas Kuhn'un, *Bilimsel Devrimlerin Yapısı*(1) adlı kitabında bunun birçok örneği var.

Bilimsel sorgulamayı, irdelemeyi, bilimsel düşünmeyi yaşamının temeli kabul etmiş bir toplumun evrene anlam verme tarzı da bir sistem oluşturur ve bunun kapsamı da geniştir. Bu sistem içinde evlilik, çocuk yetiştirme, sanat, müzik, spor, yeme içme biçimleri, yaşam tarzı, bireysel ve toplumsal yaşamın her yönü şekillenir. Böylece bilimsel düşünce sistemi içinde oluşmuş kültürler ve uygarlıklar gelişir. Bu bağlamda, yönetimi ve yasalarıyla bir devlet, bir yaşam düzeni oluşur. Bütün bu karmaşık sosyal düzenin altında, paylaşılan bir anlam verme sistemi vardır. Bu sistemin özünde bilimsel yaklaşım vardır.

T: Şimdi benim daha önce sorduğum soruya geçebiliriz: Kalıplayan ve geliştiren kültürlerin her ikisi de kendi gerçeklerini, yani anlam verme sistemlerini geliştirmiş durumdalar. Çocuk yetiştirme bakımından bunlardan birine "iyi," diğerine "kötü" diyebilmemiz için kullanacağımız ölçütler var mı?

D: Var Timur. Biliyorum senin sabrını taşırıyorum, ama çocuk yetiştirme konusuna girmeden önce, daha somut bir alanda, çiftçilik alanında bir örnek vermek isterim.

A: Bu arada dışarıdaki manzarayı da kaçırmayalım!

Arif böyle deyince hepimiz sustuk ve dikkatimizi bir süre için manzaraya verdik. 'Tekneli'ye Hoş Geldiniz' levhasını geçtik. Artık yayla

(1) Thomas S. Kuhn, *Bilimsel Devrimlerin Yapısı*, Alan Yayıncılık, İstanbul, 1962.

manzaralarının içindeydik. Bu güzel manzarayı seyretmenin tadını çıkara çıkara yol alıyorduk. İleride yolun sol yanındaki dik yamaçta bir eşek gördük, yakınında bir de öküz vardı. Timur eşekleri sevdiğimi bilir. Eşek ve benim yan yana bir resmimizi çekti.

Sonra çiçek satan dört oğlan çocuğuyla karşılaştık. İsimlerini sordum, birininki Ömer'di. İçlerinden biri gerçekten küçüktü. Son derece zeki çocuklardı, biz onlarla konuşmaktan memnunduk, onlar da bizimle. Fiyat sorunca, "Ne verirseniz," dediler. Timur, "Yanımda bir milyon var," dedi. Büyük oğlan, iki buket çiçek uzattı. Bunlar kurutulup çay gibi içiliyormuş. Arif de küçük olandan iki demet alıp bir milyon verdi.

Düşünüyordum, Türkiye'nin insan kaynağı zengin, bu çocuklar gibi yüz binlerce çocuğumuz, gencimiz var; uyanık, enerjik, zeki.

Biz ayrılırken en küçük olan, "Ekmek var mı?" diye sordu. İçimizde bir acı hissettik. Ünye'deki lokanta bize taze bir somun ekmek vermişti ve biz ancak onun iki dilimini yiyebilmiş, gerisini ihtiyacımız olmaz diye yanımıza bile almamış, balıklara yem olsun diye denize atmıştık. Bakıştık. Keşke yanımızda olsaydı da bu çocuklara verebilseydik, diye düşündük.

T: Daha önce hiç böyle bir durumla karşılaşmadım. Şimdi bu çocukları görünce gönlümün yarısı burada, onlarla kalıyor. Ve şimdi anlıyorum, neden babam kendi çocuklarını Amerika'da bırakıp Türkiye'ye geri döndü. Bu gördüğüm çocukların geleceğine hizmet etmek ne demek, şimdi daha iyi anlıyorum.

Yükseğe çıktıkça ağaçlar azalmaya başladı. Artık ağaçlar arasındaki boşluklar belirgin şekilde görülüyor. Yaylaya geldiğimiz belli oluyor. Serin hava ve kışın kar altında kalmaya alışmış, çıplak boz tepeler...

T: Evet, şimdi konuşmaya başlayabilir miyiz?

D: Çiftçilik alanında bir örnek vermek istiyorum. Zeytin yetiştirmek isteyen bir çiftçi düşünelim. Dogmatik yaklaşım içindeki bu çiftçi, "Ağaç dikilirken kısır insan eli değmemeli, aksi halde zeytin vermez," inancına sahip olsun. Bu inancın nesiller boyu birinden diğerine aktarıldığını ve bu inancı paylaşmayanlara da iyi gözle bakılmadığını varsayalım. Bu kişiye bu inancın boş olduğuna inandırman olanaksızdır. "Atalarımız durup dururken böyle bir şey söylemez, söylediklerine göre doğrudur," der.

A: Ama atalarının inancının dışında da başka hiçbir kanıt gösteremez.

D: Evet, dogmatik yaklaşımın doğası icabı böyle olur. Şimdi felsefi yaklaşım içinde olan bir çiftçi düşünelim. Böyle bir çiftçi, zeytin ağacı dikenin özellikleri ile ağacın verdiği zeytin miktarı arasında söylenmiş sözlerin hemen hepsini bilir. Yeniliklere ve yeni düşüncelere de açık olur.

T: Yani, felsefi yaklaşım ile dogmatik yaklaşım arasındaki temel fark, dogma tamamıyla kendi kısırdöngüsü içinde kalırken, felsefi yaklaşım başka düşüncelere de açıktır. Öyle mi?

D: Evet.

T: Peki, bilimsel yaklaşım içinde olan bir çiftçi zeytin ağacı dikme konusuna nasıl yaklaşır?

D: Zeytin ağacının yetişmesi ve zeytin vermesiyle ilgili parametreleri hesaba katar. Toprağın türü, ağaç dikilen yerin denizden yüksekliği, iklimi, ağaçların ne zaman dikildiği, aralarındaki mesafe, ne kadar sıklıkla ve ne kadar miktarlarda sulandığı, vb. Sonra bir ziraat mühendisiyle bütün bu parametrelerin geçerliğini araştırır. Bu çiftçi zaman içinde zeytin yetiştirmeyle ilgili verisel tabanlı bir bilgi birikimi oluşturur.

T: Peki, şimdi çocuk yetiştirmeyle ilgili bir örnek verebilir misin?

D: Daha sonra çocuk yetiştirme ve çocuğun içinde yetiştiği ortamdaki iletişimin türü konusuna daha ayrıntılı şekilde girmek istiyorum ama üç yaklaşım arasındaki farkı anlayabilmek için kısa bir örnek vermek isterim.

A: İyi, daha sonra çocuğun içinde yetiştiği ortamdaki iletişimin türü konusunu irdeleyeceğimize sevindim.

T: Baba örneğin ne?

D: Çocuğunu yetiştirmek isteyen bir ana-baba alalım.

Dogmatik yaklaşım içinde olan ana-baba, "Kızını dövmeyen dizini döver" inancına sahip olsun. Bu inanç nesiller boyu sürüp gidebilir. İnananlar, bu inanca inanmayan ve uymayan diğer ana-babalara iyi gözle bakmazlar.

Felsefi yaklaşım içinde olan ana-baba, dayağın yararı ve zararı üzerine değişik görüşleri toplar, kim ne demiş, hangi düşünür ne zaman hangi görüşü ifade etmiş bütün bu görüşleri toplar, öğrenir ve sonunda kendi yargısına varır.

Bilimsel yaklaşım içinde olan ana-baba, dayak atılan kızların kişilik yapısı, yaşam başarısı, mutluluğu ile dayaksız yetişen kızların kişilik yapısı, yaşam başarısı ve mutluluğunu karşılaştırır. Kız çocuğu yetiştirmede göz önüne alınması gereken temel parametrelerin ne olması gerektiğiyle ilgili sorar soruşturur, araştırma yapar. Örneğin, çocukla kurulan iletişimin türü, miktarı, zamanı ve yerinin etkisiyle ilgili araştırmaları gözden geçirmek ister. Bütün bu araştırmaların sonunda bazı konularda bir uzmanla konuşmak isteyebilir.

Her yaklaşım, kendi içinde tutarlı "bir anlam verme" sistemi oluşturur. Şimdi artık her ikinizin de sabırsızlıkla beklediği, kalıplayan korku kültürü ile geliştiren saygı kültürü yönünden çocuğun içinde yetiştiği ortamdaki iletişimin türü konusuna geçebiliriz.

Timur, kafası bir şeye takılmış birinin sessizliği içindeydi.

T: Baba, dogmatik, felsefi ya da bilimsel yaklaşımın her biri kendine özgü bir anlam verme sistemi geliştiriyor, değil mi?

D: Evet.

T: Peki, bu anlam verme sistemlerinin hangisi öbüründen daha iyi, bunu irdeleyecek miyiz?

Arif ve ben durakladık. Timur'un sorusu önemliydi. Bir süre düşündüm ve daha sonra aramızda şöyle bir konuşma geçti.

D: Hangi ortamda yetişirse yetişsin çocuk mutlaka bir anlam verme sistemi geliştirir. Ve bana göre çocuğun geliştirdiği anlam verme sistemi onun ömrü boyunca kullanacağı en önemli güç kaynağını oluşturur. Bir insanın küçükken geliştirdiği kendine özgü anlam verme sistemi ya o kişiye destek olacak ve onu başarıya ve mutluluğa yönlendirecek ya da köstek olup onu güçsüz ve mutsuz kılacaktır.

T: Tamam, onu kabul ediyorum ama hangi anlam verme sistemi diğerinden daha iyi, nasıl bileceğiz? Bu sorunun yanıtını almak istiyorum.

D: Ben aslında bu sorunun yanıtını vermek niyetiyle konuşuyorum. Eğitilmiş insanlar olarak biliyoruz ki doğanın bizim dışımızda ve bizden bağımsız bir İşleyiş tarzı vardır(1) ve değişik bilimler bu işleyiş tarzını bulmaya soyunmuşlardır. Biyoloji, fizik, kimya, jeoloji bize evrenin nasıl işlediğiyle ilgili bilgiler üretmektedir. Böylece gıda uzmanlığından, değişik mühendisliklerin uzmanlık alanlarına yayılan geniş yelpazeli bir teknoloji alanına sahibiz ve toplum bu karmaşık bilgi sistemlerinin üzerine kurulu bir yaşam sürdürmektedir. Bu bilimler sayesinde karın doyurmanın yetmediğini, beslenmeyi öğrenmemiz gerektiğini öğreniyoruz. Suyumuzun arınmış, temiz olması gerektiğini, aksi halde salgın hastalıkların görüleceğini biliyoruz. Bilgisayar kullanan kişilerin, kurumların, toplumların daha verimli bilgi işlem olanakları yaratacağını biliyoruz. Hiç kimse bilimin bulgularına sırtını bile bi-

(1) Bunun böyle olmadığını söyleyen görüşler olduğunun farkındayım fakat bu konuda okurlarımı, ciddi olarak şu sorunun yanıtı üzerinde düşünmeye davet ediyorum: Bizden bağımsız bir gerçeklik olduğunu varsaymayan bir bilim dalı gelişebilir mi? Benim yanıtım, "Hayır"dır. İkinci sorum da, temelinde bilimsel düşüncenin yer almadığı gelişmiş, çağdaş bir toplum düşünebilir misiniz? Benim yanıtım yine, "Hayır"dır.

le dönmek istemiyor. Bilime bile bile sırt çevirenler varsa bile onlar marjinal kalıyorlar.

T: Tamam, şimdiye kadar söylediklerine hiçbir itirazım yok, kabul ediyorum.

Arif'e baktım, o da Timur gibi düşündüğünü belirten bir baş işareti yaptı. Devam ettim.

D: Tamam, o zaman devam ediyorum. Doğanın bir işleyiş tarzı olduğu gibi, insan yaşamın da bir işleyiş tarzı vardır. Toplumsal yaşamın işleyiş tarzını sosyoloji, bireysel yaşamın işleyiş tarzını psikoloji, ekonomik yaşamın işleyiş tarzını ekonomi keşfetmeyi amaçlamaktadır ve günümüzde bu bilimler önemli yol almış, gelişmişlerdir.

Şimdi Ahmet ve Behçet adında iki çocuk düşünelim. Böylece elimizde iki tane anlam verme sistemi var: "Ahmet'in *Anlam Verme Sistemi*" ve "Behçet'in *Anlam Verme Sistemi.*"

Varsayalım ki, Ahmet'in doğup büyüdüğü, içinde yetiştiği aile ve toplumsal koşullar onun gelişmesine olanak veren, geliştiren bir ortam olsun. Böyle geliştiren bir ortam içinde yetişen Ahmet'in oluşturduğu "Ahmet'in *Anlam Verme Sistemi*" doğanın ve yaşamın işleyiş tarzına uyan bilgiler ve varsayımlar içersin. Yine aynı mantıkla, içinde yetiştiği koşullar elvermediği, kalıplayan kısıtlayan bir ortam olduğu için "Behçet'in *Anlam Verme Sistemi*" doğanın ve yaşamın işleyiş tarzına uymayan bilgiler ve varsayımlardan oluşsun.

T: Ama bu bir varsayım, gerçekten böyle olduğunu bilmiyoruz ki.

D: İzin ver Timur, biraz sonra bu anlam verme sistemlerinin değerlendirmesini yapacak gözlemlerde bulunacağız. Şimdi bir ölçek geliştirelim; adına "uyum ölçeği" diyelim.

T: Neyle uyum?

D: Bu ölçek, yaşamın gerçekliğine uyum derecesini ölçecek.

T: Anladım. Ölçeğin basamakları var mı?

D: Var. Ölçek şu basamaklardan oluşsun.

0–hiç
1–yetersiz
2–biraz
3–oldukça
4–çok
5–mükemmel.

Birinin anlam verme sisteminin yaşamın gerçek işleyişiyle uyumluluk derecesini bu ölçek üzerinde gösterebildiğimizi varsayalım.

A: Basamakları doğru anlıyor muyum, denemek istiyorum. '0' anlam verme sistemi, yaşamın gerçeğiyle 'hiç' uyum içinde değil demek. '2' anlam verme sistemi yaşamın gerçeğiyle 'biraz' uyum içinde demek. '5' yaşamın gerçeğiyle kişinin anlam verme sisteminin "mükemmel" bir uyum içinde olduğunu gösterir. Doğru anlamış mıyım?

D: Evet, uyum ölçeğini doğru anlamışsın. Şimdi diyelim ki, Ahmet ve Behçet benzer yeteneklerde doğdu, fakat içinde yetiştiği ortamların geliştiren ve kalıplayan özellikleri nedeniyle "Ahmet'in *Anlam Verme Sistemi*" uyum ölçeğinde 4 iken, Behçet'inki 2'de yer alıyor. Yani Ahmet yaşamla "çok" uyumlu bir anlam verme sistemine sahip, "Behçet'in *Anlam Verme Sistemi*" ise ancak "biraz" uyumlu.

Ahmet yaşamının her alanında başarıya doğru yönelirken, Behçet sürekli engellerle karşılaşacak, kösteklenecektir.

Kendiyle ilişkisi olumlu yönde gelişecek olan Ahmet, kendine güveni olan, sakin, kendini seven ve değerli bulan "yapabilirim" duygusu olan biri olarak gelişecektir. Behçet kendine güveni olmayan, gergin, kendini sevmeyen ve değerli bulmayan "yapabilirim" duygusu düşük, çaresiz biri olarak büyüyecektir.

Ahmet doğayı anlaşılabilir, sevilecek, kendine yakın, dost, destek olarak görürken, Behçet anlaşılamaz, korkulacak, kendinden uzak, düşmanca ve sürekli engel olarak düşünecek, yaşadıklarını "kader" addedecektir.

Ahmet insanları anlaşılabilir, sevilebilen, yakın, dost olarak görürken Behçet onların hasım olduğunu düşünecektir.

Ahmet bilginin, kendini ve yaşamı anlamanın daha iyi bir geleceğe götüreceğini anlayabilecek ve bu nedenle kendi gelişimine önem verecektir. Behçet sıkıntılarının temelinde kendi anlam verme sisteminin yattığını kavrayamayacağından, kendini geliştirmenin onun için herhangi bir anlamı olmayacaktır. O dünyayla ilişkisinde kendinin anlamadığı dogmaları, hurafeleri kullanmaya daha eğilimli olacaktır.

A: Evet katılıyorum.

T: Baba bu sıraladıkların, aslında her insanın hayatında görebileceğimiz somut durumlar.

D: Evet Timur.

A: Aklıma daha başka bir sürü karşılaştırma boyutları geliyor. İzin verirseniz bunların bazılarını sıralamak istiyorum.

Ahmet zamanında ve zemininde gerekli sıçramaları yaparak azmini perçinleyecek, Behçet daima şansa ve uğura dair imgeleri tespit edecek.

Ahmet engelleri hedefinin yön gösteren pusulası gibi algılarken, Behçet engelleri yanlış hedef belirtisi olarak algılayıp sürekli yön değiştirecek.

Ahmet aklına ve yüreğine güvenirken, diğeri kaba gücüne ve bileğine güvenecek.

T: Ben de bir gözlemde bulunabilirim: Ahmet yaşamından sorumluluk alırken, Behçet içinde bulunduğu durumdan sorumluluk almayacak, başkalarını ya da koşulları suçlayacaktır.

Sanırım iş, evlilik, komşuluk gibi yaşamın her yönüyle ilgili karşılaştırmalı gözlemler yapabiliriz. Yani, bir insanın yaşamını gözlemleyerek onun anlam verme sisteminin yaşamın gerçeği ile uyumunun derecesini az çok söyleyebiliriz.

D: Evet. Timur, bir ikinci ölçek daha var. Bence bu ölçek de çok önemli. Anlam verme sisteminin kendi içindeki "bütünlük ölçeği". Bütünlük ölçeği, kişinin anlam verme sisteminin değişik kısımlarının kendi içinde birbiriyle uyum ve tutarlılığının, birbiriyle bütünleşmesinin ölçeğidir. Bu ölçeğin de "hiç"ten başlayan ve "mükemmel"e giden altı basamağı olsun.

İnsanların geliştirmiş olduğu anlam verme sistemleri değişik kısımlardan oluşuyor ve bu kısımlar arasında tutarlılığı sağlayan temel bir ilke, vizyon, dünya görüşü, değerler sistemi olabilir ya da her sistem oradan buradan alınmış, birbiriyle tutarsız olabilir.

T: Bir örnek verir misin baba?

D: İki örnek vermek istiyorum: İş kurmayı ve iş yönetmeyi korku kültürünün ilkeleri içinde başaran bir baba düşünün. Sabah 6'da işe gidip, akşam eve saat 10'da ve çok yorgun dönüyor. Bu kişi, hafta sonu dahil, her gününü şu anda geliştirmekte olduğu işe veriyor ve bu nedenle çocuklarıyla zaman geçirmeye fırsat bulamıyor. Neden böyle yapıyor? Çünkü babasından da böyle görmüş.

Babası onu hiçbir zaman karşısına alıp değer verdiği bir insan gibi konuşmamıştır. İçinde yetiştikleri ortam gereği babasıyla ilişkisi hep mesafeli olmuş ve pek dostça ilişkileri olmamıştır. Yani korku kültürü içinde "baba" ve "oğlu" olarak ilişki kurmuşlardır.

Şimdi o da kendi babası gibi çalışmakta ama çocuklarıyla ileride daha yakın, daha dostça bir ilişki kurmayı ummaktadır. Ve yaşadıkları ortam değişmiştir; kendisi küçük bir kasabada büyümüştü, çocukları ise büyük bir anakentte yetişmekte, yabancı dil konuşulan bir okula gitmektedir.

Bu baba çocuklarıyla daha yakın, dostça ilişki kurmak istemekte, bu istek yönünden, kendi babasından farklı olduğunu düşünmektedir. Buna karşın çocuklarıyla ilişkisi, babasının kendisiyle kurduğu ilişkiden farklı değildir.

Baba ve çocukları arasında daha dostça, daha yakın ilişki kurulabilmesi için çocuklarla ilişkiye zaman ve emek vermek gerektiğini düşünmediğinden, etrafında bu tür baba çocuk ilişkisi örneği görmediği için de bunu bilmediğinden, onlara babasının kendisine davrandığından farklı davranmamaktadır.

Yıllar sonra babalarına yabancılaşmış olan kendi çocukları yaşamlarına dalarak o babayı yalnız bıraktığında, o, "Ben bütün hayatımı onlara hasrettim, onlar şimdi beni adam yerine bile koymuyorlar," diyecektir.

Anlam verme sisteminin birçok alt bölümleri vardır. Bu örnekte, babanın çocuklarıyla ilişkisini yöneten alt sistem ile işiyle ilişkisini yöneten alt sistem henüz bütünlük içinde birbiriyle ilişki içine girmemiştir; bu babanın anlam verme sistemi bütünlükten yoksundur. Bu tür bütünlükten yoksun sistemler sorgulanmamış, incelenmemiş, irdelenmemiş niyetler ile anlaşılmamış bilgi ve davranışlar içerir.

T: Baba nasıl davranmalıydı?

D: Babanın niyeti daha dostça, daha yakın ilişki kurmak ise, "Çocuklarımla daha dostça, daha yakın ilişki kurmaktan ne anlıyorum? Onlarla daha dostça, daha yakın ilişki kurmak için önceliklerimi nasıl yapılandırmalıyım?" sorularını sormalıydı. Bu soruları sorması babanın anlam verme sistemini daha bütünlüğü yüksek bir sistem haline getirecek ve bu süreç içinde baba çocuklarıyla ilgili niyetinin saflığına doğru bir yolculuğa çıkacaktı.

T: Niyetin saflığı ile yaşam döngüsünün diğer öğeleri arasında ilişki görüyorsun; bütünlük bu konuda bir fikir veriyor, değil mi baba?

D: Evet, niyetin saflığı ile anlam verme sisteminin bütünlük derecesi arasında bir ilişki görüyorum. "Çocuklarla daha dostça, daha yakın ilişki kurmak" irdelenmediği ve bu nedenle açıklığa kavuşmadığı için baba, niyetinin saflığına tam ulaşamadan bilgi ve becerilerini işini geliştirmekte kullanmış ve "gerçek niyeti" ile uyguladığı bilgi ve beceri arasındaki tutarsızlığı, kopukluğu görememiştir. Ama yaşam bu tutarsızlığı ona mutlaka gösterecektir ve o zaman baba, "keşke"li cümleler kuracaktır. Niyetin saflığına eren insanların keşkeleri az olur.

T: Baba bunlar önemli kavramlar. Bana öyle geliyor ki, bütünlük ölçeği mış gibiliğin de bir ölçüsü.

A: Ben de Timur gibi düşünüyorum. Bütünlük ölçeği aslında kişinin yaşamının o yönünün ne kadar mış gibi olduğunu ölçüyor. Örneğin bu adam mış gibi bir baba olduğunun farkında değil.

D: Evet Arif. *'Mış Gibi' Yaşamlar* kitabımda irdelediğim niyet-bilgi-beceri-eylem-sonuç döngüsünün uyuşumu, kişinin anlam verme sisteminin bütünlük derecesini gösteriyor.

T: İki örnek vereceğini söylemiştin baba.

D: Evet Timur, ikinci örneği öğretmen-öğrenci ilişkisinden alalım. Bir öğretmen düşünün. Konuştuğunda niyetini öğrencilerini "geliştirmek" olarak ifade ediyor olsun. Varsayalım ki öğretmen, içinde yetiştiği aile ortamının özelliklerinden dolayı korku kültürü içinde toplumsallaşmış biri. Bu öğretmen farkında olmadan öğrencileriyle korku kültürünün bilgisi, becerisi ve davranışlarıyla ilişki kurar ve sürdürürse, sistemde öğretmenin sözüyle davranışı arasında bir tutarsızlık olacaktır.

A: Tutarsızlık nerede olacaktır?

D: Korku kültürünün bilgisi, becerisi *geliştirmeye* değil, *kalıplamaya* uygundur. Bu tutarsızlık derecesinde bu kişi "mış gibi bir öğretmen" olacaktır ve onun bütünlük için iki seçeneği vardır: Ya niyetini değiştirecek, "Ben öğrencilerimi *geliştirmek* değil, *kalıplamak* istiyorum," diyecek ki, o zaman niyeti, kullandığı korku kültürünün bilgi ve becerisiyle tutarlı hale gelecek ve öğretmenin anlam verme sisteminin bütünlük derecesi yüksek olacaktır ya da sözünün ardında gizli olan niyetinin saflığına ulaşacak, korku değil, saygı kültürünün bilgi ve becerisini öğrenecek ve onu uygulamaya koyacaktır. Bu durumda da onu anlam verme sisteminin bütünlük derecesi yüksek olacaktır.

Her iki halde de öğretmenin anlam verme sistemi "mış gibi"likten kurtulacak, bütünlüğü yüksek bir anlam verme sistemi haline dönüşecektir.

A: Demek ki, korku kültürünün öğretmeni de bütünlüğü yüksek, mış gibi olmayan bir anlam verme sistemi geliştirebiliyor, saygı kültürünün öğretmeni de. O zaman şöyle bir soru sorabilirsiniz: Peki, bu iki sistemin de bütünlüğü yüksek ise, neye göre bu iki anlam verme sistemini değerlendireceğiz? Hangisini tercih etmemiz gerekecek?

Timur, Arif'e takdirle baktı, soru hoşuna gitmişti.

D: Bunun yanıtı, anlam verme sisteminin uyum ölçeğinde yatıyor. Korku kültürü Behçet gibi insan yetiştirir, saygı kültürü ise Ahmet gibi. Burada altını çizmek istediğim temel fikir şu: Anlam verme sisteminin evrenin varoluş gerçekliği ile uyumunu gösteren "uyum ölçeği" üzerinde aldığı puan ile sistemin öğelerinin kendi aralarında tutarlılığını gösteren "bütünlük ölçeği" birbirinden bağımsızdır; çünkü her iki ölçek anlam verme sisteminin farklı iki boyutunu ölçmektedir.

"Mış gibi"likten kurtulan öğretmenin anlam verme sistemi, "uyum ölçeği" üzerinde yüksek puan almak zorunda değildir; o, farklı bir değerlendirmedir.

Korku kültürünün kalıplayan öğretmeni, Ahmet tipini mi yetiştirmektedir, yoksa Behçet tipini mi? Bu durumda ilgilendiğimiz soru, öğretmenin "mış gibi"liği değil, yetiştirdiği insanın anlam verme sisteminin yaşamın gerçeklerine uyum derecesi olacaktır.

Timur çok heyecanlanmıştı. İşaret vererek arabayı sağa çekti; kâğıt kalem aldı ve bir matris çizdi. Matrisin bir yanına "uyum" diğer yanına ise "tutarlılık" yazdı ve her iki yana (-) ve (+) işaretlerini koydu.

Şöyle bir şekil oluştu:

TUTARLILIK \ UYUM	(-)	(+)
(-)	1 "Gerçek"le uyumsuz ve kendi içinde tutarsız	2 "Gerçek"le uyumu yüksek bağımsız alt sistemler ama kendi aralarında tutarsız
(+)	3 Sistemin tümü "gerçek"le uyumsuz ama alt sistemler kendi aralarında tutarlı	4 Sistemin tümünün "gerçek"le uyumu yüksek ve alt sistemler kendi aralarında tutarlı

T: Baba aslında birbirinden farklı iki "mış gibi"den söz edebiliriz.

D: Nasıl Timur?

T: Uyum ölçeğinde düşük bir yerde bulunan anlam verme sisteminin gerçeği temsil ettiğine inanılıyor ama aslında etmiyor. Ona, mış gibi bir gerçek diyebiliriz. Bence bilimsel olmayan bütün anlam verme sistemlerini bu başlık altında toplayabiliriz.

Timur'un ne demek istediğini anlamıştım. Gerçekten önemli bir açıklık getirmişti düşünceme. Arif de kavramıştı ve gülümseyerek ona bakıyordu. Timur devam etti.

T: Tutarlılık ölçeğinde düşük olan anlam verme sistemlerinin mış gibi olduğunu zaten sen söyledin. Bu demek oluyor ki, mış gibi olmayan anlam verme sistemleri ancak matrisin dördüncü gözünde yer alabilir.

D: Evet Timur, teşekkür ederim.

T: Baba, bu demek oluyor ki, bilimsel düşünceden uzaklığı derecesinde anlam verme sistemleri mış gibi oluyor. Mış gibilik ne sadece Türk toplumuna ne de yalnız şu zamanımıza has bir olay. Tüm toplumlarda değişik derecelerde var ve her zaman olagelmiş.

Matrisin her gözünü yüksek sesle değerlendirdim.

D: Matrisin birinci gözünde anlam verme sistemi "gerçek"ten kopuk, uyumsuz ve alt bölümler de kendi aralarında tutarsız.

Buna bir örnek vereyim. "Salı günü iş yapma, o gün yapılan iş sallanır." Böyle bir sözün gerçekliği bilimsel olarak kanıtlanmamıştır; bu söz bir hurafedir. Bu söze inanan biri diğer yandan, "Sigara içmeyenler ölmüyor mu? Bari yaşarken biraz hayatın tadına varayım, zevk alayım," da diyebilir. Bu söz de sağlıkla ilgili istatistiksel bilgilere ters düşmektedir. Sigara içenler çok daha yüksek oranda sağlık sorunları yaşamakta ve erken yaşta ölmektedirler. Evet, Her iki ifade yaşamın gerçeklerinden kopuktur ve kendi aralarında da ilişkileri yoktur.

Matrisin ikinci gözünde yaşamın gerçeklerini ifade eden önermeler vardır ama bu önermeler birbirinden kopuktur. Örneğin, "Olgun insan parasını yönetmesini bilir," önemli bir önermedir ve bir gerçeği yansıtır. Diğer yandan şu önerme de yaşamın bir gerçeğini yansıtır: "Gerçek zenginlik gönül zenginliğidir, gönlü zengin olanın gerçek dostları vardır." Eğer bir kimse iki önermeyi bu şekliyle ifade ediyor ve aralarında bir ilişki kurmuyorsa, o zaman matrisin ikinci gözünde yer alır.

Matrisin üçüncü gözü tamamıyla "gerçek"ten kopuk bir anlam verme sistemini temsil ediyor ama bu anlam verme sisteminin tüm alt sistemleri yani aile yaşamı, eğitim sistemi, ticaret yapma, askerlik düzeni, gıda ve beslenme düzeninin vb'nin her biri kendi aralarında tutarlı yani aynı yanlış vizyonu temsil ediyorlar. İşte bence korku kültürü bu göze giriyor. Burada bir dini dogma sistemi içinde oluşmuş yaşamı düşünebilirsiniz. Tüm yaşam sorunlarının yanıtı din içinden verilmektedir. Çocuk nasıl yetiştirilmeli, karı koca ilişkisi nasıl olmalı, hastalık nasıl tedavi edilmeli, ticaret nasıl yapılmalı, devlet nasıl yönetilmeli vs. Bütün bu alanlardaki düşünme tarzı aynı temel dogmatik vizyonun birleştiriciliği içinde birbiriyle tutarlı bir bütünlük gösterir. Ama dogmatik sistemin kendisi "evrenin gerçekliği"ne uyum göstermediği için bu dogmatik sisteme göre yaşamı düzenleyen toplumların kendilerine özgü eğitim, sağlık, ekonomik, siyasal sorunları olacaktır.

Matrisin dördüncü gözü, hem "gerçek"le yüksek uyum halinde olan hem de kendi aralarında tutarlı olan anlam verme sistemini gösteriyor. Bilim ve sanatta gelişerek sürekli öğrenen bir kültür ortamı yaratmış toplumları bu göze koyabiliriz. Beslenme, çocuk yetiştirme, eğitim, iş kurma ve yönetme, sağlık, yasal düzenlemeler ve uygulamalar, toplumsal refah ve mutluluk, devlet yönetimi, uluslararası ilişkiler... Bütün bu farklı alanların her biri bilimin ve aklın yüzyıllardır süren katkısıyla "evrenin gerçekliğiyle" uyumlu olacaktır. Bilimin ve aklın işleyiş yöntemleri yaşamın değişik her alanını yönettiğinden, bütün bu farklı alanların kendi aralarında bir bütünlüğü ve tutarlılığı olacaktır. Bence saygı kültürü bu göze giriyor.

Timur, Arif'e baktı ve "Nihayet!" dedi. Üçümüz de gülümsedik.

Timur yeniden arabayı kullanmaya başladı. Niksar'a 30 km olduğunu belirten tabelayı geçtik. Bir açıklığa geldik. Timur'un cep telefonu sisteme bağlanabildi. O nedenle burada durduk. Amerika'ya telefon etmesi gerekiyordu. Arif de biraz gezinmek üzere arabadan ayrıldı. Timur telefonda konuşurken Arif gibi etrafı biraz gezeyim istedim. "Burada, göremediğim yüz binlerce böcek yaşıyor, acaba onları biraz yakından gözleyebilir miyim?" merakı içindeydim. Etrafa baktığım zaman yolun kenarından aşağıya, tarlaya meyille giden sırtta, sıçrayan çekirgeler ve kurumuş yaprakların üstünde örümcek ağları gördüm. Bu ağların bazıları küçük bazıları büyüktü. Bir örümcek ağının başına geçeyim, biraz gözlem yapayım, diye düşündüm. Baktım, bir çekirge ağa yakalanmış, çırpınıyor ama kurtulamıyor. Karşısında da bir örümcek, ona vurup çekiliyor, vurup çekiliyor. Okuduklarımı hatırladım; örümcek avına, onu felç edecek bir salgı enjekte ediyor ve av artık kıpırdamayacak hale geldikten sonra, onu iyice sarıp sarmalayarak yuvasına götürüyor. Gerçekten bir süre sonra çekirge kıpırdayamaz hale geldi ve örümcek hemen onu sarıp sarmaladı, paketledi ve taşımaya başladı.

Aynı şeyi ikinci bir örümcek ağında da gördüm. İkinciye doğru yürürken örümcek, ağının içine kaçıp saklanacak yerde, dışarıya doğru geldi ve bekleyişe geçti. Neden böyle oluyor diye merak ettim. O sırada adımlarımdan ürkmüş olan çekirgeler kaçışmaya başladı ve bunlardan biri, hem de bayağı iri bir çekirge, ağa takıldı. Takıldığı anda örümcek yıldırım gibi onu zıpkınladı, hem de birkaç kez arka arkaya. Birkaç kez çırpınan çekirge dondu kaldı; örümcek hiç yerinden kıpırdamadı, uzun süre bekledi, ben de hiç kıpırdamadım, onu bekledim. Bir beş dakika sonra aynı işlem yapıldı ve çekirge, ağın ortasındaki delikten içeriye çekildi.

Gördüğüm bir belgesele göre örümcek, yakaladığı avının içine bir sıvı akıtıyormuş ve bu sıvı özümsenebilecek türden olan besini eritip emilmeye hazır hale getirdiğinde de örümcek sıvılaşmış besini emerek içine çekiyormuş. Geriye kalan posayı da yuvasının dışına bir yere bırakıyormuş.

Timur telefon konuşmasını bitirdi, Arif de gittiği yerden döndü ve onlarla konuştum. Kafamdan bir eğitim programı geçiriyordum: Çocuğu doğaya götürme projesi. Doğada olup bitenleri gözlemek ve sonra şu soruları sormak: "Ne oldu?" "Nasıl oldu?", "Ne zaman oldu?" ve "Niçin oldu?"

10 KALIPLANMAK YA DA GELİŞMEK, İŞTE KADER BU!

Ruhu öldürmek, bedeni öldürmekten daha büyük bir cinayettir.

GERHART HAUPTMANN

Yirmi otuz haneli bir köyden geçiyoruz adı Özdemir. Buranın köylerinin evleri oldukça modern. Damları çinkolu, kar tutmasın diye herhalde. Ev ya da apartman gibi bakımlı, boyanmış evler de var.

Karşıdan kamyonlar geliyor; yola mıcır atmışlar. Yolun bazı yerleri yumuşak ve arabayı fırlatabilir; o nedenle Timur daha dikkatli sürüyor.

Artık çoğu yerde ağaç yok, olan yerlerde de bodurlaştı, boyları kısaldı ve türleri farklılaştı. Daha kalın yapraklar göze çarpıyor.

Tepede bir motel var ve bir tabela motelin adını yazıyor; geriden bakıldığında güzel bir görünümü var ve burada kalmayı şahsen isterim. "Kalınacak bir yer" izlenimi veriyor.

Solda on bir on iki yaşlarındaki bir çocuk çobanlık yapıyor, çevresinde on beş on altı kadar inek var. Ormanlık bir alana girdik. Yol kalabalıklaştı, yük taşıyan kamyonlar çoğaldı.

Motelin hizasından geçerken bir köpek arabaya saldırdı ve önüne doğru atlarmış gibi oldu. Timur, köpeği ezerim korkusuyla yavaşladı ve emin olmadığı için durdu. Araba durunca köpek şaşırdı, o da durdu ve daha sonra geri geri gitti. Arif gülerek, "Köpeğin anlam verme sistemi işlemedi; köpek anlam verme sisteminin uyumsuzluğunu görünce hemen davranışını değiştirdi," dedi. Güldük.

Biraz gittik, şimdi Çamiçi'nden geçiyoruz. Güzel bir kahvehanesi var, ağaçların altında. Saat beş buçuğa geliyor ve güneş alçalmış durumda; hoş bir manzara. Sağda kırmızı kiremitli yayla evleri, ormanın içerisine serpiştirilmiş durumda. Hakikaten ismini hak etmiş bir yer Çamiçi.

Birdenbire ağaçlar bitti ve önümüzde bir düzlük var; şimdi bir platoda yol alıyoruz.

Benim için bu yolculuğun en can alıcı konusunu konuşmaya hazırdım ve böyle hissettiğimi onlara da söyledim. İkisi de sustu. Bu sessizlik, beni dinlemeye hazır olduklarının işaretiydi.

D: Şimdi iki aile düşünelim. Bu ailelerden birine "kalıplayan" diğerine de "geliştiren" adını verelim. Bu ailelerin aynı zamanda, aynı cinsiyette, aynı sağlık durumunda, aynı özelliklere sahip çocukları dünyaya gelmiş olsun.

A: Çocukların adı, yetiştikleri ortamı yansıtsın.

D: Tamam! Ne diyelim?

A: Kalıplayan ailede yetişen çocuk ezilecek, onun adına bu çağrışımı vermesi için **Ezgin** diyelim. Geliştiren ailede yetişen çocuk coşkulu olacaktır, onun adına da **Coşkun** diyelim.

D: Bence gayet uygun, senin için de tamam mı Timur?

T: Takip etmesi kolay olur. Evet, şimdi?

D: Şimdi, niyet-bilgi-beceri-eylem-sonuç döngüsünü düzenli bir biçimde uygulayarak bu iki farklı ailede çocukların nasıl yetişeceklerine bakalım.

T: Bu yaklaşımı sevdim, bir mühendislik projesi gibi. Böyle sistematik olan düşünce tarzlarından hoşlanıyorum.

A: Ben mühendis değilim ama açık olan düşünme sistemleri benim de hoşuma gidiyor.

D: *Kalıplayan* ana-babanın niyeti ne olacaktır? Ezgin'i yetiştirirken ana-babanın temel amacı, topluma ters düşmeyen, toplumun beklentilerine uygun bir şekilde çocuk yetiştirmek olacaktır. Ezgin'le her etkileşimlerinde şunları gözden kaçırmamaya sürekli dikkat edeceklerdir.

- Söz dinleyen biri olmalıdır, annesine babasına sormadan, kendi başına bir şey yapmaya kalkmamalıdır,
- Annenin babanın yüzünü kızartacak bir şey söylememeli ve yapmamalıdır,
- Sınıfının birincisi olmalı, okulundan en iyi dereceyle mezun olmalıdır,
- Üniversiteye giriş sınavlarında Türkiye derecesi alarak üniversiteye girmelidir,
- Herkesin saygı duyacağı bir meslek seçmelidir,
- Mesleğinde iyi para kazanan biri olmalıdır,

- Bilinen bir ailenin kızıyla/oğluyla evlenmelidir ve o ailenin parasal olanakları Ezgin'in ailesinden daha aşağı olmamalıdır,
- Evlendikten sonra kendilerine yakın oturmalılar, hem kendisi hem de eşi Ezgin'in ana-babasını sürekli ziyaret etmelidir; ziyaret edemedikleri zaman da sık sık telefonla aramalıdır,
- Toplumun takdirini kazanmış biri olmalıdır.

A: Hocam, benim annemi babamı tarif ettiniz. Böyle bir evladı kim istemez," diye yüzünde bir gülümsemeyle konuştu. Timur ise düşünceliydi.

T: Amerika'da da bu düşüncede olan çok ana-baba var. Bu insanlar çocukları için en iyi şeyleri istediklerine yüzde yüz inanmış durumdalar. Böyle oldukları için çocuklarının da kendilerine minnettar olmasını beklerler. Peki baba devam edelim.

D: Önce Arif'e sorayım. Arif, ailenin bu yaklaşımı sana tuhaf geliyor mu?

A: Hayır, bence toplumumuzda benim tanıyabildiğim anne ve babaların beklentilerini dile getirdiniz.

D: Timur sen Amerika'da da bu yaklaşımı tuhaf bulmayan çok ana-baba olduğunu söyledin. Şimdi bu aile çocuğun doğasıyla, varoluşuyla ilgili ne biliyor?

T: Evet, niyetten bahsettik, şimdi kişiye gelelim.

D: Ana-babaların bildikleri, gelenek görenek kaynaklıdır. Gelenek ve göreneğin dışında çocukla ilgili bilimsel bilgilere ilgileri yoktur. Çocukla ilgili bilgi edinme ihtiyacı duymazlar çünkü onun kendine özgü bir değeri ve anlamı yoktur. Çünkü o ayrı, bağımsız, anlamlı, saygı duyulacak biri olarak yaşamlarında yer almaz.

A: Bir eğitimci olarak dinlediğim zaman önemli bulduğum bir şey söylediniz Doğan Hocam. Bilimsel bilginin de ötesinde çocuğun kim olduğuyla ilgili bir ilgi, çocuğun bir değerinden söz ettiniz.

D: Burada sadece genel olarak çocuktan söz ediyoruz, bunun bir de "özel"i var. Her çocuğun kendine özgü yanları var. Ve asıl en önemlisi ve ana-babanın keşfetmesi gereken de o. Bunun için de bilimi takip etmenin yanı sıra, esas çocuğu takip etmek gerekiyor.

A: Bu, her anne ve babanın ve her eğitimcinin hiç unutmaması gereken bir yön.

D: Bir ana-baba sağlıklı çocuk yetiştirmek için yeri geldikçe hem gelenekten, hem bilimden yararlanmalıdır. Ama hiç unutmaması gereken temel nokta çocuğunun özünü, gönlünü anlaması gerektiğidir. Ana-baba "bir çocuk" yetiştirmiyor, evrende biricikliği olan evladı "Murat"ı, "Belkıs"ı, "Hüseyin"i, "Emine"yi yetiştiriyor. Önemli olan "bu çocuğu" tanımak ve anlamaktır.

Ben konuşurken Arif başıyla onaylıyordu. Sözümü bitirince o konuştu.

A: Gelenek görenek çerçevesinde bilgi sahibi ana-baba, çocukla ilgili ne bilir? Bilgisi, çocuğun yaramaz olduğu, söz dinlemediği ve kendi başına bırakırsan hoşa gitmeyecek bir sürü şey yapacağıdır. Peki, bu bilgi çerçevesinde çocuğuyla nasıl konuşacaktır?

T: Evet, şimdi döngüdeki eylem öğesine geldik.

A: Evet, eylem önemli.

T: Buda'ya atfedilen bir söz vardır: "İyi bir iş, iyi bir düşünceden daha güçlüdür" der.

D: Unutmayalım, niyet ne olursa olsun, elde edilen sonucu belirleyen, yapılan eylemdir. Bu eylem bir hareket, davranış, konuşma, yüz ifadesi, ses tonu, bakış ya da dokunuş şeklinde olabilir. "Orayı karıştırma!", "Onu elleme, bırak!", "Evladım dokunma, kırarsın!", "Koşma düşersin!", "Yemeğini bitir!" Gelenek göreneğe bağlı bilginin ürettiği ana-baba eylemleri böyle olur.

A: Hocam, kalıplayan ortamda ana-babayı yönlendiren temel pusula ne olur?

D: Onları sürekli yönlendiren temel pusula, "söz dinleyen" bir çocuk yetiştirme niyetidir.

A: Neden çocuğun sürekli söz dinlemesini isterler?

D: Çünkü çocuk doğrusunu bilmez ama onlar –yani anne, baba, büyükler– bilirler. Önemli bir başka neden de, kalıplayan korku kültüründe en temel değer "güç" olduğu için, büyükler çocuklarıyla ilişkilerinde hep kendilerini güçlü hissetmek isterler. Bu ilişkide güçlü güçsüz kişiler vardır.

Konuşan ↔ söz dinleyen

Yöneten ↔ yönetilen

Nasihat eden ↔ edilen

Bu kültürün anlam verme sistemi içinde insan ilişkilerinde doğrusu budur ve ana-babalar çocuklarını sevdikleri için, onların doğru davranışları öğrenmesini isterler.

Böylece çocuğun önüne, çocuğa sormadan bir miktar yemek koyarlar. Örneğin dört köfte koymuş olsunlar.

Varsayalım ki çocuk iki köfte yedi ve, "Ben doydum," dedi. Ana-babanın gözünde çocuğun, "Ben doydum," demesinin hiçbir değeri var mı?

T: Bize mi soruyorsun?

D: Yok öyle ortaya soruyorum ama isterseniz size sormuş olayım.

T: Bu ailede yok, çünkü onlar çocuğun kendisinin bir şeyler bilebileceğini kabul edemezler. Çocuk bilmez, ana-baba bilir.

Arif'e baktım, Timur'un dediğine katıldığını belirten bir ifade vardı yüzünde.

D: Evet, çocuğun, "Ben doydum," demesinin bu ana-baba için gerçekten hiçbir anlamı yoktur. O nedenle rahatlıkla, "Hayır doymadın, iki köfteyle doyulmaz. Haydi ye, tabağındaki köfteleri bitir," derler.

Çocuk doyduğunda ısrar eder, ana-baba ise doymadığında. Çocuk yememekte direnirse, ona dayak bile atabilirler. Eninde sonunda "otoritenin" dediği olur, çocuğa zorla iki köfte daha yedirilir.

A: Annenin okumuş ya da okumamış olması da pek fark etmiyor; üniversite mezunu birçok annenin böyle yaptığını gördüm.

D: Bilmeden çocuklarımıza kötülük ediyoruz. Ülkemin çocuklarına yazık oluyor. Emin ol, şu an bunu anlatırken bile içim parçalanıyor. Çünkü mevcut gelişim psikolojisi bilgim çerçevesinde, bağırta bağırta, istemeye istemeye çocuğa zorla yemek yedirme davranışı, gerçekten bir terörist davranışıdır.

A: Evimizde?

D: Evet, evimizde! Gerçek teröristler, bizi korkuyla terbiye eden ana-babalardır.

T: Vay be! Baba sen bayağı öfkelisin! Gerçekten ana-babalara terörist demek istiyor musun?

D: Çocuğunun iradesini kırarak, doyduğunu söylediği halde, ona zorla yemek yediren, onun onurunu inciten, özünü yaralayan ana-babalara terörist demek geliyor içimden.

A: Ama niyetleri çocuğa zarar vermek değil ki? Niyetleri çocuklarını korumak, onları iyi yetiştirmek.

D: Ben onların niyetine değil, davranışlarına bakarak terörist diyorum. Zaten biraz önce sen söyledin, niyet-bilgi-beceri-eylem-sonuç döngüsünde, sonucu esas etkileyen eylemdir.

T: Peki, ne oluyor? Yani bu durum çocuğu nasıl etkiliyor?

D: Şimdi Timur, bu iletişim ortamını çocuğun gelişimi yönünden irdeleyelim. İletişim ortamında iki grup gereksinme olduğunu söylemiştik, toplumsal ve bireysel psikolojik gereksinmeler. Toplumsal gereksinmeler yoğun olarak var ve ana-baba çocuğa bu beklentileri güçlü olarak hissettiriyor. Biraz önce sıraladığımız, ana-babanın çocukla ilgili niyetleri, beklentileri, toplumun beklentileri olarak çocuğa aktarılıyor.

A: Söz dinleyen, yüz kızartacak bir şey yapmayan, okulunda başarılı, mesleğinde başarılı, insanların takdirini kazanmış bir evlat.

D: Evet, evet. Bunlar çocuktan beklenenler ve o da zaman içinde yavaş yavaş bu beklentilerin farkına varıyor.

T: Bireysel psikolojik gereksinmelere ne oluyor?

D: Hatırlayacağınız gibi bu bireysel psikolojik gereksinmelere "can gereksinmeleri" demiştim. Daha önce söylediğim gibi can gereksinmelerinin karşılanmasına bağlı olarak çocuk sağlıklı olarak gelişecek ya da sağlıksız olarak kalıplanacaktır.

T: Baba, can gereksinmelerini hatırlıyorum. Bu can gereksinmelerini bir gözden geçirsek ve şu dört köfte yemeye zorlanan çocuğun durumunda bu can gereksinmelerine ne oluyor irdelesek?

D: Tamam, irdeleyelim. İlk can gereksinmesi *ait olma-birey olma dengesi*dir. Anlattığımız köfte yedirme durumunda "ait olma baskın" bir durum var; çocuk kendi sesini duyuramıyor. Bilimsel gerçek şu ki, yemek yerken doymaya yaklaşınca çocuğun sinir sistemi ona içten içe, "sen doydun" mesajını veriyor. Bu mesaj aslında her memeli hayvanda var. Kedi, köpek, maymun, fare, bütün hayvanlar ne zaman aç, ne zaman tok olduklarını hissederler. Bir çocuk da ne zaman çişi, ne zaman uykusu geldiğini ve doğal olarak ne zaman doyduğunu bilir.

Şimdi, "Doydum," diyen bir çocuğa, "Hayır doymadın," denildiği zaman, çok önemli ve çok zararlı bir şey söylenmiş, olumsuz bir mesaj verilmiş oluyor.

T: Bu çocuğa hangi mesajlar verilmiş oluyor?

D: İlk mesaj: "Sen kendi başına karar veremezsin, için ne derse desin, biz doğrusunu biliriz ve sen bizim dediğimizi yapmak zorundasın! Sen bize aitsin."

A: Evet, bu ilk mesaj ve böylece ait olma-birey olma dengesi kaybolmuş oluyor.

Timur dayanamadı, sözü benden aldı.

T: Ama en önemlisi ve bence en zararlısı çocuk, "İçinden gelen mesajlara inanma, onları duymamayı öğren, güçlünün dediğini yap, böyle yaşanır, doğrusu budur," anlam verme sistemini de öğreniyor. Böylece ben, şimdi anlıyorum, çocuk böyle bir ortamda nasıl güçlü bir şekilde çaresiz, aciz olmayı öğreniyor.

D: Canın ikinci gereksinmesi, umursanma, kaale alınma, önemsenme. Burada çocuk...

T: Yine sözünü kesiyorum ama bu, ana-babaların terörist gibi davrandığı konusundaki gözlemine bir kanıt yani teröristler nasıl halkı çaresiz ve şaşkın ortada bırakırlarsa, ana-baba da çocuğu çaresiz bırakıyor.

D: Evet Timur, katılıyorum. Devam ediyorum, canın ikinci gereksinmesi, dikkate alınma, önemsenme. Ana-baba burada hem önemsiyor hem de önemsemiyor, iki mesaj birden veriyorlar.

T: Aynı anda hem önemsiyor, hem de önemsemiyor. Anlayamadım bu nasıl oluyor? Bu benim şu anda hem konuşuyor hem de susuyor olmam gibi bir şey.

D: "Haydi ye, tabağındaki köfteni bitireceksin," dediklerinde çocuğun bedensel sağlığını ve onunla olan "güçlü-güçsüz" ilişkilerini önemsiyorlar. Çocuk bu mesajı alıyor. Ama çocuğun özünü, onun kendi yaşamı hakkında karar verme, seçim yapma özgürlüğünü, düşünme ve değerlendirme yetisini, bedeninin ona verdiği "doydun" iletisini anlama ve değerlendirme hakkını önemsemiyorlar. Oysa gerçek şu ki, yaşamın anlamı, kişinin özünde oluşur. O özü yok sayarsan, aslında o kişiyi yok saymış olursun. Kalıplayan korku kültüründe yalnız ana-baba değil, genel olarak çocuğun çevresindeki yetişkinler de benzer davranır ve aynı mesajı verir.

A: Büyükanne, büyükbaba, amca, hala, teyze, dayı... ve bir süre sonra gittiği okuldaki öğretmenler.

D: Evet, çocuğun çevresinde, onun yaşamını etkileyebilecek güçlü yetişkinler, bu küçük insanın özünü yok saya saya, zamanla, ne yazık ki kendisi de, özünü yok saymaya başlar.

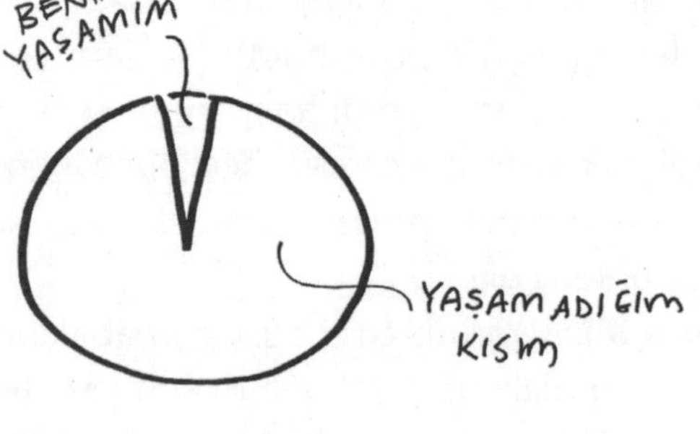

T: Marketteki yaşlı kadın gibi.[1]

D: Korku kültüründeki ana-babaların niyet listesine bir göz atın. O listede bu çocuğun kendisine bırakılmış bir seçim, onun canının önemsendiği bir ifade bulamazsınız. Bütün niyet, otoriteyi, gücü elinde bulunduran yetişkinlerin beklentilerine uygun olarak çocuğu kalıplamaktır.

A: Yani çocuğa kendi hayatıyla ilgili bir seçim yapma sorumluluğu bırakılmış değil. Eğitim yönünden bu önemli ve acı.

T: Daha önce kişinin kendi sorumluluğundan ve ortamın hesap sorma sorumluluğundan söz etmiştik. Bu tür çocuk yetiştirme durumunda, kişinin kendi sorumluluk duygusu gelişemiyor. O zaman bireyin davranışından sadece ortamın hesap sorma sorumluluğu kalıyor. Ve yaşlı kadın markette polis, jandarma ya da başka türlü bir ceza uygulayacak kişi olmadığı için tamamen kendi bencil isteği doğrultusunda sorumsuzca davranabiliyor.

Peki, geliştiren aile ortamında çocuk nasıl yetişiyor? Şimdi baba, biraz ondan bahsedebilir miyiz?

Tam konuşacaktım, baktım Niksar'a giriyoruz. Tabela, 45 bin nüfusu olduğunu gösteriyor. Hamidiye köprüsü üzerinden geçiyoruz. Uzun bir köprü, traktörler karşılıklı geliyor gidiyor. Onlardan birini geçtik. Yeşil bir vadi. Sulu tarım yapılıyor, yolun sağındaki solundaki tarlaların hepsi ekili, yemyeşil. Güzel bir yoldan gidiyoruz, yolun sağına soluna çamlar dikilmiş. Hoş bir havası var.

Kendimizi, biraz manzarayı seyretmeye verdik. Şimdi D750 numaralı karayoluna ulaştık. Bu yol, Erzincan'dan Amasya'ya ve oradan Samsun'a kadar gidiyor. Güzel yapılmış; çift yönlü ve kaliteli bir yol, işaretler ve her şeyi yerli yerinde.

Tepeden aşağı doğru iniyoruz. Sağda Niksar Ovası. Güneş batıya yönelmiş, yolumuzun karşısında biraz sol tarafımızda ışıldı-

(1) Bkz. s. 134.

yor. Önümüzde, İran'dan gelen Tehran plakalı bir TIR gidiyor. İran'ı Avrupa'ya bağlayan yol üzerindeyiz.

TIR'ı geçtik, sağda bir tuğla fabrikası var. 'Iğdırlı Petrol Hayırlı Yolculuklar Diler' levhası sağımızda kaldı. Tarlaların arkasında dağlar ve dağların tepelerinde de bulutlar var. Yolculuğumuz devam ediyor.

Timur her zamanki titizliğiyle, konuştuğumuz konuyu hatırlattı.

T: Geliştiren aile ortamında çocuk nasıl yetişiyor? Şimdi ondan söz edebilir miyiz?

D: Tamam Timur. Geliştiren ailenin çocuğunun adı Coşkun'du. Geliştiren ana-babanın niyeti, Coşkun'un varoluşu hakkındaki bilgisiyle uyum içinde olacaktır. Her şeyden önce geliştiren ana-baba iki şeyin bilincinde olacaktır: Coşkun muhteşem bir potansiyel ve Coşkun biricik, kendine özgüdür. Coşkun biricikliği içinde nasıl gelişebilir, olabileceğinin en iyisi nasıl olabilir? Tüm düşünceleri, çabaları o yönde, o amaca yönelik olacaktır.

T: Tamam, Coşkun'un olabileceğinin en iyisini olmasına olanak sağlamak isteyeceklerdir ama temel niyetleri nedir? Yani neden onun olabileceğinin en iyisini olmasını istiyorlar?

A: Bir eğitimcinin sorması gereken önemli bir soru.

D: Coşkun'un anne ve babasının bütün davranışlarının temelinde çocuğun mutlu olması isteği vardır. Geliştiren ana-baba için çocuğun mutlu bir yaşam sürmesi önemlidir. O zaman soru şu: Bir insan ne zaman mutludur? İnsanın mutlu olmasının koşulları nelerdir?

Bir insan, özünü gerçekleştirdiği zaman mutlu olur. O öz yaratıcıdır. O öz üreticidir. O öz paylaşımcıdır. O öz candır. Bir insan, özünü gerçekleştirdiği, yaratıcı, üretici ve paylaşımcı olduğu zaman, onun yaşamı anlamlı ve coşkulu olur.

T: Baba, kalıplayan bir ortamın ana-babası şu an seni dinliyor olsa, içlerinden senin gerçekçi olmadığını düşüneceklerdir. Çünkü şimdiye kadar söylediklerinde çocuğun meslek yaşamına, para kazanmasına önem veren hiçbir şey söylemedin.

D: Timur, geliştiren ana-baba için çocuğun en önemli başarısı yaşam başarısıdır. Diğer başarılar...

T: Baba, diğer başarılara geçmeden önce çocuğun karnını bir doyursak.

A: Timur, yaşam başarısının ne anlama geldiğini biliyor musun?

T: Kendime göre bir fikrim var ama babamın hangi anlamda kullandığını bilmiyorum.

A: İstersen yaşam başarısının ne olduğunu duyduktan sonra çocuğun karnını doyurmaya, meslek yaşamına geçelim.

D: Timur, yaşam başarısı, kendi başına bir kitap konusu. Ama şöyle özetlemek istiyorum.

Bir süre durdum, düşündüm, söyleyeceğim şeyin öneminin farkındaydım ama nasıl? Nasıl söyleyeceğimden pek emin değildim. Sonra devam ettim.

D: Biliyorsunuz, biz de her canlı gibi bir gün öleceğiz. Bakın, temel bir konuya götürdünüz beni. Bunu ilk defa düşünüyor ve sizlerle paylaşıyorum. Şu anda kim olduğunuzun farkındasınız, değil mi?

Arif ve Timur birbirine baktı, cevap vermeye bile gerek görmediler.

D: Şu anda nerede, günün hangi zamanında olduğumuzu ve nereye gittiğimizi biliyoruz. Peki, size şöyle bir soru sorsam, desem ki, şu anda beni ne kadar dinliyorsunuz? Size bir ölçek vereceğim: 0 hiç ilgilenmiyorum; 10 çok ilgileniyorum; 5 şöyle böyle ilgileniyorum. Kaç verirsiniz?

T: 10 veririm. Zaten soruyu da ben sormuştum.

A: Ben de 10 veririm.

D: O zaman siz, yüzde yüz buradasınız, konuşulan konuya kendinizi tamamıyla vermiş durumdasınız. Peki, yaşamınızda hiç ilgilenmediğiniz halde bir ortamda bulunmak ve söylenenleri dinlemek durumunda kaldınız mı?

A: Çoook. Bürokratik ortamlardaki toplantıların çoğunda bedenim oradadır, kafam başka yerde.

T: Bende de öyle.

D: İşte, insan yaşamının ilginç bir muhasebesi vardır. Yaşamın sonunda bütün bu durumları özetler ve şu soruyu sorabilirsiniz: Bu yaşamda ben ne kadar vardım? Bu benim yaşamım mıydı? Ben, ben olarak yaşadım mı? Ömrümüzün sonlarına doğru içimizde bir yanımız, mutlaka bu soruyu sorar. Ve cevabını da bilir.

Bu soruya kabaca iki şekilde cevap verebiliriz: İlki hayır, ben yaşamadım; bu benim yaşamım değildi biçiminde bir cevaptır. Benden beklendiği gibi yaşadım. Çocukken doya doya oynayamadım, haydi dersini yap, ödevini yap dediler; doyduğum halde zorla yemek yedirdiler; doya doya koşamadım, koşma düşersin dediler; mesleğimi, evleneceğim kişiyi, evlendikten sonra nerede oturacağımı, çocuğumun ismini kendim seçemedim. Benden beklenenleri yaptım. Ve şimdi ölüyorum.

İkincisi evet, bu benim yaşamımdı biçiminde bir cevaptır. Onu tribünlerden seyretmedim, sahadaydım. Karlı, yağmurlu çamurlu günlerde, sıcakta, toz toprakta sahadaydım. Hata yaptım, öğrendim. Sevdim, sevildim, mutlu oldum; acı çektim. Yenildim, zayıf yönlerimi görmek zor geldi, mücadele ederek başarı kazanmak coşku verdi. Kendi ayaklarımın üstünde yürüdüm ve bu yolculuk gerçekti, benim yolculuğumdu. Bu yolculukta ben vardım.

Timur ve Arif sessizliğe gömüldüler. Bir süre sessiz kaldık.

Erbaa'dan geçiyoruz. Sağımız solumuz tuğla fabrikası dolu. Yolun sağındaki ve solundaki şeritler toprak, kamyon ve otobüs birbirini geçerken toz toprak çıkarıyor. Timur önümüzdeki otobüsü geçecekti, fakat karşıdan dumanlar çıkararak bir motosiklet geldiği için yavaşladı ve otobüsün arkasına geçti, motosiklet geçince otobüsü solladı ve geçti. Artık Erbaa'dan çıkıyoruz. Öyle görünüyor ki bu civarda tuğla üretimi ve nakliyatçılık çok ilerlemiş durumda.

Kaldığım yerden konuşmama devam ettim.

D: Yaşam başarısı, "Bu benim yaşamım" diyebilmektir ve okul başarısı, meslek başarısı, evlilik başarısı, anlamını yaşam başarısı şemsiyesi altında bulur. İşte Coşkun'un ana-babası çocuklarının yaşam başarısını hedeflerler, temel niyetleri budur.

T: Ben hâlâ sorumun cevabını almadım. Bu çocuğun karnını doyurması, meslek başarısı hiç önemsenmiyor mu?

D: Coşkun'un ana-babası gerçekçi insanlar, onların anlam verme sistemlerinin gerçekle uyumu yüksek. Çocuğun karnının doyması önemli. Coşkun'un mesleğinde başarılı olması önemli. Anne-baba bunları önemser, onun güçlü olmasını tabii ki isterler. Ama nasıl bir yol izlerler? Biraz sonra ondan söz edeceğim.

Erbaa'dan çıktıktan 5-6 kilometre sonra, ileride bir toz duman gördük. Yanına gidince anladık ki bir traktör, yolun sağındaki toprak kısımdan gidiyor. Üzerine inşaat malzemeleri yüklemiş ve demirlerin uçları hem arkadan hem de yanlardan bir veya bir buçuk metre dışarıya sarkıyor. Uyarı anlamında hiçbir işaret de konmamış. Gündüz bile bu toz duman tehlikeli bir durum yaratıyor; eğer gece olsaydı daha da tehlikeli olurdu. Ardından bir başka traktör, arkasına, 3,5-4 m'lik, toprağı delmek için bir burgu takmış, onda da hiçbir emniyet işareti yok. Özellikle gece, kazaya neden olabilir.

Bütün bu gördüklerimiz, "Allah'ın izniyle hiçbir şey olmaz" anlam verme sistemi içinde olan bir toplumun yansımalarıydı. "Kader yazmışsa olur", "vadesi gelmişse ölür" anlayışının göstergesi durumlardı. İlk konuşan yine Timur oldu.

T: Peki, meslek başarısının yanıtını almayı biraz erteleyip şu soruyu sorayım: Geliştiren ana-baba, Coşkun'u yaşam başarısı için nasıl yetiştirecek? Şimdi ona bir örnek verebilir misin?

D: Coşkun'un annesi ve babası nelerin farkındadır, bir bakalım. Onun muhteşem bir donanıma sahip olduğunun bilincindedir ve bu donanıma saygıları vardır. İkinci olarak çocuğun dünyayı keşfetme isteğinin, yani onun getirdiği "yazılımın" ayrıca, hem toplumsal hem de bireysel can gereksinmelerinin de farkındadır. Çocuk yetiştirirken dikkat edilmesi gereken temel konu, çocuğun canını, onun yaşamının etkin bir parçası halinde tutmaya özen göstermektir.

Arif eğitimci olarak örneklerle ilgili açıklamalardan hoşlandığını bir kez daha hatırlattı: "Örneğin şu dört köfte konusunda onlar nasıl davranır?" diye sordu.

Bu yaklaşım Timur'un da hoşuna gitti, o da, "Evet, şu dört köfte konusunda onları karşılaştıralım," diye ilave etti.

D: Diyelim yemek vakti geldi, masaya birlikte oturdular.

A: Ama kalıplayan ailede, birlikte masaya oturdular, dememiştiniz.

D: Geliştiren aile, kendi ailelerine yön veren temel değerleri hem yaşar, hem de çocuğun yaşanan bu değerlerin bir parçası olmasına özen gösterir.

A: Kalıplayan ailede değerler?...

D: Kalıplayan ailede değerlere verilen anlamın uygulanıp uygulanmaması otoritenin yorumuna ve keyfine bağlıdır. O nedenle korku kültürü içinde yaşayan aile üyeleri yaptıklarını değerlere uymak için değil, otoriteden korktukları için yaparlar. Otorite pozisyonundaki baba veya herhangi bir kişi aileyi korkuyla yönettiği için değerler bilincini geliştirmek onun için önemli değildir. Böyle bir aile yemek yerken çocuk bir köşede oynayabilir ya da zorla, bağırta bağırta sofraya oturtulabilir veya otorite uygun görüyorsa daha önce ya da sonra çocuğa tek başına yemek yedirilebilir.

Geliştiren ailede yemeği birlikte yemek önemlidir; çünkü ailenin bütünlüğü,"biz bilinci" bir değerdir ve bu değer aile içinde yaşatılıp korunur. Üç yaşındaki çocuk banyoda elini yıkarken dikkatini başka bir şeye vermiş olsa ve yemeğe katılmaya geç kalsa bile, yemekteki herkes onu bekler ve yemeğe, aile tamamlan-

dıktan sonra başlanır. Korku baskın ailede, yalnız ailenin korkulan "büyüğü" beklenirken, sevgi baskın geliştiren ailede "herkes" beklenir; küçük çocuk da dahil. Ailenin vazgeçilmez değerli bir parçası olduğunu çocuk bu şekilde sofrada yaşayarak öğrenir.

A: Böylece çocuk ait olma duygusunu aldığı gibi aynı zamanda bir birey olarak da değerli olduğunu hisseder. Yalnız aklıma takılan bir soru var: Kalıplayan ailede değerler yok mu? Değerler bilinci yalnız geliştiren ailede mi var?

T: Evet, bu benim de aklımda olan bir soru. Değerler sadece geliştiren ana-babanın bilincinde mi var?

D: Kalıplayan korku kültüründe de değerler var ama bunların hepsinin kaynağı otoriteye bağlı yüz değerleridir.

T: Yüz değerleri?...

A: Hatırla Timur, insanın toplumsal yönüne "yüz," bireysel yönüne "can" demiştik.

D: Evet, bu nedenle "yüz değerleri" insanların hep "nasıl göründüğü"ne onlar arasındaki ilişkilerin güç yönüne, yani kim güçlü, kim güçsüze ilişkindir.

T: Örnek verebilir misin baba?

D: Evet, ama önce bir açıklama yapayım. Kalıplayan korku kültüründe insan yoktur, ilişki içinde "güçlü" ya da "güçsüz" insan vardır. Ve bir paranın iki yüzü gibi ilişkinin türüne göre bunlar birbiriyle ilişkili ama farklı görünümdedir.

T: Evet, örnekle daha iyi anlıyorum.

D: Kalıplayan korku kültürünü yaşayan ailede, güçsüz insanın kendisini şöyle görmesi istenir: "Ben güçsüzüm", "Ben acizim, elimden iş gelmez", "Birisinin beni yönetmesi gerekir, sormadan kendi başıma iş yapmamalıyım", "Güçlüye itaat etmeliyim; itaat en büyük erdemdir", "Ben bilmem, o nedenle yaptığımdan ben sorumlu değilim, bana yaptıran sorumlu."

Bu güçsüz insanın anlam verme sistemine "sen bilinci anlam sistemi", değerlerine de "sen bilinci değerleri" diyorum.

T: Bütün bunlar, sorularımın cevabını da veriyor aslında. Etraf niye pis? Esnaf niye bir şey yapmıyor? Herhalde bunlara daha sonra değineceğiz.

D: Tabii, ileride değineceğiz. Şimdi, "kalıplayan, korku baskın aile"de güçlü insanın değerlerinden bazılarını sayayım. Bu tür ailede güçlü insanı, güçsüz olduğuna inandığı diğerleriyle ilişkisine bakalım:

Güçsüz, "Ben değersizim" derken, güçlü, "En değerli benim, benden daha değerli hiç kimse yok" diye düşünür. Güçsüz, "Ben acizim, elimden iş gelmez" diye düşünürken güçlü, "Bilmediğim, yapamadığım hiçbir şey yok, her şeyi bilirim, her şeyi yaparım" diye düşünür. Güçsüz, "Birinin beni yönetmesi gerekir, sormadan kendi başıma iş yapmamalıyım" derken, güçlü, "İstediğimi yaparım, kimseye danışmaya, sormaya gerek duymam" diye düşünür. Güçsüz, "Güçlüye itaat etmeliyim, itaat en büyük erdemdir" derken, güçlü, "Güçsüze emretmeliyim, güçsüzü yönetmeliyim, 'at binicisine göre kişner'" der. Güçsüz, "Ben bilmem, o nedenle yaptığımdan ben sorumlu değilim, bana yaptıran sorumlu" derken, güçlü, "Kimseye hesap vermek zorunda değilim" der. Gördüğün gibi kalıplayan korku ortamında güçlü-güçsüz, "sen-ben" ilişkisi, el ile eldiven ilişkisi gibi birbiriyle uyumludur.

Timur önemli bir gözlem yaptı.

T: Ama bütün düzen, güçlünün yaşamına, anlayışına göre kurulmuştur.

Arif deneyimli bir eğitimcinin tavrını sergiledi.

A: Kalıplayan ailede köfte yemek zorunda bırakılan çocuğun yukarıda söylediğin değerler ortamında nasıl bir durumda olduğu görülebilir. Bu köfte yeme, aslında çocuğa bir dayatma oluyor. "Sen değersizsin, acizsin; birinin seni yönetmesi gerekir; söz tut, itaat et; senin hayatından sen değil, biz otoriteler sorumluyuz." Bunların hepsi var bu köfte yedirme etkileşiminde.

T: Şimdi bu köfte yeme durumu, geliştiren aile ortamında nasıl ele alınır, onu merak ediyorum, ona dönebilir miyiz?

A: Ama önce geliştiren aile ortamının değerlerini bilsek?... Çünkü aile içindeki her davranış bu değerlerin bir yansıması oluyor.

D: Geliştiren ailede yaşayan ilk değer, hep birlikte yemek yemekte ısrar etmelerinden de anlaşılacağı üzere biz bilincidir. Bu işbirliğini, takım ruhunu, birlikte iş yapma ve zaman geçirmeyi, yardımlaşmayı içeren geniş bir yelpazedir.

T: Bu, şu anlama da geliyor mu: Anne ve baba çocuklarıyla zaman geçirmeye, onlarla gezmeye, çocukların oyunlarına, okul etkinliklerine katılmaya önem veriyor?

D: Evet, tabii o anlama da geliyor.

A: Timur bu söylediğin önemli, bazen çocuğun okul etkinliklerine anne ve babalar katılmıyor.

T: Herhalde babalar daha az katılıyordur.

A: Doğru, nasıl tahmin ettin?

T: Daha önce babamla konuşmalarımdan anladığım o ki, Türkiye'de babalar çocuk yetiştirme işini daha ziyade annelerin görevi olarak görüyor.

A: Evet, öyle.

D: Tamam mı Timur, geliştiren ailedeki diğer değerlere geçebilir miyim?

T: Tamam baba.

D: Geliştiren ailede önemle üzerinde durulan temel değerlerden biri de gerçeğe saygıdır. Gerçeğe saygının değer olarak önemsenmesi insanların davranışına iki temel şekilde yansır: Bir, verilerle konuşmaya özen gösterirler. Verilerle, kanıtlarla konuşmak böyle bir ailenin geleneği haline gelir. İki, her insanın kendi gerçeğini olduğu gibi yansıtmasına bu ailede izin vardır. Bu, "her insanın anlam verme sistemine saygı gösterilir" gerçeğinin bir başka türlü söylenişidir.

T: Yani çocuk doydum dediğinde, bu söylediğiyle kendi gerçeğini ifade ediyor diyerek, onun söylediğini dikkate alma, bu değerin varlığına bir örnek olarak verilebilir mi?

D: Evet. Çocuk kendi iç dünyasının gerçeğinin önemsenip dikkate alınmasıyla kendine değer verildiğini anlar.

A: "Ben değerliyim!" duygusu çocukta böyle oluşur.

D: Geliştiren ailede, Coşkun'un annesi ve babası onun empati ve hakkaniyet değerlerini kazanmasını da isterler.

T: Empati, karşıdakinin gözüyle değerlendirmek, konuşulan olaya ya da soruna onun zemininden bakmak, halden anlamak demek; doğru hatırlıyorum, değil mi? Yani köfte yeme olayını örnek alırsak, olayı çocuğun gözüyle görerek, onu zorlamama durumu.

A: Süpermarketteki yaşlı bayan kasada çalışan kadını zor duruma düşürmüş ve diğer müşterilerin hakkını yediğine hiç aldırış etmemişti ama uçakta 25C'de oturan adam[1] bu değerlere önem veriyordu.

D: Teşekkür ederim, bu değerleri temsil eden güçlü örnekler verdiniz. Geliştiren ailede önemli bir başka değer, yaşam kalite-

---

(1) Bkz. s. 137.

sidir. Bu dört yaşam alanını incelerken gördüğümüz bilgi, varoluş, eylem, estetik alanlarından estetiğe de bu ailede önem verilir. Çocukların sanatla, müzikle, sporla uğraşmaları teşvik edilir. Zaten ailedeki büyüklerin de güzel sanatlara bir ilgisi vardır.

T: Baba, buradan şöyle bir anlam çıkabilir: "Korku kültüründe sanat yoktur ve onlar çocuklarını eğitirken sanata önem verilmez."

D: Böyle bir sonuç çıkarmak yanlış olur, çünkü korku kültürünün de kendine özgü bir estetik anlayışı vardır ve korku kültürü de kendi sanat anlayışını kuşaktan kuşağa aktarır. Kalıplayan aile yüz değerlerine önem verdiğine göre, esasında görünüşe, "Elâlem ne der?"e göre geliştirilmiş bir sanata mutlaka yaşamlarında yer verecekler ve bu sanatı herkesin öğrenmesi ve sevmesi konusunda ısrar edeceklerdir. Bu çerçevede şunu da söyleyebiliriz; kalıplayan ailede temizliğe ilgi olabilir, anne ya da baba, "Buraya çöp atma," diyebilir. Kalıplayan korku kültürünün aile ortamında otorite durumunda olan kişi bunu dediği zaman çocuğa temizliği bir değer olarak öğretmek ve kendisinin ve çevresinin temizliğinden sorumluluk almayı öğretmek niyetinde değildir. Onun niyeti nedir? Onun niyeti, kendisine itaat etmeyi öğretmektir. Ve temizlik bir değer olarak değil, uyulacak bir kural, diğerlerine gösteriş için bir kalıp olarak öğretilir. O nedenle bir anne ya da baba çocuğuna sırf, "çöp atma" diyor diye, onlara geliştiren aile diyemeyiz.

T: Çocuğuna çöp atma derken kendisi etrafı kirletebilir mi?

D: İşte korku ve saygı kültürleri arasındaki en önemli fark budur. Korku kültüründe otorite keyfi davranır. Herkesin uyması gereken kurala o uymayabilir. Saygı kültüründe güçlü de diğerleri gibi kurallara uymaktan sorumludur. Gerçekten değerler bilinci içinde yetişmiş insanların yaptığı yolların, parkların, oturulan yerlerin temizliği, bakımlı ve güzel olması yaşam kalitesinin bir parçası. Böyle ortamda yetişen çocuk kendiliğinden, ileride içinde yaşayacağı kentin, sokağın, parkın ve evin bakımı ve kalitesiyle ilgilenir. Geliştiren ailede bir başka önemli değer, kendini geliştirmektir.

Bir eğitimci olarak bu konu Arif'in dikkatini çekti.

A: Kendini geliştirmenin ailede yaşayan bir değer olduğu nasıl anlaşılır?

D: Kendini geliştirme derken özün, canın gelişmesinden söz ettiğimi anlıyorsunuz, değil mi? Bu ailede kitap okunur, konferanslara, seminerlere gidilir, sözü sohbeti dinlenen insanlar eve davet edilir. Kültürel ve tarihi zenginlikler için geziler organize edilir. Hiçbir çıkar hesabı yapılmadan, bunun bize ne yararı olacak diye düşünülmeden felsefe konularına ilgi duyulur ve konuşulur. Yani kişinin kendi gelişmesine önem verdiğini çocuk annesinden, babasından, ailedeki diğer insanlardan görür.

A: "Çocuk, duyduğunu değil, gördüğünü yapar," diye bir söz vardır.

D: Evet Arif'çiğim, çocuk, duyduğunu değil, gördüğünü yapar ve o nedenle "çocuk ailenin aynasıdır." Şimdi devam edelim. Geliştiren aileyle ilgili söyleyebileceğim en önemli değerlerden biri de sorumluluk duygusudur.

A: Bu değer ailenin yaşamına nasıl yansır?

D: Temel felsefe olarak ailede herkes şu yaşam felsefesini kabul etmiştir: Yaşam küçük ya da büyük, sürekli olarak yaptığımız seçimlerden oluşur. Yaptığımız seçimlerin bilincinde olmamız ve bu seçimlerin sonucundan kendimizi sorumlu tutmamız gerçekçi bir insan olmanın gereğidir.

Bu ailede Coşkun ne yiyeceğinden, ne kadar yiyeceğinden, yaptığı ve yapmadığı davranışlardan sorumludur ve her bir davranışıyla ilgili anlamlı bir açıklama yapmaya hazırdır.

T: Baba, şöyle bir düşünecek olursan, şu yaşamda gerçekten anlamı olan yegâne değerlendirme, aslında, kişinin kendi içinde kendini değerlendirmesidir.

Sen 25C'nin öyküsünü anlatınca, bunun daha çok farkına vardım. Ve düşündüm, bir çocuk büyürken yakın çevresinde 25C'deki gibi bir yetişkin olsa o kendine saygısını kaybetmemeye özen gösteren biri olarak yetişir.

A: Bu da bir korku değil mi?

T: Evet ama kendine saygısını kaybetmekten kaynaklanan korku ile babam dayak atacak ya da harçlığımı kesecek farklı korkulardır. Biri kişinin kendi içinden kaynaklanır, çevreye bağımlı değildir, öbürü dış kaynaklıdır.

D: Köfte meselesine gelince. . .

Timur ve Arif gülmeye başladı. Sonra Timur sahte bir ciddiyetle bana dönerek, "Evet baba, ıvır zıvır konuları konuşmayı bırakalım ve köfte meselesine geri dönelim, değil mi?" dedi. Hepimiz güldük. Devam ettim.

D: Her şeyden önce çocuk, aileyle birlikte yemek yer. O ailenin bir yemek yeme tarzı var ise, ondan da aynı şey beklenir. Örneğin, yemekten önce el yıkamak gerekiyor ise, onun da elini yıkaması beklenir. Yemeğe başlamadan önce aile birbirine "Afiyet olsun" diyorsa, onun da söylemesi beklenir. O, ailenin bir parçasıdır.

T: Tabağına ne kadar yemek konacağında çocuk söz sahibi midir?

D: Eğer ailenin diğer üyeleri söz sahibi ise, tabii o da tabağına ne konacağı ve ne kadar konacağı konusunda söz sahibidir.

T: Diyelim çocuk dört köfte koydurttu tabağına ve ikisini yedi ve doydum, dedi.

D: Daha önce söylediğim gibi, ailedeki gerçeğe saygı değeri, çocuğun "doydum" sözüne ve doygunluk hissine önem verilmesini gerektirir. Bu çocuk, kendi yaşamı hakkında karar vermeyi öğrenme süreci içindedir. Neyi ne kadar yiyeceği konusunda mutlaka söz sahibi olmalıdır.

A: Zaten sorumluk duygusunun gelişmesi için bu gerekir. Aklıma bir soru geldi: Diyelim ki, çocuk hiç köfte yemeden dondurma yemek istiyor. O zaman o dondurma istedi diye geliştiren aile ona dondurma mı verecek?

D: Bu ailede büyükler, çocuğu, onun yaşamıyla ilgili kararların bir parçası yapmaya özen gösterirler, söz sahibi olmasını isterler derken, yalnız çocuk karar verir demek istemedim. Bu ailede her büyüğün bir örnek olma, koçluk yapma ve mentor olma görevi vardır. Bu ailede sağlık bir değerdir ve büyükler de bu değerin gereğini yaparlar.

T: Peki dondurma isteyen çocuğa ne derler, onunla nasıl konuşurlar?

D: Çocukla şöyle konuşulabilir: "Sen bizim yemekten önce dondurma yediğimizi gördün mü hiç? Biz dondurmayı canımız çekmiyor diye mi yemiyoruz? Canımız çekiyor ama sağlıklı beslenmek bizim ailede bir değer. Karın doyurmak ve sağlıklı beslenmek ayrı ayrı şeyler. Sağlıklı yaşam için gerekli şeyler yendikten sonra dondurmaya sıra gelir. Seni seviyoruz ve senin sağlıklı olmandan sorumluyuz." Yaşına göre şuna benzer bir cümle de kurulabilir. "Lütfen, sağlıklı olmak için neyi ve ne zaman yiyeceğin konusunda sen de sorumluluğunu bil."

T: O zaman ana-babalık, çocuğa nasıl yaşanacağı konusunda koçluk yapmak oluyor, öyle mi?

D: Arif'çiğim, Timur küçüklüğünden beri sporla haşır neşir oldu, ona değişik alanlarda koçluk yapanların olumlu etkilerini biliyor, dedim. Arif başını salladı.

D: Timur, geliştiren ana-babanın çocuk yetiştirirken dikkat ettiği ve çocuğun geliştirmesini istediği beş temel yetkinlik var. Bunlar, çocuğun meslek yaşamını da kapsar. Hani sen, çocuk nasıl karnını doyuracak diyordun ya, şimdi bu konuya giriyoruz.

Bir süre sessiz kaldım. Onlar da biliyordu, ben de biliyordum ki, önemli bir konuya geçmeden önce biraz sessiz kalır, etrafa bakar, kafamı sakinleştirir, daha sonra konuşmaya başlardım.

Çevreme baktım. Erbaa'dan sonra Acıpazarı'nı geçmiştik. Sağa sola patates ve soğan çuvalları koymuş, tezgâh açmışlar, herkes kendi ürününü satıyor ve sanırım alanlar çuvalla alıyorlar.

Bir süre sonra, 'Çalkara Köyü' işaretini geçtik, artık ekin tarlaları görünüyor. Siyah bir toprağı var, ağaç sayısı da azaldı. 'Taşova 10 km, Amasya 60' km işaretini geçtik. Bahçeler ve mısır tarlaları görüyoruz, ağaçlar bodur ve seyrek. Sonra Yeşilırmak'ı görüyoruz, gerçekten de bir yeşillik içinden geçiyor. Timur, "Bu çok güzel bir ırmak," dedi. Gerçekten güzel bir manzara.

Eski püskü bir benzin istasyonunu geçtik. İstasyon eski ama astığı Türk bayrağı yeni, gıcır gıcır; öyle görünüyor ki burada, astığı bayrakla gurur duyan biri var. Sağımızda yeşil bir ova, ortasından nehir geçiyor. Sonra duvar gibi bir yükseklik var onun üzerinde de bir köy ve cami görüyorum. İlerledikçe tepe alçalıyor, hemen hemen ova seviyesine iniyor.

Konuya geri döndüm ve devam ettim.

D: Evet, beş temel yetkinlik, geliştiren ana-baba için önemli. Bu ana-babanın çocuğunun geliştirmek istediği temel yetkinliklerden ilki, kendine değer vermesi ve kendini gerçekçi olarak tanımasıdır.

T: Yani iki şey aynı zamanda başarılmaya çalışılıyor. İlki, kendine değer veren biri olacak, ikincisi kendi yeteneklerini tanıyacak.

D: Evet, birinci yetkinlik, çocuğun kendini tanıması ve değerli bir insan olarak görmesidir. Bu ana-babanın çocuğunda geliştirmeyi istediği ikinci temel yetkinlik, onun yaptığı seçimlerin bilincinde olması ve onlardan sorumluluk almasıdır.

T: Yani çocuk, kaç köfte yiyecek ya da yemeyecek, ne zaman yiyecek, kimlerle yiyecek gibi yaptığı her seçimden sorumluluk almak zorunda.

D: Bu, temel amaç. Köfteyle ilgili olarak, şöyle konuşarak bunu yaparsın, zamanında yatağına yatmayla ilgili olarak, böyle konuşarak yaparsın. Ben burada formüllerden bahsetmiyorum, ana-babanın temel hedeflerinden bahsediyorum. Birazdan nasıl konuşulacağıyla ilgili de söylemek istediklerim var.

A: Ama şu noktada kesinlikle açık olarak görebiliyorum ki, çocuğa zorla dört köfte yedirdiğin zaman ne kendine değer veren, ne de yaptığı seçimlerden sorumluluk alan bir insan yetiştirebilirsin.

T: Zaten kalıplayan ana-babanın bu tür hedefleri yok. Peki, üçüncü yetkinlik ne?

D: Üçüncü yetkinlik ortama getirilen iletişim bilincidir. Yani iki insan birbirinin farkına varınca iletişimin başladığının farkında olsun, her mesajın üç hedefinin olduğunu ve her iletişimde kendi kendine verdiği mesajların en önemli olduğunu bilsin. Bu yetkinliğin içine, iletişimde toplumsal ve bireysel mesajların aynı anda yer aldığını kavraması da girer.

A: Bu yetkinlik, bu gezide daha önce söz ettiğimiz iletişim bilincini ifade ediyor.

T: Evet; peki dördüncü yetkinlik ne?

D: Önceliklerinin bilincinde olmak; dördüncü yetkinlik budur. Çocuk herhangi bir durumda nelere öncelik vermesi gerektiğinin bilincinde olmalıdır. Ve beşincisi, ayağını yorganına göre uzatmak

"Evet, para bir güçtür."

yani maddi gücü nelere yetiyor farkında olmak ve sahip olduğu bu gücü verimli kullanabilmek. Bu son yetkinliği öğretmek için çocuğun parayla olan ilişkisini iyi tanımlamak gerekir.

T: Parayla ilişki mi?

D: Evet, parayla ilişki, paranın değerini bilmek ve onu yönetmek. Bu yön bende hiç gelişmemiş olduğu halde şimdi anladım ki, ya insan parayı yönetir ya da para onu. Ortası yok.

İşte geliştiren aile ortamında Coşkun'un ana-babası, bu beş temel yetkinlik sürekli aklında olarak onunla sohbet içinde iletişim kurar.

T: Sohbet içinde iletişim kurmak?... O nasıl bir şey?

Timur, sen biliyor musun, gibisinden Arif'e baktı. Arif bilmediğini belirten bir ifadeyle önce Timur'a sonra bana baktı.

Amasya'ya doğru yaklaşıyoruz, Yeşilırmak şimdi solumuzda. Manzara Timur'un hoşuna gidiyor. "Acaba burada rafting yapıyorlar mı?" diye merak ediyor.

Bir süre sonra Karabük isimli bir köy işaretini geçtik ve şimdi Ilıca deresinin üstünden geçiyoruz. Günün güzel bir saati; saat 18:40, artık yavaş yavaş güneş dinlenmeye çekiliyor. Ve biz Amasya'ya 30 km falan yaklaştık. Güzel bir vadinin içinden gidiyoruz. Konuşmama devam ettim.

D: Sohbet oluşturmayı anlamak için önce oluşturulacak olan şeyin ne olduğunu anlamamız gerekir. Sohbet nedir? Bana göre sohbet iki zihnin dansıdır…

… dedim ama bu dediğimin tek boyutlu ve sığ olduğunu anlayıp düzelttim.

D: Aslında sohbet, hem zihinlerin hem de gönüllerin işin içinde olduğu bir danstır.

T: Zihinlerin ve gönüllerin dansı ne demek? Bu da pek açıklayıcı değil.

D: Doğru Timur. Her gün yaşadığımız basit süreçleri anlatmak gerçekten ne kadar zor. Sohbet, iki insanın anlam verme sistemlerini yargılamadan paylaşma sürecidir.

Sustum, Önce Timur'a, sonra Arif'e baktım ve sordum.

D: Bu, bir anlam ifade ediyor mu?

A: Üç temel kavram var: Birincisi anlam verme sistemi; ikincisi yargılama/yargılamama; üçüncüsü paylaşma. Ben bunun üçünü de anlıyorum.

Timur, ben de, şeklinde başını salladı. Ben devam ettim.

D: Bir ana-babanın çocuğuyla sohbet içine girebilmesi için önce kendi iç dünyasını bilmesi, anlaması, kabul etmesi ve yargılamaması gerekir.

Arif, söylediğimi hafif bir sesle tekrar etti, sonra şunları bir daha sayar mısınız, diye tekrarlamamı rica etti.

D: Bir sohbetin başlaması için, ana-baba önce kendi iç dünyasının farkında olmalı.

A: Bu bir, kendi iç dünyasının farkında olmalı. Doğan Hocam bu kolay bir iş mi?

D: Değil Arif ama kendini tanımayan insan sohbet başlatamaz. Kendini tanıması yetmez, anlaması da gerekir.

A: Farkında olduğu şeyin ne olduğunu anlayacak.

D: Ve anladığı şeyi yargılamadan kabul edecek.

T: Birinin böyle kendini tanıyan, anlayan ve kabul eden bir anne ya da baba olduğunu nasıl anlarız?

D: Böyle bir anne veya baba, olgun bir insandır. Olgun insanın en belirgin özelliği olan "sakinlik", "huzur", "dinginlik", onun kendiyle barışık olmasından kaynaklanır. Kendiyle barışık olan, iç dünyasının gerçekliğini kabul etmiş insandır.

T: Bu, kendini beğenmiş ve onun doğal sonucu olarak değişime kapalı olmak anlamına gelmez mi?

D: Timur, kendini anlamış ve olduğu gibi kabul etmiş biri ile kendini beğenmiş biri arasındaki en temel fark, onun ilişkilerinde kendini gösterir. Kendini kabul etmiş ve anlamış olgun insanın diğerlerine kendini kabul ettirme gereksinimi duymaz; insanlar onun çevresinde kendileri olabilirler ve düşündüklerini rahatlıkla söyleyebilirler. Kendini beğenmiş, olgun olmayan insanın diğerlerine kendini beğendirme, sürekli kendi düşünce ve beklentilerini başkalarına kabul ettirme gayreti vardır.

A: Bir de, kendiyle barışık olmak, kendini beğenmiş olmak anlamına gelmez. Bu kişi kendini geliştirmek isteyen biri olabilir, geliştirmek istediği kendinin "gerçeğini kabul ederek" işe başlamış biri olabilir.

D: Gelişebilmek için önkoşul, kişinin önce kendi gerçeğini görebilmesi ve gördüğünün gerçekliğini anlamasıdır. Ancak kişi, bu gerçek zemini üzerinde, geleceğini inşa edebilir.

A: Kişinin gerçeğini görmesi ve kabul etmesi kolay değil. Öyle sanıyorum ki, kişinin kendi gerçeğini görmesi ve daha sonra da kabul edebilmesi dünyanın belki en zor işlerindendir. Doğan Hocam, insanın kendi gerçeğini görmesi ve kabul etmesinin zorluğunu siz anlatır mısınız? Niçin zor?

D: Çünkü çoğumuz kalıplayan korku kültürü içinde büyüdük. Doğduğumuz andan itibaren birileri sürekli kulağımıza, "Sende bir bozukluk var!" diye fısıldadı.

Bir gün feribotta genç bir anne, kucağındaki 1-2 haftalık bebeğine "Hışşşt, hışşt!" diyordu. Bebeğin bütün yaptığı, doğal bebek sesleri çıkarmasıydı. Bebek sesler çıkarmaya, anne de bir süre böyle "Hışşşt, hışşt!" demeye devam etti. Bir süre sonra annenin yanındaki yaşlı kadın –annesi ya da kayınvalidesi– genç annenin yaptığını pek yeterli bulmamış olacak ki, bebeği kucağına aldı ve kulağına, daha güçlü ve uzun süren bir "HIII ŞŞŞŞŞTTT, HIII ŞŞŞŞŞTTT!" dedi. Çocuğun irkildiğini ve korktuğunu gördüm. İşte, bu ülkenin bir çocuğuna daha, şurada gözümün önünde, doğar doğmaz kendisinde beğenilmeyen, istenmeyen yönler olduğu söylenmeye başlamıştı. Bir bebek olarak onun "Ihh ıhh!" deme hakkı yoktu.

T: Yeni doğmuş bebekler bu "hışşşt, hışşt"a bir anlam verebilirler mi?

D: Timur, nöropsikiyatr Daniel Siegel'in yazdığı *The Devoloping Mind*[1] adlı kitabı okuyorum. Kitap, bebeklik çağında beyin gelişmesi konusunda yapılan çalışmaları gözden geçiriyor. Anlaşılan o ki, beynin gelişmesinde en önemli etken bebeklik çağında, çocuğun içinde bulunduğu insan ilişkilerinin niteliği ve niceliği. Bebek doğar doğmaz insan ilişkilerinin içeriğini, yani ne anlama geldiğini anlamıyor ama istenip istenmediğini, kabul edilip edilmediğini ifade eden duygusal tonu hissediyor, bir anlamda anlıyor. Ve bu duygusal ton onun kendine, ilişkilerine ve yaşamına anlam vermesinin temelini oluşturuyor.

Buradan başlayarak bu çocuğun yaşamını oluşturabiliriz ve onu büyütmek ve eğitmekten sorumlu daha kimlerin ona "Hışşşt, hışşt!" biçimli davrandığını hayal edebiliriz. Sürekli eleştirilen ve kendini ifade etmesine izin verilmeyen bir çocuk kendini değersiz, güçsüz ve ezik hissedecektir. Kendini neden değersiz, güçsüz

---

(1) Daniel J. Siegel, *The Developing Mind: How Relationships and the Brain Interact to Shape Who We Are*. New York: The Guilford Pres, 1999.

ve ezik hissettiğini bilemeyecektir. Daniel Siegel'in araştırmaları bunu demek istiyor. Bu ne demektir? Bu şu demektir: Algı sürecinin farkında değiliz, ama algılama sürecinin sonucunun farkındayız. Sürecin değil, sonucun farkındayız.

T: Yani?

D: Yani karşısındakine kızan birine, "Neden kızıyorsun?" diye sorduğunuzda, çok muhtemelen kişi, o öfkenin oluşmasına yol açan içindeki anlam verme düzenini size söyleyemez. Örneğin şöyle diyemez: "Efendim ben dürüstlüğün önemli bir değer olduğuna inandırılarak yetiştirildim. Bu kişinin sözü ve davranışı dürüst değil. Davranışı kendi çıkarına uygun ama dürüst değil. 'Bu adam zeki mi?' diye baksam sözünü ve davranışını takdir eder, hayranlık duyardım. Ama ben 'dürüstlük' zemininden bakıyorum, o nedenle doğal olarak olumsuz değerlendiriyorum." Ama şöyle diyebilir. "O alçağın, sahtekârın, haysiyetsizin teki de onun için!"

Arif, eğitimci olarak aşağıdaki açıklamayı yaptı.

A: Daha önce sözünü ettiğimiz "olgun" ve "olgun olmayan" insan ayırımına bir özellik daha eklemek istiyorum: Olgun olmayan kendi algılamasından, kendi duygularından olayı, yani dış dünyayı sorumlu tutar. Olgun olan ise kendi algılamasından, duygularından kendi iç dünyasını, yani kendini sorumlu tutar.

Arif'in bir eğitimci olarak katkısı burada önemliydi. Belki de en önemli sorumluluk tanımı buydu. Arif'ten söylediğini biraz daha açmasını rica ettim. Devam etti.

A: Olgun olmayan insana göre, gördüğü olaya herkes aynı anlamı vermeli ve o olay karşısında duyguları aynı olmalıdır. Ona göre normali budur. Olgun insan ise her olaya insanların farklı farklı anlam verebileceğini kabul eder. Kendi anlamlandırmasının, değerlendirmesinin ve olayın kendisinde yarattığı duyguların sorumluluğunu alır.

D: Teşekkür ederim Arif. Evet, olgun ve olgun olmayan insanın birbirinden farklı iki tutumu var. Birinin sözüne ya da davranışına öfkelenmiş kişi olgun değilse öfkesinin kaynağını o söz ya da davranışta bulacak, olgun kişi ise bu olaya kendi değerlerinin gözlüğüyle bakacak, kendi değerlerini sorumlu tutacaktır. Bunda, "Öfkemin kaynağı benim içimdedir; sorumluluğunu alıyorum," vardır. Bu kişi kendi anlam verme sisteminin sorumluluğunu almaktadır.

Bir kişi kendi anlamlandırmasının sorumluluğunu aldığı zaman, aynı olayı insanların farklı algılayabileceğini bilir. Örneğin, davranışa "dürüstlük" açısından değil "zekâ", "yaratıcılık", "kârlılık" açısından bakan insanlar olabileceğini bilir. Bu nedenle onun öfkelendiği birine bir başkası öfkelenmediği zaman hayretler içinde kalmaz; aynı olaya farklı zeminden bakan biriyle konuştuğunun farkına varır ve merak ediyorsa kendisinden farklı bir bakış tarzını inceler, deşer, irdeler ve o bakıştan bir şeyler öğrenmek için olanak yaratır.

T: Bu tutum, çocuklarla konuşurken bile geçerli, değil mi?

D: Ne demek, anlayamadım?

T: Yani bir yetişkin, bir çocukla bu düşünceyle konuşuyorsa, çocuğun gözüyle olaya bakabileceği için ondan yeni bir şey öğrenebilir, değil mi?

Öğretmen Arif hemen söze girdi.

A: Tabii. Timur, bu dediğin, öğretmen öğrenci ilişkisi için de geçerli. Duygusal olgunluğa erişmiş bir öğretmen, öğrencilerinden sürekli öğrenir ve ufku genişler. Hem de hiç aklına gelmedik bir biçimde dünyaya bakar.

T: Ben aynı şeyin ana-baba-çocuk ilişkisi için de geçerli olduğunu düşünüyorum.

D: Her ikinize de katılıyorum. Her çocuk anne ve babası için gerçek öğretmendir. İyi bir öğretmen de her öğrencisinden öğrenecek bir şey mutlaka bulur. Şimdi bir başka pencereden bakalım: Bir kişi kendi algılamasının sorumluluğunu kendi içinde değil, kendi dışında yer alan olayda bulduğu zaman, öfkelendiği kişi ya da olaya herkesin öfkelenmesini bekler. Ve biri bu kişiye ya da olaya öfkelenmiyorsa, öfkelenmeyen bu kişide de, yani kendinden farklı algılayan kişide de, bir bozukluk olduğunu düşünür ve muhtemelen ona da öfkelenir.

Daha çok ben konuşuyorum, farkındayım ama açıklamam gereken bir konu daha var. Özgürlük, seçeneklerin arasından seçim yapabilmek bilincine ve hakkına sahip olmak demektir. Farkında olmadıklarımızı seçmemiz olanak dışıdır. Özgür bir insan olmak önemliyse, o zaman farkına varmak gerçekten önemlidir. Özgür bir insan olarak yaşamak kişinin umurunda değilse o zaman farkına varmak ve farkında biri olarak yaşamak da umurunda olmayacaktır. Özgürlüğün ne demek olduğunu anlamış biri, olayların ve o olayların sonucu oluşan duyguların esiri olmayacaktır.

T: Baba, nereden başladık, nereye geldik. Geliştiren ana-babanın çocuğuna nasıl köfte yedirdiğinden başladık...

Arif, Timur'un sözünü kesti ve kendince önemli bir ayırımı belirtti.

A: Timur, geliştiren ana-baba çocukla aynı ortamda, sofrada birlikte yemek yiyor; ona köfte yedirmiyor; çocuk köftesini kendi yiyor, yedirme diye bir şey olmadı.

T: Arif, sen de bana çok yüklenmeye başladın! Tabii ben de onu söylemek istiyorum. Köfte meselesinden başladık, ne önemli konuların içine girdik. Onu söylemeye çalışıyordum. Sanıyorum şunu söyleyebiliriz; geliştiren ana-baba olmak için yalnız bilgili bir insan olmak yetmez, aynı zamanda duygusal olarak gelişmiş olgun bir insan olmak da gerekir.

D: Amasya'ya yaklaşıyoruz. Kente girmeden önce konuştuğumuz konuyu bitirelim. Geliştiren ana-baba çocuğuyla konuşurken bütün bunların farkında olarak bir sohbet içinde olur. Köfte konusuna gelirsek...

T: Tamam baba, işte onu anlat.

D: Evet, sofrada çocuk, "Ben doydum," dedi. Büyükler bunu bir gerçek olarak kabul ederler. Ama doydum dedikten sonra sofradan ayrılarak ıvır zıvır yemeye başlarsa ya da bir süre sonra acıktım derse o zaman onun anlam verme sistemine önem vererek onunla konuşulur. Evin lokanta olmadığı anlatılır; herkes istediği zaman, aklına estiği zaman yemek yemez; yemek ailece yenir. Çevresinde gördüğü büyüklerin davranışlarının neden o şekilde olduğu açıklanır. Bütün bunlar yapılırken çocuğun yaşına göre yaşamın bir dizi seçimden oluştuğu ve her seçimin bir sorumluluk getirdiği büyüklerin davranışlarından örneklerle anlatılır.

A: Hocam, nasıl daha iyi ana-baba olunur konusunu biraz daha açar mısınız?

D: Hayır Arif, bu konuyu daha fazla irdelemek istemiyorum. Bizim sohbetimiz, "nasıl geliştiren ana-baba olunur" sohbeti değil. O ayrı bir konu. Bizim şimdi yapmaya çalıştığımız, çocuğun kalıplayan korku ortamında büyüdüğü zaman kendi özünden nasıl koptuğu, niyet-bilgi-beceri-eylem-sonuç ilişkisindeki kopukluğun nasıl oluştuğu, bütünlüğün nasıl bozulduğu, geliştiren ortamda bu kopukluğun olmadığı, kopukluk olmayınca çocuğun kendi yaşamının etkin bir yöneticisi olarak kaldığı...

Coşkun'un ana-babası her konuşmasında onun toplumun gereksinmelerinin farkında olmasının yanı sıra, onun ait olma-birey olma dengesi içinde seçim yapmasına da dikkat eder. Bencil davrandığı zaman böyle bir davranışın sonuçlarının ne olduğunu bir öykü ya da örnekle anlatır.

T: İşte burada çocuklara kitap okuma ve masal anlatma devreye girebilir, değil mi?

D: Tabii kitap hayatın önemli bir parçasıdır. Çocuk çok ait olup, kendi kişiliğini kaybetmeye başladığı zaman da böyle bir davranışın sonuçları irdelenir. Her bir durumda çocuğa, ait olma-birey olma dengesi içinde, "Sen bizim için önemlisin", "Sen de bir bozukluk yok, sen doğal bir insansın", "Sen bizim için yeri doldurulamaz biriciksin, şu evrende senin yerini alacak başka hiç kimse yok", "Sen istersen yapabilirsin, senin yapabileceğine güveniyoruz" ve hepsinden önemlisi, "Biz ana-baba olarak senin olabileceğinin en iyisi olmana emek vermeye, olanak yaratmaya kendimizi adadık, çünkü seni seviyoruz ve mutlu olmanı istiyoruz" mesajını verirler.

Arif bir eğitimci olarak söylediklerimi değerlendirdi.

A: Bu çocuk doğal olarak kendine, kendi yaşamına yabancılaşmaz, yaşamdan kopmaz. Niyet-bilgi-beceri-eylem-sonuç ilişkisinde tutarlılık içinde yetişen insanın bütünlüğü vardır."

T: Ne demek istedin Arif? Bana bu söz biraz soyut geldi, pek anlayamadım.

A: Yani niyet-bilgi-beceri-eylem-sonuç ilişkisi bir bilgi olarak değil, özümsenmiş, yaşayan bir farkındalık olarak kişinin varoluşunda vardır. Bunu demek istedim.

T: Yani, süpermarketteki yaşlı kadında olmayan farkındalık, 25C'de oturan adamda vardı, özümsenmişti ve yaşıyordu.

Konuşmaktan zevk almış ama biraz da yorulmuştuk. Ayrıca Amasya'ya da girmiştik.

Önceden haberleştiğimiz banka şube müdürü arkadaşı ziyaret ettik. Kibar ve içten bir insandı. Onunla biraz sohbet ettik, bize içecek bir şeyler ikram etmek istedi; ben bir neskafe içtim, Timur meyve suyu, Arif ayran içti. Ondan sonra Arif'in daha önce sözünü ettiği Levent Bey'in oteline geldik. Müdür Bey'in arabasını takip ederek otele vardık. Timur koşmak istiyordu, Müdür Bey stadyumu önerdi ve Timur bir süre sonra koşmaya gitti. Arif, Levent Bey'le sohbete daldı. Ben de bir duş aldım ve meditasyon yaptım. Meditasyon yaparken, yayla yolundaki çiçek satan çocuklar aklıma geldi; en küçüğünün bizden ekmek istemesi bilincimde bütün gücüyle belirdi.

Neden her birinden bir çiçek almadım! Her birine birer milyon verip birer demet alabilirdim. Bende bir tıkanıklık var, bu konuda gelişmem lazım. Şimdi içime oturdu, keşke her birinden bir demet alsaydım ve her birine bir milyon verseydim. Öyle yapsaydım kendimi daha çok sevecektim.

11

LEVENT BEY VE GÖZLEMLERİ

Bildiğini yaşayamayan insan, yalnızlaşır
ve mutsuz olur.
Mutluluk, insanın düşündüğü, söylediği
ve yaptığı şeylerin uyum içinde olduğu andır.

GANDİ

Arif daha önce bahsettiği için Levent Bey'i merak ediyordum; güler yüzlü, sağlıklı, kırklarında gösteren, enerjik biri. Otelin iç mimarisinden ve yönetim tarzından, her şeyin farkında, duyarlı ve bilinçli bir insan olduğu ilk görüşte anlaşılıyor.

Sabah kahvaltısından sonra Arif ve Timur Amasya'da dolaşmaya çıkınca, ben de Levent Bey'le sohbet ettim.

Uzun yıllar Almanya'da kalmış, orada lokanta-bar türünden bir yer işletmiş ve birçok insan tanımış. Bunlardan bazıları onu olumlu etkilemiş. Levent Bey'i olumlu etkileyenlerin ortak bir özelliği var: Kendine hesap veren, iç bütünlüğü olan insanlar. Bunlardan birinin adı Peter.

"Bu kişi günde üç defa gelirdi. Sabah gelir kahvaltılığını alırdı, öğlen bir bira içerdi, akşam da bir bira içerdi. Bu, on yıl düzenli bir şekilde devam etti. Bu dönem içinde bu kişinin emekliliği geldi ve işin son günü öğlen, biz, uzun süren bir dostluğun bitimi olduğu için üzüntülüyüz fakat o mutlu. Öğlen, saat bire beş var, o şişeyi içeri götürdü ve bana, 'Levent, her zaman olduğu gibi zamanında işyerinde olmak istiyorum,' dedi ve gerçekten de zamanında işine gitti."

Bu noktada bu kişinin öğleyin bira içmesinin işi aksatıcı bir yönü olup olmadığını sordum.

"Türkiye'de ayran, çay ne ise Almanya'da bira o. Bana göre Alman disiplini bu. Bu insan uzun yıllar sigorta şirketinde çalışmış. Altı ay işyerine gitmese bile hiç kimse ona hesap sormazdı. Bunu o da biliyordu ve emekliliğinin son günü olmasına rağmen, o beş dakikayı dahi önemsedi ve tam zamanında işyerinde olmak istedi."

"Arif'in söylediğine göre çocukluğunuz Amasya'da geçmiş. Bu evde doğmuşsunuz."

"Evet, doğru. Babam genç yaşlarda Almanya'ya gittiği için, bizim bütün sorunlarımızla annem ilgileniyordu. Annem çok disiplinli ve düşünceli. Bir örnek vermek istiyorum. Bizler diyelim dokuz-on yaşlarındayız. Şimdi bulunduğunuz bu otelin, yani o zamanki evimizin karşısında bir hal var. Bakın orada görebiliyorsunuz. Bu hale kasalar içinde meyve ve sebze gelirdi ve dökülmemesi için üstleri örtüldükten sonra kasalara tahta çakılırdı. Annem her sabah dört-dört buçuk gibi bizi uyandırır, hale gönderirdi. Kolay olmazdı, halen çocuğuz. Kasaların üstlerine çakılı olan bu tahtaları çıkartır, eve götürürdük. Evimizin sol tarafında bir ardiye yeri vardı, tahtaları oraya yığardık. Orası dolardı. Zamanla kururdu ve kışın soba yakarken tutuşturmak için kullanırdık. Annem o tür şeylere dikkat eder ve önem verirdi."

"Biliyor ve evvelden tedbirini alıyor, dikkatli biri."

"Kesinlikle öyleydi."

"Anneniz nereliydi?"

"Bu civara yakın bir köy var, Yağmur. Annem oralı, babam doğma büyüme buralıdır. Annem aslında okuma yazma bilmez ama zeki ve ileriyi düşünen biridir. Babam için aynısını söyleyemem; o biraz daha rahat bir insandı. Eğer bugün bir yerlere gelmişsek hep annemin etkisiyle, onun disipliniyle oldu. Onun disiplinine bir örnek vereyim. Biz dört kardeşiz ve hiçbirimiz sigara içmeyiz, yani onu bir şekilde bize empoze etmiştir. Babasız büyümemize rağmen..."

"Babanız sigara içer miydi?"

"Babam fazla sayıda sigara içerdi. Annemden korktuğumuz için değil, bize öyle anlatır ve izah ederdi ki, sigara içmeyi istemezdik.

"Kırk yaşına kadar okuma yazma bilmeyen annem, o yaştan sonra Kuran okumayı öğrendi. Bugün tatlı bir şekilde okur. Ve bu arada Türkçe okuma yazmayı da öğrendi. Bir bankaya gittiğinde işlemini yapabilecek hale geldi. Bir yere gittiğinde yazılı işaretleri okur ve kendi işini görür. Bütün bunları da hep kendi başına yapmıştır, herhangi bir yerden yardım almamıştır."

"Güçlü bir irade ve önemli bir başarı."

"Evet, sağ olun."

"Bizim toplumda, 'Kadın ne bilir ki, ne yapabilir ki, aciz biridir, başına bir erkek lazım,' gibi bir inanç var; bunun tam aksini ispat ediyor. Yani temel direk o ve..."

"Kesinlikle evet. Yani özür dilerim, bazen bir olay olur biz olayı gayet basit algılarız. Onu cahil olarak görüyoruz, cahil olarak adlandırıyoruz ama o ortaya bir fikir atar ve bakıyorsunuz, haklı! Evvelden kabullenmezdik, artık kabullenmemek mümkün değil, artık görüyorsunuz ve bu bir şeye işaret ediyor diyorsunuz. Gerçekten burada haklı ve artık onu da inkâr edemiyoruz."

Levent Bey'e söylemiyorum ama bilgi ve varoluş ilişkisini düşünüyorum ve bilgeliğin bilgiden değil, varoluşta özümsenmiş deneyimlerden geldiğini bir kez daha anlıyorum. Levent Bey'in annesi buna bir örnek.

Aklımdaki önemli bir soruyu dile getirdim.

"Almanya'dan dönüş yaptığınız zaman buraya uyum sağlamanız zor oldu mu?"

"Şimdi, ıhhh... Almanya'dan geldikten sonra bir yıl... sarhoş gibi gezdim ortalıklarda. Yani beyinler uyuşmuyor, düşünceler uyuşmuyor; işte ne bileyim, akrabalar, kardeşler, anneler, teyzeler, her neyse, yani kesinlikle bir uyumsuzluk var. Yani uzun süre yurtdışında yaşamanın getirdiği şeyler bunlar. Bazı şeyleri anlayamıyorsunuz, anlam veremiyorsunuz.

"Örneğin bir kaplıca yakınında bizim kaldığımız yedi-sekiz katlı bir binamız var, otuz beş kilometre ileride. Annemin romatizma sorunları var, kaplıcaya gitmek ona iyi geliyor, her yıl götürüyoruz. Bu yıl götürdüğümüzde bir hafta kadar orada kaldık. Bir hafta sonra geldiğimizde bizim en alt bölümdeki dairede, yasadışı bir inşaat yapılmış, binayı dışarı çıkmışlar, ayrı bir kapı koymuşlar, ayrı bir pencere koymuşlar, köy ortamı gibi bir inşaat yapılmış. Haksız bir inşaat olayı var yani. Besbelli bir haksızlık var. Buna rağmen ben olayı kabullenirken annem kesinlikle reddetti, çıldırdı kadıncağız. Böyle olmaz, dedi, yarın bir de bu pencereye demir parmaklık taktığı zaman, biz birinci katta kalıyoruz, hırsıza rahatlıkla bir merdiven kurmuş oluyoruz, rahatlıkla girebilir. Sonra, bizim adımız 'Almanyalı', biz ciddi şekilde sıkıntı yaşarız.

"Haklı buldum, dilekçeyle belediyeye bir bildirim yaptık, sonra altı ay gibi bir oyalama taktiği... Ve yani altı ay olaya ulaşamadım. Şuydu, buydu, sorumlusu yok, bugün zamanımız yok, bilmem ne, fakat bildiğim kadarıyla inşaatı yapanların çocukları, en yakınları belediyede çalışmakta. Yani bir şekilde bir şeyler korunup kollanılmakta.

"Baktım altlarda bu işi halledemiyorum, dedim ki, sanırım bu işi biz sizinle halledemeyeceğiz. Evet, pek sonuç getirmeyecek, dedi. Peki, ben sizin üstünüzde kime gidebilirim, diye sordum. Beni bir yere gönderdiler. Belediye başkanının sağ kolu. İçeri girdim, tahmin ediyorum beni tanıyor, kısa süredir burada olmama rağmen. Buyurun, dedi, sorun nedir? Sorunu izah ettim. Şahsın adını biliyor musunuz, diye sordu. Almanya'dan yeni geldiğim için gerçekten adını bilmiyordum. Dedi ki, siz kötü bir insansınız demek ki, komşunuzun ismini bile bilmiyorsunuz.

"Olayı anlattığımda da dedi ki, şu anda yapabileceğimiz bir şey yok, ben kendileriyle görüştüm, orayı yirmi yıl evvel yapmışlar. Dedim, yapmayın, biz orayı da topraktan satın aldık, inşa halindeyken, yani olayın ne olduğunu biliyoruz. Onlar ise geleli kaç yıl oldu, hem çok tazeler bunlar. Siz, dedi, ne istiyorsunuz onlardan? Bizim bir istediğimiz yok. Onlar kanunsuz bir iş yapmışlar ve kurum olarak siz bu kanunsuz durumu düzeltmek durumundasınız, dedim. Kusura bakmayın, bizim yapabileceğimiz bir şey yok, hakkınızı mahkemede ararsınız, gidersiniz mahkemeye verirsiniz, dedi. Dedim ki, bak, benim o insanlarla hiçbir alıp veremediğim yok. Onlar bir şeyler yaptı ve bu beni ilgilendiren bir şey değil, sizi ilgilendiren bir şey. Bana bir belge yazın, bir garanti verin, kesinlikle olacak her şeyden biz sorumluyuz, diye, ben ağzımı açmayacağım.

"Mümkün değil, ben öyle bir şey veremem, dedi. Ama, bakın bu insanlar âdeta hırsız için bir merdiven kurdular, yarın biz o sıkıntıyı yaşayacağız. Ve sonra, başınızı da şişirmeyeyim, şu noktaya geldik. Bir, benim mahkemeye gidip o işi halletmem gerekecek, ikincisi de hatırlatmama rağmen yapmaları gereken şeyleri yapmadılar. Ve bizi o insanlarla karşı karşıya bıraktılar."

"Tabii burada da iş hayatındasınız, sürekli onlara işiniz düşecek, belediyeyle iş ilişkiniz var."

"Çözemiyorsunuz Doğan Bey. Burası bir belediye kurumu olduğu için ne yapıyorsunuz, devam edemiyorsunuz, yoksa ileride sıkıntı yaşayacaksınız... ve yutuyorsunuz, olayı resmen yutuyorsunuz. Zaten ima var ve size bir yerde izah ediliyor."

"Hoş geldiniz vatanınıza! İlişkilerin yasalardan daha güçlü olduğu bir ülke."

Gülümsedi, çayları tazeledi ve sohbete devam ettik. Almanya'da kaldığı sürede oradaki derneklerin çalışmalarına etkin olarak katılmış.

"Frankfurt'a 15 km kadar yakın, Lange diye bir yerde kalıyoruz. Ve orada aşağı yukarı on bir yıllık bir dernek çalışmamız var. Hiçbir yere bağlı değiliz. Yani genelde dernekler bir federasyona bağlıdır, çeşitli yerlere bağlıdır işte aşırı dinci gruplar, öbür taraflar filan. Biz gerçekten sosyaldik, her tarafa, her ortama açıktık. Dernek olarak o tür çalışmalarımız vardı. O dernek çalışmalarının biri de Tarsus bağlantılı. Tarsus bir kardeş şehir ve ciddi düzeyde olaylar gelişti. Sayın Burhanettin Kocamaz, partiler üstü ve hizmete önem veren bir insan. Almanya'da sosyal demokratlarla ilişkiye devam etti. İki kardeş şehir belediye başkanları ailece görüşmeye başladılar. Örneğin her yıl talebeler arasında bir değiş tokuş... İçel'de, Tarsus'ta sıfırdan bir okul yaptırıldı, yüz bin mark gönderildi.

"Bu deprem olaylarında aşağı yukarı 170 küsur paket gönderildi, her türlü malzeme içerisinde, ilaç dahil. Bir de kırk bin mark. En son, özürlüler için bir atölye yapmayı planlıyoruz ve bir sürü kurumun desteğiyle; tahmin ediyorum o da bugünlerde gerçekleşecek, yani o tür çalışmalarımız da var. Ve Almanya'da bazı partiler var, tamamıyla Türkiye'ye karşı; biz bu yıllar içerisinde ne yapıp yapıp onları bizim kafilemize kattık.

"Almanya'dan Türkiye'ye aşağı yukarı her yıl bir kafile gelirdi, Alman ve Türk karışımı. Bunların içinde noter, avukat, öğretmen var. Bizimle Türkiye'ye geldikten ve burada yaşadıktan sonra kesinlikle bakış açıları değişti. Bizim, düşündükleri gibi olmadığımızı gördüler, daha cana yakın, daha insancıl ve aktif olduğumuzun farkına vardılar.

"Meclisten çıkacak bir kararı devamlı bloke ederlerdi. Fakat burada bizlerle yaşadıktan sonra, yeminle söylüyorum, geriye döndüler ve iki hafta sonra o kanunları teker teker çıkarmaya başladılar. Bunlardan biri, Langen'de, 'Tarsus Platz' yani Tarsus'a ait bir yer vardı, bir taş, onun için de diyelim otuz bin mark gerekli. Hep bunu bloke ediyorlardı, para yok bilmem ne, şudur budur;

Türkiye'ye gelip döndükten sonra, iki hafta içinde olay gerçekleşti ve taş dikildi oraya. Tamamıyla izin çıktı oraya. Yani bunlar hep bu tür ilişkilerin getirdiği şeyler."

"Hükümetler düzeyinde değil, halklar arasında bir ilişki."

"Bir de Doğan Bey, bulunduğumuz şehrin belediyesinin kültür müdürü vardı, 40'lı yaşlarının ortasında öldü. 'Türkün rolf' diyorlardı ona yani Türk'e ait bir rol. Kansere yakalandığı dönemlerde, en son Tarsus'a telefon açıyor, yaptırdıkları okula. Çocukların halini hatırını soruyor ve diyor ki, havalar soğuk, yakacak satın alabildiniz mi, çocukların durumu ne âlemde? Bu onun en son telefonu ve en son sözleri. Okula gittiğinizde bu yazar duvarda. Almanlara ısınmak zor ama o bize, biz ona ısınmıştık. Yapıcı bir insandı. Hiçbir zaman ön planda olmayı sevmezdi; her şeyi yapar, ciddi şekilde desteğini verir, arkadan durur seyrederdi. Hiçbir zaman isminin öne çıkmasını istemez, aktivitelerini dile getirmezdi, kalender bir insandı. Fakat erken ayrıldı aramızdan."

"Müslüman değil ama içimden, 'Allah rahmet eylesin,' demek geliyor. Tarsus'taki okulda onun anısına plaket gibi bir şey var şimdi, değil mi?"

"Evet. Ve bir başka konu daha var, onu da anlatmadan geçemeyeceğim. Dernek çalışmalarımızda hiç insan ayırımı yapmazdık. Yugoslav'ı vardı, Türk'ü, Arap'ı çok çeşitli milletten insan vardı. Belediye bunu hissettiği için ciddi şekilde bize destek veriyordu ve bütün toplantılarımıza birçok milletvekili gelirdi. Sosyal demokrat milletvekilleri gelirdi. Bir gün tahmin ediyorum 1 Mayıs kutlamaları yapılıyordu. Bulunduğumuz yer yeşil bir alan. Orada herkes kendi standını kurmuş, biz de orada Türk ürünlerini tanıtıyoruz. Biz çay veriyoruz. İki leğen var çay bardaklarını yıkamak için. Birinde deterjanlı sıcak su, diğerinde durulamak için normal su var. Bir baktım belediye başkanımız Pitan arkadan gelmiş, çay bardaklarını yıkıyor. Şaşırdık, Pitan ne yapıyorsun, dedik. Her zaman senli benli konuşurduk. Bardakları yıkıyorum, dedi.

Engel olamadık. Ben de yapabiliyorum, ben niye yapmayayım. Benim de bir katkım olsun istiyorum, dedi. Bunu niye anlatıyorum. Türkiye'de bir belediye başkanı, böyle bir konumdaki adam gelecek, arkada bardak yıkayacak! Bırakın bunları, diyalog kurmanız mümkün değil, yaklaşamıyorsunuz."

"Pitan bunu gösteriş olarak değil, gerçekten yapıyor, değil mi?"

"Yo, hayır, kesinlikle numara değil."

"Bir sorumluluk hissediyor ve bir katkısı olsun istiyor."

"Kesinlikle. Gelir bir bardak çay içer. Onun amacı çay değildir. Çay içer, özellikle para verecek. Almak istemeyiz ama 'Benim de bir faydam olsun,' der. Zaten başarının temelinde de bunlar yatıyor; insanların bu türden düşünceleri."

Çayımızı bitirdik, bir süre sessiz kaldık. Levent Bey'i tanımaktan gerçekten memnundum. Oteli, kişisel bütünlüğü olan bir insanın, elinden gelenin en iyisini yapmaya çalışarak işini yürüttüğünü her yönüyle gösteriyordu. Her şey derli toplu, nizamlı ve tertemizdi. Konuşmamıza devam ettik.

Bir Türk doktoru Levent Bey'e rica ediyor, Almanya'ya giderek hastaneleri gezmek istediğini söylüyor. Çünkü dernek her yıl Türkiye'den Almanya'ya gidecek bir kafile oluşturuyor.

"Doğan Bey, bu doktor 'Ben belediye doktoru olarak çalışıyorum, acaba benim Almanya'ya girebilme şansım var mı? Kendimi biraz geliştirmek istiyorum, böyle bir imkânımız var mı?' diye sordu. Bunları benimle Türkiye'de karşılaştığı zaman söylemişti.

"Almanya'ya gider gitmez devreye girdik; yatacak yerini ayarladık, kültür müdürlüğü kendilerine ait evde ona yer verdi. Hastaneye gidildi görüşüldü, oradan izin alındı ve bu belediye doktoru Türkiye'den misafirimiz olarak geldi.

"Bizdeki dernek üyeleri çalıştığı için, tabii ki 24 saat beraber olma şansımız yok, herkes işiyle gücüyle meşgul. Bu şahıs birinci gün hastaneye gidiyor, ikinci gün hastaneye gidiyor ve ya ben bunların bildiklerinin hepsini biliyorum, diyerek ondan sonraki günlerde yok oluyor, hastaneye gitmiyor. Sonra son günü bir veda partisi yapıldı, çok eğlenceli, tabii hastanedeki durumdan bizim haberimiz yok. Döndükten sonra duyduk ki, bu vatandaş Almanya'daki bir akrabasını çağırıyor, altlarında bir araba, adam biraz gönülsüz de olsa, akraba olmanın verdiği bir zorunlulukla, İsviçre senin Hollanda benim, Almanya senin İtalya benim geziyor, bu bir haftayı tamamıyla turistik amaçla kullanıyor. Biz bunu duyunca ciddi şekilde rahatsız olduk.

Levent Bey'le başka Almanya deneyimlerinden söz ettik ve bir süre sonra Arif ve Timur'la buluştuktan sonra otelden ayrılmak için hazırlanmaya başladık.

12 AMASYA'DAN ÇIKTIK YOLA...

Bir insanın dürüst davranmasını istiyorsanız, güvenin; düzenbaz olmasını istiyorsanız, güvenmeyin.

G. BERNARD SHAW

Amasya'dan ayrıldık, güzel bir gün. Arabayı yine Timur sürüyor. Bugün önce Tokat'a, oradan Sivas ve Kayseri'den geçerek Niğde'ye gideceğiz. Yolda, Levent Bey'le konuştuklarımızı özetledim ikisine. Daha sonra Arif, aklından geçeni şöyle dile getirdi.

A: Dün akşam düşündüm, aklıma şöyle bir soru geldi: Timur Amerika'da değil de Türkiye'de yetişseydi, acaba neler farklı olurdu?

T: İlginç bir soru. Üzerinde düşünmem lazım.

Bir süre sessiz kaldı, düşündü.

T: Ama hemen aklıma gelen bazı şeyler var, onlardan bahsedebilirim. ABD ile Türkiye arasındaki bazı kültürel farklar o kadar kapsamlı ki, bunları böyle nokta nokta karşılaştırmak zor. Örneğin, bir kız ve bir erkek iki ülkede nasıl büyür karşılaştırması...

Eğer Türkiye'de büyüseydim, bilmem ki, varsayalım, Los Angeles yerine İzmir'de büyüseydim... Sanırım yine okulda başarılı olurdum, böyle yapılanmış ortamlarda da çalışabiliyorum ve başarılı oluyorum. Sanırım yine iyi bir sporcu olurdum, çünkü kendimi disiplinli olarak antrenmana verebiliyorum ve sonuç almaya kendimi adayabiliyorum.

Demin başka bir şey dedim ama belki de okulda o kadar başarılı olamazdım. Çünkü benim için hem annemin hem de babamın kitap okumaya önem vermeleri önemliydi ama eğer kitap okumanın önemi çevremdeki diğer insanlar tarafından bilinmeseydi, bilmiyorum bu durum benim gelişmemi nasıl etkilerdi.

A: Yani yalnız annemin ya da babamın okuması değil, çevremdeki diğer insanların kitap okuması da önemli, diyorsun.

T: Tabii annem babam yine benim üzerimde en etkili insanlar olurlardı ama diğer insanlar da önemli bir etki yapardı. Kitap okumadan açık fikirli, dünyaya açık bir insan olmamla ilgili çok şey farklı olabilirdi.

A: Mesela Timur, kendime soruyorum, benim için kimlerin kitap okuması önemli olurdu, diye. Öğretmenlerimin, komşularımızın, amca, hâlâ dediğim ailedeki insanların, arkadaşlarımın anne ve babalarının kitap okuyan insanlar olması, bunların hepsi beni etkilerdi.

T: Kitap okuyup okumamalarının dışında bir şey söylemek istiyorum. Benim için Türkiye'nin zenginliklerinden biri, burada amca ve halalarımın çokluğu ve hepsinin son derece sevecen ve içten oluşu. Herhalde onların etkisinde kalır ve belki de şimdikinden daha çok aileme düşkün biri olarak yetişirdim.

A: İlköğretimi, liseyi ve üniversiteyi burada okusaydın, farklı olur muydu acaba?

T: Anladığım kadarıyla burada okullar insanı geliştirmek için değil sınava hazırlamak için varlar. Burada okusaydım bu kadar iyi düşünen biri olarak yetişir miydim, bilemiyorum.

D: Eğitim dışında bir şey söyleyeyim. Arif, Türk liselerinde ve üniversitelerinde spora verilen önem ve spor etkinlikleri için mekân, ABD'ye kıyasla çok kısıtlı. Ayrıca ABD'deki çocuklar için mevcut olan sporda mentorluk sistemi Türkiye'de yok.

A: Galiba biliyorum ama yine de emin olmak istiyorum hocam, mentorluk sisteminden tam olarak ne anlamalıyım?

D: "Mentor" Yunan mitolojisinden alınmış bir kelimedir. Homeros, Odysseus'un, Truva Savaşı'na giderken oğlu Telemakhos'u güvendiği dostuna, Mentor'a emanet ettiğini yazar. Telemakhos'u eğitip bilgilendirmek ve yetiştirmekle görevli Mentor, güvenilir bir danışman, rehber, akıl hocası olarak onu eğitir. İşte mentor kelimesi günümüze, bu anlamları kazanarak gelmiştir ve gerçekte de bir mentorun, yukarıdaki vasıfları taşıması gerekir.

A: Demek faydasını görmüşler ki, bu sistem yıllar yılı uygulanmış.

D: Tabii. Bildiğim kadarıyla Amerika'da yapılan çalışmalarda, bir mentorun desteğini alan lise çağındaki gençlerin, özgüven ve karar vermelerinde artış ve duygularını daha iyi ifade edebildikleri gözlenmiş. Ayrıca okulu kırma alışkanlığı olan öğrenciler mentorlarla çalışmaya başladıktan sonra derslerine daha ilgili olmuşlar ve okula devam yükselmiş. Mentorluk çalışmalarının gösterdiği bir sonuç da daha önce grup çalışmalarında işbirliği yapamayan liseli gençlerin böyle bir program sayesinde daha işbirlikçi olmaya başladıkları yönündedir.

A: Hocam sıkmıyorsam, bir de, mentorluk ile koçluk arasında bir fark var mı, onu sormak istiyorum?

D: Arif'çiğim, bildiğim kadarıyla mentor birey için onun bireysel gelişimi için yapılır; koçluk belirli bir performansa yönelik olarak yapılır.

A: Yani yaptıkları iş benziyor ama beklentileri farklı.

D: Evet, yaptıkları işin amacı biraz farklı. Mentor hayat hocalığı gibi. Koç ise belirli bir amacı geliştirmek için bilgi ve beceri geliştirmeye, performansı geliştirmeye yönelik.

T: Benim büyümemde spor önemli bir rol oynadı. Arkadaşlarımın çoğunu spor alanındaki faaliyetler esnasında buldum ve ayrıca bir erkek olarak, ailemin dışında rol modelini spor alanında buldum. Bana koçluk yapan insanlar hayatımda önemli olmuşlardır.

Oğlumdan dört yıl ayrı kalışımın acısını[1] *ince bir sızı olarak içimde yine hissettim; boğazım düğümlendi. Timur farkına vardı, ama farkında değilmiş gibi yönünü biraz değiştirerek konuşmasına devam etti.*

T: Spor yapmak benim için önemli. Sadece spor mekânları değil, şöyle açık alan olması, kendi başına önemli bir etki yapıyor. Şöyle koşabileceğim, bisiklete binebileceğim ya da yürüyerek doğa içinde olabileceğim patikalar, sırt çantamı yüklenip kampa gidebileceğim yerler önemli. Stadyumda koşabilmek, beyzbol alanında koşabilmek... Bu tür geniş mekânlar, Güney Kaliforniya kültürünün bir parçası haline gelmiş ve onlara kolayca ulaşmak mümkün. Sanırım Türkiye'de yaşasaydım bunlar olmayacaktı. Belki de şimdiki sağlığım ve gücüm de olmayacaktı. Etrafımda gördüğüm akrabalarımın ve benim yaşımdaki Türk erkeklerinin çoğu sigara içiyor, spor yapmıyor, hafiften göbek yapmaya başlamış ve benim kadar sağlıklı ve formda değil. Sağlıklı olma konusunda bakış tarzları farklı, bakış zeminleri benimkinden farklı.

Arif gülerek kendi göbeğine baktı ve "Bu yönde alışkanlıkları yok, spor yapmazlar," dedi.

T: Alışkanlıkları yok. Evet! ABD'deki arkadaşlarımın ve çevremde ilişki içinde olduğum insanların çoğunluğu, spor salonlarına düzenli olarak gidiyor, egzersiz yapıyor.

Türkiye'de büyüseydim, bedensel gelişmem ve spor bakımından bayağı farklılıklar olurdu. Futbol, beyzbol, basketbol, ragbi ve bunları oynarken hem Amerika'da doğmuş büyümüş hem de farklı ülkelerde doğmuş büyümüş sonra Amerika'ya gelmiş farklı kültürlerden birçok insanla tanıştım.

A: Örneğin hangi ülkelerden?

T: Avrupa kökenli yani Hollanda, Almanya, Belçika, Danimarka, İsveç, İrlanda, İngiltere, İtalya, Yunanistan, Fransa kökenli olan-

(1) Canan Dilâ, *Damdan Düşen Psikolog,* Remzi Kitabevi, İstanbul, 2015.

lar bir yana Meksika, Tayvan, Tayland, Vietnam, Japonya, Kore, Arjantin, Filipinler doğumlu, çocukluğunun bir kısmını orada geçirmiş, daha sonra Amerika'ya gelmiş arkadaşlarım vardı. Bunların çoğunun evinde hâlâ geldikleri ülkelerin yemekleri pişer ve kendi anadillerini konuşurlardı. Ve ben sık sık onların masasına oturma şansını yakaladım.

A: Peki böyle çeşitli bir kültürel yelpazeyi görmek seni nasıl etkiledi?

T: Bir tek dünya görüşünün tek doğru yol olamayacağını öğrendim. Meksikalı da kendi yemeğini, kendi dilini, müziğini, kendi kültürünü seviyor, Vietnamlı da. Hepsi de yakın arkadaşım oldu, beraber aynı takımda basketbol oynadık, ragbi oynadık. Bütün bu söylediklerimin içinde sanırım en önemli olanı şu olur: Türkiye'de insanın içinde yetiştiği kültürün etkisini görüyorum, sanki insanların beyni yıkanıyor. Kendi kültürlerinin dışında hiçbir toplumun akla yatkın başka bir görüşü olabileceğini akılları almıyor. Türkiye'nin gözde üniversitelerine gidenlerin bile.

Bu söz çok dikkatimi çekti. Timur'dan, söylediği bu sözü biraz açmasını istedim.

T: Baba, örneğin sen Silifke'de doğdun büyüdün ve Silifke'de doğup büyümüş olmanın etkisini, şivenle, müzik zevkinle, hatta yaşama bakışınla hâlâ taşıyorsun. Onun için Türkler birbirlerini gördüklerinde hemen nereli olduğunu öğrenmek istiyor, "Nerelisin?" diye soruyor. Yani, bir insanın nereli olduğunu bilirsen onun kim olduğunu bilirsin, gibi bir anlayış söz konusu.

A: Timur, ait olma-birey olma dengesinde, ait olma lehine bir kayış olduğunu mu düşünüyorsun?

T: Evet, evet Arif, güzel ifade ettin. Ben burada büyüseydim, amca ve halalarımın daha çok etkisinde kalırdım. Yani, kendimin ne istediği değil, benden istenen daha çok kafamı meşgul ederdi. Yükseköğretimi burada yapmak durumunda kalsaydım..."

Bir süre sessiz kaldı, düşündü. Daha sonra şunları söyledi.

T: Stanford Üniversitesi'ne başladığımda on sekiz yaşındaydım. Biliyorum Stanford gelişmiş bir ortam, orada öğrencinin yaşamda gelişmesi için etkin bir rol alıyorlar...

D: Timur sözünü kestim, özür dilerim. Öğrencinin "gelişmesi için"i bilerek kullandın, değil mi?

T: Tabii bilerek kullandım. Üniversite öğrencisini, onun seçmiş olduğu meslekte, çağın koşulları için hazırlarken, mesleğe hazırlamanın ötesinde önemli bir görevi olarak onu sağlıklı düşünen, toplumun sorunlarının farkında, bilinçli seçimler yapan, yaptığı seçimlerin sorumluluğunu alan, dürüstlüğün mutluluk için gerekli en önemli koşul olduğunun farkında olarak yetiştirmeyi amaçlar.

A: Bu dediklerin çok, çok, pek çok önemli Timur.

T: İlk yıl gelenler için kampüs eğitimi adında bir program geliştirmişler. Burada, toplumun uğraştığı bütün konularda, kişileri düşünmeye sevk eden bir ortam yaratmaya çalışıyorlar. Birlikte yaşamanın sorunları, kültürün ve toplumun konuştuğu eşcinsellik, kadın hakları gibi konular.

A: Türkiye'de Stanford tarzında bir üniversite olsaydı örneğin, sence neler konuşulurdu?

T: Bizim yolda konuştuğumuz her şey konuşulurdu. Örneğin ezan hoparlörle okunmalı mı, okunacaksa Arapça mı okunmalı, asker ve parlamento ilişkisi, sizin 'Mış Gibi' kitabında dile getirdiğiniz eğitim, kamu hizmetleri, sağlık sorunları, türban giyenlerin üniversiteye alınıp alınmaması, PKK'nın ortaya çıkış nedeni ve halen niçin devam ettiği... hepsi, evet hepsi konuşulurdu. Stanford'da konuşulan eşcinsellik ve kadın hakları konuları, anladığım kadarıyla Türkiye'de ya pek ilgi çekmiyor ya da konuşma özgürlüğü alanına girmiyor.

Bütün bu konuların yanında Stanford'da mühendislik okulu üst düzeydeydi. Tıp fakültesi, tıp araştırması ve eğitimiyle ülkede tanınıyor, spor alanında da güçlü bir program geliştirmişlerdi. Bütün bunlardan yararlanabildim, hem akademik hem de spor bakımından gayet faal tutmuşlardı beni. Bu çok yönlü ortam olmasaydı, ben bugünkü çok boyutlu düşünme olanağını bulamazdım.

Üniversite ikinci sınıfta iken bize fizik giriş dersini öğreten profesör iki yıl sonra fizik dalında Nobel ödülünü aldı. Böylece bende şu düşünce oluştu: Ben, dünyadaki en iyi eğitim ortamlarından birinde, dünyadaki en üst düzey bilim insanlarından ve düşünürlerden eğitim aldım; herhangi bir alanda Nobel ödülü almayı hedeflemedim ama bu insanların arasında bulunmuş olmanın ve bu eğitim ortamında başarılı biri olmanın verdiği bir güven var içimde.

Bu, akademik konularda olduğu kadar iş yaşamı için de geçerli. Biliyorsun HP(1)'nin kurucuları Stanford mezunu. Ve bu bilinç, bu güven duygusunun inşası uzun yıllar alıyor ve öyle sanıyorum ki Amerika'daki iyi üniversiteler öğrencilerine bu bilinç ve güven duygusunu vermeye çalışıyorlar: "Bilimde, teknolojide, sanatta, sporda ve iş yaşamında, dünyanın neresinde olursa olsun yarışabilirsiniz, kendinize güvenin" mesajını veriyorlar. "Dünyanın en iyileri sizlersiniz, kafanıza koyduğunuz şeyi yapabilecek gücünüz var, gelecek sizin kendi ellerinizde." Bazen bu konuda o kadar fazla mesaj veriyorlar ki, bazı öğrenciler biraz aşırı güven içine giriyorlar, gururlu ve kibirli oluyorlar. İşe bu duygu, "ben yapabilirim" duygusu, "üniversitem bana dünyanın en iyi eğitimini verdi" duygusu, burada farklı.

O sırada bir araç dolusu askeri geçtik. Karşılıklı birbirimize el salladık. Timur, gülerek, "Bu ABD'de olur muydu, bilmiyorum! Bu erkek kültürünün yaygınlığından mı, yoksa başka bir şeyden mi baba?" diye sordu.

D: Askerlik, bu toplumda, kadın erkek herkes tarafında paylaşılan temel bir deneyim.

---

(1) Hewlett Packard: Bilgisayar üreten uluslararası bir Amerikan şirketi.

T: Kadınlar da askere gidiyor mu?

D: Hayır. Ama herkesin ailesinde askere gitmiş biri ve mutlaka bu askeri bekleyen bir anne, sevgili ya da gelin vardır. Ayrıca yüzyıllar boyu savaşlarla yoğrulmuş bir ülkede, askerlik kutsal bir görevdir. "Asker ocağı" yaşantısı iyi bilinir ve o elbiseyi giymiş erlere herkes, kadın erkek, sempatiyle bakar. Askerliğini yapan da bunu bilir.

Timur gülümseyerek, "Anladım!" dedi ve kaldığı yerden devam etti.

T: Benim meslek ve girişim olanaklarım yaşamımın çok önemli parçalarıdır. Ben örnek bir girişimci olmak isterim, kendi geleceğini inşa eden bir insan örneği olmak isterim. Türkiye'deki kültür, "farklı olma"ya hoş bakmıyor, "farklı olan"a destek vermiyor.

A: Öyle diyorsun Timur ama bak bütün yeni açılan işyerlerimizin isimleri İngilizce ve Starbucks, Burger King, McDonalds mantar gibi her yerden fışkırıyor.

T: Arif, farkındayım, hatta bazı radyolarda hep Amerikan müziği; konuşmacılar bile İngilizce ya da Amerikalı spikerlerin konuşma tarzlarını taklit ederek konuşuyor. Bu benim söylemek istediğim şey değil. Bunlar yabancı taklidi olan şeyler ve moda. Benim söylemek istediğim, bütün bu modaların dışında bir fikir üretmek ve bunu özgürce ifade edebilmek.

Arif'le göz göze geldik. İkimiz de bu konularda yüreği yananlardandık.

A: Bu, daha önceki, Türkiye'deki eğitimin geliştiren olmaktan ziyade kalıplayan olduğuyla ilgili gözlemlerinle uyuşuyor. Üniversitelerin, aydın olarak yetişme olanakları yaratmaya da özen göstermesi sözlerinle de örtüşüyor. Timur sen, aslında özgürlüğe ve bireysel farklılığa saygı duyan ve destek veren bir ortam olmasına önem veriyorsun.

T: Evet. Aynı zamanda bu ortamın benim yapabileceğime güvenmesini ve destek vermesini de önemsiyorum. Kendime güvenim, başaracağıma inancım ve içinde yaşadığım ortamın beni desteklemesi benim için çok önemli.

A: Kadın erkek ilişkisi yönünden de bakar mısın? O yönden diyeceklerin var mı?

T: Kadın erkek ilişkisi, iki ülkede farklı. Amerikan kadınını tanıma, bol bol konuşma, görüşme, paylaşma olanağım oldu. Bu, kendimi erkek olarak keşfetmemde ve anlamamda önemli bir rol oynadı. Türkiye'de yaşasaydım, Türk kadınını anlamak için konuşma, görüşme, paylaşma olanağına ve kendimi anlama şansına sahip olabilir miydim, bilmiyorum. Türkiye'deki arkadaşlarımın kızlarla ilişkisi, geleneksel kültürlerde gördüklerime benziyor. Amerika'da *date* dediğimiz, sanırım Türkçeye "çıkmak" olarak tercüme edebileceğimiz sosyal paylaşım kavramı burada daha farklı algılanıyor. Türkiye'de kız ve erkeğin sosyalleşebilmesi için...

A: Sosyalleşmek derken ne demek istiyorsun?

T: Amerika'da bu terimi, hoşça vakit geçirmek için bir araya gelmek, geziye, sinemaya veya konsere gitmek, konuşmak, çay kahve içmek, anlamında kullanırız. Amerika'da erkekler değişik kızlarla, kızlar da erkeklerle sosyalleşir, kız ve erkekler arkadaşlarını değiştirir, çok farklı kimselerle tanışır.

A: Bizde, farklı farklı erkeklerle çıkan kızlar pek makbul sayılmaz.

T: Peki, ya farklı farklı kızlarla çıkan erkekler?

A: Bu, erkekliğin şanındandır!

T: Neyindendir?

Güldük. "Yani, erkek için olumsuz bir durum değildir," diye Arif, açıkladı. Timur da güldü ve konuşmasına devam etti.

T: Türkiye'de sanıyorum birkaç tanışma ve sosyal faaliyetten sonra kız ve erkek gençler, kendilerini ciddi bir ilişki içinde buluyorlar. Bu dediğim de sanırım kırsal için geçerli değil.

Türkiye'de yetişseydim, muhtemelen şimdi evli olurdum ve büyük bir olasılıkla iki çocuğum olurdu. 31 yaşında olmak, evli olmamak ve çocuğu olmamak sanırım Türkiye'de oldukça geç kalmışlık olarak görülür.

D: Büyük şehirlerde çalışan, profesyonel iş yaşamına girmiş kız ve erkeklerin evlenme yaşı artık ABD'dekine çok benziyor.

T: Değişiyor yani.

D: Evet!

A: Bak ben evli değilim ve halen bir kız arkadaşım da yok.

Tokat'a yaklaşırken, Timur iş hayatına yönelik konuştu ve bazı izlenimlerini paylaştı.

T: Türkiye'de, Amerika'dakinden daha yapılanmış ve belirgin bir hiyerarşi var.

A: Türkiye'deki iş hayatını nereden biliyorsun?

T: Türkiye'ye geldiğimde babamın çevresinde bulundum, onun bazı seminerlerine katıldım. Bazı arkadaşlarım ve onların çalışma ortamlarındaki ilişkilerini görme fırsatım oldu. ABD'de, işyerindeki üstüne, "Benim daha iyi bir fikrim var," diyebilirsin ve bundan kimse alınmaz. Önemli olan işin iyi yapılmasıdır. Burada bunu dersen, "Ben senden daha iyi biliyorum ve senin yerinde gözüm var," anlamı çıkıyor sanırım ve bu anlam verme tarzı yüzünden daha sonra üstle ilişkiler bozuluyor. Amerika'da üst yönetici, altındakilerin işi sahiplenmesini ister, bunun için onların işle ilgili fikirlerini açıkça söyleyebilecekleri bir ortam oluşturmaya özen gösterir.

Amerika'da konuşmayanlar, eleştirmeyenler, öneride bulunmayanlar pek makbul değilken, burada konuşup kendi fikrini söyleyenler pek makbul değil.

A: Timur bizde bir söz vardır, "Salla başını, al maaşını!" diye, bu sözü daha önce duymuş muydun?

T: Hayır duymamıştım ama sözün ne demek istediğini anladım galiba. Kaldığım yerden devam edeyim. Amerika'da iş yaşamında, birinin verilerle konuşması ve söylediği şeye kendisinin önem verip gerçekliğine inanması önemsenir. Daha sonra o fikri savunmak ve başkalarının eleştirisine rağmen doğru bildiğinde direnmek takdir edilir. Ama bunun tüm şirketlerde aynı şekilde gerçekleştiğini söylemek yanlış olur. İyi yönetilen tipik Amerikan şirketlerinde bu böyledir.

D: Timur, iyi yönetilen şirketlerde burada da böyledir ama bu tür şirketlere "tipik Türk şirketi" demek yanlış olur.

T: Benim anladığım, iyi yönetici, her çalışanı işinin sahibi yapar.

D: Yani iyi yönetici, çalışanı işinin sahibi yapıyor. Bununla ilgili bir anım var, anlatmak istiyorum. Benim Amerika'ya doktora öğrencisi olarak ilk gidişimden bir ay falan sonraydı. Odada bir ben varım, bir de John Limber adında Amerikalı bir asistan. Odaya Profesör Osgood girdi. Ben onu görünce hemen ayağa kalktım ve ceketimin düğmelerini ilikledim. John ayakları masanın üstünde kitap okuyordu ve hiç yerinden kalkmadan, "Hi Charlie!" dedi. Prof. Osgood'un ilk ismi Charles idi ve ofiste Amerikalılar ona ilk ismini kısaltarak Charlie derdi. O da bana "Doyen" derdi. Kapıdan girince "Merhaba Doyen, Merhaba John," diyerek selam verdi.

John yerinden bile kalkmadığı için onun işten atılacağını düşündüm. Bu ne saygısızlık diye düşündüm. "Çocuğa yazık olacak" diye aklımdan geçti ve ona acıdım. Osgood ise benim "hazır ol"da durmamdan rahatsız olmuş görünüyordu. "John, pazartesi günü vereceğin o raporu, iki gün önceye almak zorundayım, raporu cuma öğleden sonra verebilir misin?" diye sordu. John, ayakları hâlâ masanın üstünde, biraz düşündü, kafasından bazı şeyleri hesapladığı belli oluyordu, bir dakika sonra, "Ok, verebilirim," dedi.

Ben hâlâ hazır olda, ayaktaydım. Osgood, John'a teşekkür etti, yardımının çok makbule geçeceğini söyledi ve benim duruşuma baktıktan sonra, sinirli, tuhaf bir yüz ifadesiyle çıktı gitti. Sakin sakin oturan John, Osgood gittikten sonra, gerginliğini ifade eden bir ses tonu ve tarzda, "İşim zor!" dedi ve kalktı, Osgood'un istediği proje üstünde çalışmaya başladı.

Daha sonra anladım ki, benim yetiştiğim kültürde otoriteye nasıl saygılı davrandığın önemli, John'un içinde yetiştiği kültürde ise işini zamanında ve iyi yapıp yapmadığın. Otorite benim kültürümde beni, "ona ne kadar saygılı davrandığıma" göre değerlendirecektir. John'un kültüründe ise "işini söz verdiği zamanda ve ne kadar iyi yaptığına" göre. Yapılan sosyal kontratlar farklı.

T: Ben, Fluid Dynamics Engineering laboratuvarında proje üzerinde çalışırken, çalışmamızdan sorumlu asistan, çıplak ayak, tişört ve şortla içeri girdi. O bizimle konuşurken bölüm başkanı olan dünya çapında tanınmış profesör içeri girdi ve asistana, "Bana asistanlığımı hatırlattın, ben de üç yıl laboratuvarda çıplak ayakla dolaştım," dedi.

A: Ama böyle samimi olmanız, ondan iyi bir not veya başka bir yarar bekleyeceğiniz anlamına gelmiyor, değil mi?

T: Böyle bir şeyi aklından geçirdiğini bile hissederlerse seni rezil ederler. İşin zamanında ve en iyi şekilde yapılması beklenir ve bunun ötesinde diğer şeyler önemli değildir. Stanford'da sınav, *"honor code"* sistemi içinde verilir.

Arif, honor code'un ne olduğunu sordu. Timur, öğrencinin kopya çekmeyeceğine inanarak, onu kendi onurunun sorumlusu bırakarak, profesörün ve hiç gözeticinin olmadığı sınav sistemini anlattı.

A: Gerçekten profesör başında olmadığı halde sınavda öğrenci kopya çekmiyor mu?

T: İki sorumluluk sistemi de yerli yerinde işler, o nedenle kimse kopya çekmez.

A: İki ne?

T: Hani daha önce konuşmuştuk ya! Sorumluluğun iki kaynağı vardı: İlki, bireyin kendi ilişkisinden gelen, kendi özüne hesap vermesinden gelen sorumluluk bilinci. İkincisi de içinde bulunduğu ortamın hesap sormasından kaynaklanan...

A: Sınavda bir başkasından kopya çekme durumu oluyor mu?

T: Öğrenci bir başkasından kopya çekemez. Bir başkasının kâğıdına bakarsa, kâğıdına bakılan müthiş sinirlenir ve onu hırsızlık yapmakla, hakkı olmayan bir notu almaya çalışmakla suçlar. Yani kâğıdına bakılmasına izin vermez.

A: Peki, kopya çekmeye çalışan daha güçlü kuvvetli ve korkulacak biriyse?

T: Mümkün değil, sınıfın tümü bir olur ve bu tek kişiyi halledebilir. Ayrıca, bu durum okul yönetimine bildirildiği takdirde, bütün öğrenciler kopya çekmeye çalışan aleyhine tanıklık yapar ve yönetim bunu, kopya çekeni okuldan atmak için bir sebep olarak kullanabilir. "Böyle kopya çekerek mezun olacak bir öğrencinin ileride benim üniversitemi temsil etmesini istemem," düşüncesi üniversite yönetiminde ağır basar.

Ben söze karıştım ve Arif'e, "honor" *kelimesinin "onur, haysiyet, şeref" anlamına geldiğini,* "code" *kelimesinin "ilişkileri düzenleyen sistem" olarak anlaşılması gerektiğini söyledim. "Kişinin onurunu korumasını temel alan bir ilişki sistemi"nden söz edildiğini açıkladım.*[(1)]

Tokat'ta küçük bir mola verdik, tuvalete gittik, benzin aldık ve yola çıktık. Tabela, 'Yıldızeli 57, Sivas 109 km' diye yazdı. Ve artık Sivas yoluna girmiş bulunuyoruz. Sağımızda solumuzda meyve bahçeleri var. Ve hemen ileride de tepeler, dağlar, ama artık dağlar öyle çok yeşillik, ormanlık değil, biraz yeşil ama bodur bitkiler var. Yavaş yavaş açık alanlara doğru, Tokat'ın yaylasına doğru yol alıyoruz.

---

(1) Kaliforniya Eyalet Üniversitesi, Fullerton (CSUF) yerleşkesinde lisansüstü çalışma yapan bir arkadaşım bu kitabın ilk taslaklarını okurken bu paragrafın yanına şu notu koymuş: "CSUF'de bu şekilde bir sınav oldum. Önce neden hiç hoca yok, anlayamadım. Sınava başlamadım, bekliyorum ama herkes başladı. Durumu anlayınca, bugüne kadar bana neden bu güven ve bu onur verilmedi, diye hüngür hüngür ağladım. Sonra kendimi toplayıp sınava başladım."

D: Bugün Levent Bey bir olay daha anlattı, sizinle paylaşayım. Levent Bey Amasya'da bir bankada kuyruğa girmiş, orada gördüklerini şöyle anlattı.

"Üç vezne ve her vezne için bir kuyruk vardı. Diğerlerinin hiçbirinde kimse ihtar edilmiyordu, ama ben... Kendi kuyruğumdaki kırmızı çizginin arkasında durdum. Sıran gelene kadar orada durmalısın ki hem önündeki müşteri hem veznedeki kız rahat çalışsın. Arkamdaki kişi, 'Kardeşim yürüsene yav, haydi yürüsene yav,' falan dedi. 'Hayır, ben burada duracağım. Bak o da rahat olsun. Sırası gelen yapacak nasıl olsa,' dedim. 'Olur mu ya? Yeni icat mı çıkarıyorsun?' gibi laflar etti. Sonra, 'Bak sen geçmiyorsan ben geçiyorum,' dedi. Ben de, 'Geç,' dedim. O geçti. Müşterinin işi bitince vezneye ben gittim ve ötekine, 'Şimdi lütfen o çizginin arkasına geç,' dedim. 'Olur mu yav, gitmem,' dedi. Ve adam yapmayınca kasadaki kıza söyledim. Kız da güvenlik görevlisini çağırdı. Görevli adama, 'Lütfen çizginin arkasına geçin,' dedi. 'Allah Allah bu adam manyak mı ya? Böyle, yeni icat çıkarıyor. Allah Allah ya, deli edecek beni ya,' diye sinirli sinirli konuştu. Ben işimi bitirdim, sonra çıktım gittim. Herhangi bir şekilde taviz vermedim. Ve böyle olduğu zaman da mutlaka söylüyorum insanlara, benim arkama gelip bana yapışmasınlar."

T: Amerikalı gözüyle baktığım zaman Levent Bey'e hak veriyorum. Ama bu yolculuk boyunca öğrendiğim bir şey oldu, öbür adamın gözüyle de bakabiliyorum. Öbür adamın gözüyle bakınca Levent Bey anlamsız bir şey yapmış oluyor. İki farklı dünya anlayışı, iki farklı anlam verme sistemi var.

D: Sana katılıyorum Timur. Türk kültürü, ait olmanın baskın olduğu bir kültür; ilişki kültürü. Kişiler arasında mesafe olması, bireyselliği önemsemek demek olur. Biz, bireysellikten hoşlanmayız, o nedenle bireyler arasında çok mesafe olması anlamlı değil, aksine rahatsız edici bir şeydir.

Bir keresinde, otobüste yanımda oturan bir adam kolumu tuttu, saate bakacak şekilde çevirdi, sonra eski halinde bıraktı. Üstelik bunu, her gün yaptığı sıradan bir davranış gibi yaptı.

T: Baba, az önce anlatmıştın ya, Levent Bey, annesinin eviyle ilgili belediye yetkilisine gittiğinde, görevli, "Şikâyet ettiğiniz şahsın adını biliyor musunuz?" diye soruyor. Levent Bey, "Hayır bilmiyorum," dediğinde, "Siz ne biçim adamsınız, komşunuzun bile adını bilmiyorsunuz," diyerek tavır koyuyor. Bu da anlattığın ait olma-birey olma konusuyla ilgili. Türkiye'de komşuluk önemli ve iyi insanın komşusunun adını bilmesi beklenir. Ama Alman, komşusunun adını bilmek zorunda değil.

A: Peki Timur, Amerika'da komşuluk önemli mi?

T: Küçük kasabalarda ve köylük yerlerde önemli. Ama büyük anakentlerde artık öyle bir şey kalmadı.

D: Bizde de anakentlerde artık apartman hayatı dediğimiz bir yaşam başladı ve insanlar yan dairede, üst dairede oturanı tanımıyor. Ama bundan çoğu kişi rahatsız; yani komşuluğun kaybolmasına üzülüyorlar.

T: Amerika'da küçük kasaba ve köy kökenli olanlar da büyük şehirlerde komşuluğun kaybolmasına üzülüyor. Şahsen ben de üzülüyorum. Türkiye'yi o yönden daha şanslı ve sağlıklı buluyorum ve Levent Bey'in dile getirdiği görüşlere bu gözle bakıyorum. İnsan ilişkileri yönünden Türkiye'nin bir Amerika ya da Almanya gibi olmasını istemem. Komşuluk ilişkilerinin devam etmesini isterim, ayrıca ailemin sıcaklığı ve sevgisi benim için önemli.

D: Timur, dediğinle ilgili bir anım var, paylaşmak istiyorum. Leyla Hanım'ı tanıyorsun, değil mi?

T: Sizin ev işlerine yardım eden Leyla teyzeyi mi?

D: Evet.

T: Tabii tanıyorum.

D: Özel bir durum oldu ve Leyla Hanım'ın iki-üç gece bizim evde kalması gerekti. Bir sabah ben yukarıda çalışıyordum, çalan telefona Leyla Hanım çıktı. Bir süre konuştular. Daha sonra bana kiminle konuştuğunu açıkladı. Apartmandaki üst komşusu telefon etmiş, "İki gecedir kapını çalıyorum, evde yoksun. Merak ettim, sağ mısın, nerelerdesin, bir sorayım," demiş.

Bunu söylerken Leyla Hanım'ın gözleri ışıldıyordu, mutluydu. Oturduğu apartman dairesini yeni almış ve taşındıktan hemen sonra her eve bir tabak meyve götürerek kendini tanıtmış. Ben sizin şu dairedeki komşunuzum, adım şu, çocuklarım var, adları şu. Komşuluk hali şekere, tuza, bir şeye ihtiyacınız olursa, sıkılmayın, çekinmeyin, buyurun gelin, kapımı çalın, demiş. Bütün komşular memnun olmuşlar, yalnız karşı dairede oturan genç bir bayan, "Ben komşuluktan hoşlanmam!" deyip kapıyı yüzüne kapamış. O zaman Leyla Hanım'a sordum, "Kapı yüzüne kapanınca kendini nasıl hissettin?" "Kötü hissettim," dedi. "Kapıyı açınca yüz yüze bakacağız, bu nasıl komşuluk, anlayamadım!"

Leyla Hanım bunu söylediğinde, ben de senin gibi bir dilekte bulundum içimden Timur, inşallah dedim, benim halkım, komşuluk ilişkisine hep önem verir.

T: Amerika'da ait olma-birey olma dengesi bakımından birey olma çok baskın gelişmiş ve bence bu, insanları gittikçe yalnızlığa götürmüş. Kamu hizmetleri gayet iyi yapılıyor, örneğin telefon edince polis hemen geliyor, belediyeye gidince işlerin rüşvetsiz görülüyor, bankadaki kuyrukta kimse ensende nefes alıp vermiyor ama dikkat etmezsen, kolaylıkla aile ve toplumdan kopuk bir yaşam sürebilir, yalnızlığa gömülebilirsin.

Yolun sağ şeridinde oldukça büyük bir taş duruyor. O taş nereden geldi? Gece bayağı tehlikeli olabilir. Muhtemelen bir kamyon durdu. Bir taş koydular tekerin altına. Sonra kamyon gidince de öyle kaldı.

Timur taşı geçince arabayı sağa çekti, dörtlüleri yaktı ve durdu. Arabadan çıktı, taşı ite ite yolun dışına taşıdı ve sonra yeniden yolumuza devam ettik. Bu bana iç sorumluluk, dış sorumluk sorununu düşündürdü. Kim, nerede, ne zaman, bir şoförün kamyonunun tekerinin altına koyduğu taşı yolda bırakıp bırakmadığını denetleyebilir ki.

Süpermarketteki yaşlı kadın veya yolda taş bırakan şoför... Korku kültürü iç sorumluluğu önemsemiyor, çünkü bireyi önemsemiyor ve tamamıyla dış denetimle, korkuyla işleri yürütmeye çalışıyor.

Bu yöntemde bence kaçınılmaz olarak üç sorun çıkıyor karşımıza: Birincisi, yeteri kadar "gözetleyen-denetleyen", "polis" bulmak mümkün değil. İkincisi, "gözetleyen-denetleyen", "polis" olsa bile onların gerekli olduğu bütün durumları önceden kestirme ve orada bulundurma olanağı yok ve üçüncüsü, bu sistemde denetleyenin tepesine bir müfettiş, onun tepesine başmüfettiş, onun da tepesine teftiş kurulu koymak gerekir ve bu böyle devam eder; dürüst bir çalışana rastlayıncaya kadar.

Çağdaş, demokratik, uygar bir toplum, korku kültürü temelleri üstüne inşa edilebilir mi? Aklımdan geçenleri bu kez kendime saklamaya karar verdim, konuşmadım.

Tokat'ın 25-30 km dışında artık Anadolu bozkırının tanıdık görüntüsü oluşmaya başladı. Dağın doruğuna doğru bir toprak kayması olmuş ve karayolları bunu onarmaya çalışıyordu.

Şimdi Yıldızeli'ni geçtik ve Sivas'a doğru gidiyoruz. Timur bu manzarayı çok sevdi.

T: Şöyle bir ovada, yakınından nehir geçen büyük bir çiftliğim olsun, orada at yetiştireyim isterdim. Bir süre daha gittik.

A: Doğan Bey, çocuk yetiştirme konusunda kalıplayan aile ile geliştiren aileyi niyet-bilgi-beceri-eylem-sonuç döngüsü yönünden kafamda karşılaştırdım ve düşündüklerimi sizinle de paylaşmak isterim.

D: Ne güzel; duymak isterim.

T: Kafamın bir yanı hep onunla meşgul. Haydi Arif, başla, iyi olur.

A: Kalıplayan korku kültüründe büyüyen çocuk kendi niyetinin sahibi değil, buna izin verilmiyor. Ona dışarıdan verilmiş bir niyetle yaşamasını öğreniyor. Koşunca, "Koşma düşersin!" doydum deyince, "Hayır doymadın!" bir şeyi merak edip ellemeye, evirip çevirmeye başlayınca, "Bırak onu, karıştırma, kırarsın, koy yerine!" deniyor. Küçücük bebekken çıkardığı bebek sesleri bile, "Hışşşt, hışşşt!" denerek bastırılıyor... Ve böylece, yavaş yavaş utanca boğulmuş iç çocuğu oluşuyor. Utanca boğulmuş iç çocuğun[1] oluşması da bana çok önemli geliyor.

T: Evet, niyet çocuğa pompalanmış, kalıplanmış, dış kaynaklı, "uygun bulunan" niyet. Zaten burada, yaşamdan kopukluk ve "mış gibi" yaşamak başlıyor.

D: Ama kendisine böyle yaşanması gerektiği söylendiği ve çevresinde böyle yaşayanlar çoğunlukta olduğu için, ne yazık ki, neyi kaybettiğinin farkında bile olmuyor.

A: Ama Doğan Hocam çocuğun içi, onun canı, ona içten içe mesaj vermeye devam ediyor, değil mi?

D: Tabii ediyor. Ama çocuk çevrenin baskısıyla bu içten gelen mesajlara kulak vermemeyi, önemsememeyi öğreniyor.

A: O zaman iç dünyası ile dış dünyası arasındaki fark artıyor, değil mi?

D: Evet. Utanca boğulmuş iç dünya demenin anlamı da zaten bu oluyor. Çocuk kendi olmaktan, düşündüğünü ve hissettiğini söylemekten utanıyor.

T: Kendi olmaktan utanmak... Hımm.

A: Diğer yandan geliştiren ailede, sevgi ortamında yetişen çocuk iç dünyasından kopmuyor, koparılmaya zorlanmıyor. Çünkü onunla sohbet içinde konuşuluyor.

T: Baba, daha önce "sohbet içinde" olmaktan söz ettin. İyice anlamak için yeniden sormak istiyorum, "sohbet", karşılıklı konuşma anlamında, değil mi?

D: Timur, karşılıklı konuşma eğer yargılama olmadan, karşıdakinin düşüncelerini paylaşma amacı taşıyorsa, ben ona sohbet di-

---

(1) Bu kavram için bkz. Doğan Cüceloğlu, *İçimizdeki Çocuk,* Remzi Kitabevi, İstanbul, 1994, s. 85-139.

yorum. Bir iş yapmak için bilgi paylaşımı ve benzeri amaçlarla karşılıklı konuşuluyorsa, o sohbet değildir.

T: Doğru anlayıp anlamadığımı ortaya koymak için şöyle ifade etmek istiyorum. Bu sohbet, baba ya da anne durumunda olan bir yetişkinin anlam dünyası ile bir çocuğun anlam dünyasını ilişki içine sokuyor ve anlam dünyalarının paylaşımını sağlıyor. Doğru anlamış mıyım?

D: Evet Timur, doğru anlamışsın.

T: Yargılama yok, dayatma yok. Çocuğun doğuştan getirdiği doğal merak temel alınarak, bir irdeleme başlatılıyor. Bu süreçte çocuğun iç dünyasından kopmamasına, bu iç dünyayı gözlemleyip anlamasına özen gösteriliyor.

D: Dolayısıyla zaman içinde çocuk, gönlünün muradını yavaş yavaş keşfetmeye başlıyor. Yaşamını kendi gönlünün muradından kaynaklanan niyetler üzerine kurmaya başlıyor.

D: Böylece, karşımıza iki farklı insan çıkıyor. Çocuk, doğuştan aynı potansiyele sahip iken kalıplayan korku ortamında büyümüş biri ise kendisinin olmayan, dışarıdan pompalanmış, toplumca "münasip" görülen bir "niyet"le yaşamına devam ediyor. Öte yandan, geliştiren saygı ortamında büyümüş birinin niyeti kendi gönlünün muradını yansıtıyor.

T: Baba çok önemli, temelden gerçekten farklı iki yaşamdan söz ediyoruz şu anda.

D: Farkında olduğun için memnun oluyorum Timur. İleride çocuk yetiştireceğin zaman, eşinle ve çocuklarınla konuşurken bunlar sana rehber olacak.

Arif gülerek, "Bana da rehber olacak hocam," dedi.

Artık Sivas'a giriyoruz. Solda bir sürü tabela; 'Hız 70 km', 'Nüfus 252 bin', 'Rakım 1285'. Bir okul geçiyoruz, daha sonra bir çimento fabrikası. Bayağı ağaç var. Burada da yol yapım çalışması var. Tren yolunun üstünde boş vagonlar duruyor. Bir cami yapılmış. Her ta-

raf sanki ince bir toz örtüsüyle kaplanmış vaziyette. Sanırım çimento fabrikasının tozu her şeyi kaplamış.

Biraz Sivas'a giriş manzarasını seyrettikten sonra Arif konuşmaya başladı.

A: Eğitimci olduğum için okulda, sınıfta ne olup bitiyor, düşünmeden edemiyorum. Biraz önce ailede ne olup bitiyor üzerinde konuştuk, şimdi aklımda okulda ne olup bittiği var. Kalıplayan korku kültüründe okullarda öğretilen bilgi otoritece uygun görülen, öğrencinin anlayıp anlamaması kimsenin umurunda olmayan, ezberlenecek, boğazından aşağı tıkılmış, aktarılmış malumat.

T: Arif, eğitim sisteminde bu tür yöntem izlendiğini söylüyorsun, değil mi?

A: Söylemiyorum, biliyorum. Ama bu birlikte yolculuğumuzdan sonra eğitimcilere pek kabahat bulamıyorum. Çünkü onlar da kalıplayan korku kültürünün çocukları. Ne yapsınlar, ancak bu kadar biliyorlar.

T: Baba, geliştiren ailede bilgi çocuğa nasıl veriliyor?

D: Timur, geliştiren ailede bilgi daha önce söylediğim gibi çocuğun merak temeli üzerinde inşa edilir ve bir sohbet süreci içinde soru, yanıt, gözleme, yapma, uygulama, yeniden sohbet zinciri içinde verilir. Çocuk soru sorduğunda yargılanmaz, sorusu tuhaf karşılanmaz, ilgiyle dinlenir ve onun bilişsel gelişimine uygun bir düzeyde açıklanır, gerekiyorsa gösterilir ve yine gerekiyorsa yapılıp gösterilerek tekrar edilir.

A: Yani öğrenirken çocuk etkin bir şekilde işin içindedir.

D: Bu ortamda bilgi, çocuğun doğal olarak ilgi duyduğu yöndedir çünkü sorduğu bir sorunun karşılığı olarak gündeme getirilir. Örneğin örümceğin nasıl avlandığını gözlemiştim. Bir çocuk o örümceğin neler yaptığını görse, örümceklerin yaşamıyla doğal olarak ilgilenir ve oradan tüm böceklerin yaşamıyla ve biyoloji alanıyla ilgilenmeye başlayabilir. Böyle bir yaklaşım içinde çocuk bilgiyi özümser ve bu bilgi onun farkındalığının, bilincinin temelini oluşturur.

Biz bunları konuşurken Gerek'i geçtik. Kayseri'ye doğru gidiyoruz. Şimdi Akkışla ayrımındayız. Doğru gidersek Kayseri'ye, sola saparsak Çiftlik ve Akkışla'ya gideriz.

Önümüzde güzel bir manzara var. Güneş sağımızda, artık yavaş yavaş batıyor.

Konuşmaya devam ediyoruz. Arif kendini kaptırdığı konunun peşini bırakmak istemiyor, devam ediyor.

A: Hocam, düşünüyorum da, kalıplayan korku kültüründe öğrencinin en iyisini yapmak için beceriyi mükemmelleştirme isteği yoktur.

Timur gülerek Arif'e yanıt verdi.

T: Niye olsun ki! Aklıma bir benzetme geldi. Bir adamı zorla hapishaneye koysalar ve ömrünün sonuna kadar burada yaşamak mecburiyetinde bıraksalar, bu adam "mükemmel bir tutuklu" olmaya çalışır mı?

Bu benzetme beni etkiledi.

D: Güzel bir benzetme Timur. "Nasıl daha mükemmel bir tutuklu olurum?" diyene hapishanede anormal gözüyle bakarlar.

T: Biliyor musunuz, bu yolculuğun bana kazandırdığı şeylerden birinin şimdi farkına vardım; neden bazı insanlar bazı şeyleri baştan savma yapıyorlar, şimdi daha iyi anlıyorum. Çünkü yaptıkları işe tutkuları yok, niyet kendilerinin değil, bilgi özümsenmemiş ve beceri de tabii yama gibi olacak. Taklit ederler, pek çaba göstermezler; yeteri kadar yaparlar, fazlasını değil.

D: Timur bir söz vardır öğrenciler arasında, beşten şaşma, altıyı aşma. Biliyor musun?

Timur korku kültürünün insanın hayatını nasıl etkilediği üzerine tahmin yürütmeye devam etti.

T: Şöyle akıl yürütüyorum: Korku ortamında otoriteyi memnun etmek için, altını çizerek söylemek istiyorum, ancak otorite istediği için ve izin verdiği oranda, insan elinden gelenin en iyisini yapar. Bu, okul ortamı olabilir ya da iş ortamı, hiç fark etmez. Ama kendi başına bırakıldığında gönülsüz, baştan savma, ortalama bir şeyle yetinecektir. Ve becerisini geliştirmekle ilgili içinden bir istek gelmeyecektir. Doğru düşünüyor muyum?

D: Evet, doğru düşünüyorsun. Dış sorumluluk ve iç sorumluluk birbirinden çok farklı gerçekler ve korku kültürü ancak dış sorumluluk verebiliyor. Geliştiren ailede yetişmiş kişi sürekli becerisini geliştirmek isteyecek, en büyük rakibi olarak kendisini görecek, bugün dünden, yarın bugünden daha iyisini yapmaya çalışacaktır. Birisinin onun tepesinde durup, "daha iyi yap", "özen göster" demesine ihtiyacı yoktur. Zaten kendisi emek vererek, geliştirerek becerisini kazanmıştır.

Yavaş yavaş akşamın loşluğu bozkıra çöküyordu ve biz bir yandan sürekli değişen bozkır ovasına bakıyor, kendi havamızı bulmuş olarak keyifle konuşmamıza devam ediyorduk.

D: Kalıplayan korku kültüründe temel yaptırıcı, güdüleyici, cezalandırılma korkusudur. Tabii bu tamamıyla dış kaynaklı olmaktadır. O nedenle kişi korktuğu, kendisine ceza vereceğini düşündüğü biri varsa, yapması gerekeni yapıyor, yoksa yapmıyor.

A: Timur, babanın tabiriyle, "jandarma dipçiği" gerekli; jandarma dipçiği olduğu zaman yapıyor, olmadığı zaman yapmıyor ve yapmadığı zaman içinde suçluluk duymuyor.

D: Sık sık başıma gelmiştir. Seminer vermek için gittiğim bir kentte havaalanından otele giderken güvenlik kemerini takmaya çalıştığım zaman şoför, "Takmana gerek yok abi, burada polis buna aldırmıyor," diyor.

T: Peki, sen ne diyorsun, baba?

D: Ha, öyle mi, diyorum ve ben zaten kendi güvenliğim için takıyorum şoför bey, diyerek kemeri takıyorum.

T: O ne diyor?

D: Çoğu bir şey söylemiyor, kimi, "Keyfin bilir abi," diyor. Ama içlerinden benim hakkımda "tip adam" diye düşündüklerini sanıyorum.

A: Hocam, demek oluyor ki, kalıplayan korku kültüründe çocuğun derse çalışması için birinin ona, "Haydi çalış, yoksa!..." türünden bir durum yaratması gerekir.

D: Evet Arif, haklısın. Kalıplayan korku kültüründe çocuğun derse çalışması için biri ona, "Haydi çalış, yoksa!..." diyorsa, "nokta"ların ima ettiği kelimeler önemli. Bunlar, "seni döverim" şeklinde somut, "seni sevmem" şeklinde soyut olabilir. Bence en olumsuzu, çocuğun okul ve meslek başarısını onun kendi özüyle aynı şeymiş gibi gösterip, o tür başarıları alkışlayarak onu yalnız bu tür başarılara yönlendirmek.

T: Bu, neden en olumsuzu baba?

D: Çünkü zavallı çocuk böyle bir koşullu sevginin yaptığı tahribatı ancak otuz yaşından sonra anlayabilir ve o zaman da bu tahribatı tamir etmek zor olur. Mesleğinde başarılı ama hayatı bomboş ve şevksiz çok insan var çevremde.

Arif merak etmişti, Timur'a, "Mesleğinde başarılı ama hayatı bomboş insan Amerika'da da var mı?" diye sordu.

T: Evet, Amerika'da da koşullu sevgi çok yaygın. Kalıplayan ailelerin kullandığı kalıplar belki Türkiye'de hemen görülebilir ama Amerika'dakiler daha derinlere saklanmış, daha sinsi türden ve o nedenle daha sinsi ve derinlere itilmiş yalnızlıklar var.

Arif bunu duyunca bana baktı. Bakışında, "Sizce de böyle mi?" sorusu vardı. Yüzümdeki ifadeden, "Evet öyle" yanıtını gördü ve hepimiz bir süre sessiz kaldık. Daha sonra Arif'e dönerek öğrenciyle ilgili konuşmaya devam ettim.

D: Geliştiren ailedeki çocuğa ders çalış demeye gerek yok. Geliştiren saygı kültüründe temel yaptırıcı, güdüleyici, kişinin içinden gelen istek, merak, başarma duygusudur. Kişi gönlünün muradını keşfetmiştir. Niyeti canından geliyor, bilgisi özümsenmiş, kendi malı olmuştur ve içinde şevk vardır. O nedenle gerekeni kendisi istekle, şevkle yapar.

T: Baba, Ulus Parkı'nda taş döşeyen ustalar için de aynı şeyleri düşünebiliriz, değil mi?

D: Tabii Timur, bu söylediklerimiz bütün ortamlar için geçerli. Herhalde farkındasınız, niyet ve istek, yani motivasyon sıkı sıkıya birbirine bağlı. Kalıplayan korku kültüründe yetişmiş kişiye niyet dayatılmış, aktarılmış, pompalanmış, gırtlağından aşağı zorla sokulmuş olduğu için, bu kişinin motivasyonu da, dış kaynaklı olmak zorundadır.

A: Doğan Hocam, bu konuştuklarımızın eğitim için önemli sonuçları var. Bunları konuşacak mıyız?

D: Hayır Arif. Şimdi, "Niçin mış gibi yaşıyoruz?" konusunu irdeliyoruz, o çerçeve içinde kalmak istiyorum.

Niğde'ye 35 kilometre kala Höyük denen bir yerden geçiyoruz. Artık karanlık basmış durumda. Arkasında hiçbir reflektörü olmayan traktöre az kalsın çarpıyorduk, o kazadan zor kurtulduk. Can güvenliği bilincinin yokluğu gayet belirgin, bas bas suratımıza bağırıyor. Bu konuda bilinçli bir eğitim seferberliği başlatmak gerektiği or-

tada. Nice canlar yollarda telef oluyor. Bunlardan üçü de biz olacaktık, son anda kurtulduk.

Düşündüğümü paylaştım.

D: Timur, biz ölseydik, böyle bir kitabın yazılacağını kimse bilemeyecekti... ve reflektör takmamış bu traktör sürücüsünün bizim gerçek katilimiz olduğunu da.

Bir süre sustuktan sonra yine ekledim.

D: O adama reflektör taktırma bilincinden yoksun olan trafik yetkililerinin bunda payı olduğunu da kimse düşünmeyecekti. Ölümümüz sanırım gazetelerin trafik kazaları sayfalarına haber olurdu ama gerçekten sorgulayan ve "Bu neden oldu ve önlenemez miydi?" diyen kimse çıkmazdı.

A: Kızı trafik kazasında ölen baba trafik yasalarının değişmesi için Ankara'ya yürüdü de ne oldu?

T: Önemli bir soru. Bu konuyu irdeleyecek miyiz?

D: Hayır, lütfen, elimizdeki konuya bağlı kalalım.

Bir süre sessiz kaldıktan sonra başlamış olduğumuz konuyu bitirmek için devam ettim.

D: Kalıplayan korku kültüründe yetişen birinin, kendisinin olmayan bir niyetten elde ettiği sonuç, kendine, içindeki temel duygulara bir anlam ifade etmeyecektir. Geliştiren saygı kültüründe yetişen birinin elde ettiği sonuç ise onun gönlünün muradını temsil edecek, onu duygulandıracak ve sonuç anlamlı olacaktır.

Sanırım korku kültürünün ana-babasıyla saygı-sevgi-güven kültürünün ana-babasının en belirgin olarak ayrıldığı nokta çocuklarıyla ilişki kuruş tarzları oluyor. Şöyle bir özetleme yapmak istiyorum; korku kültürünün ana-babaları çocuklarının hangi okuldan mezun olduğuna, hangi mesleği seçip ne mevkie geldiğine, kimin kızı/oğluyla evlendiğine, hangi semtte nasıl bir evde oturduğuna çok önem verirler ve bu amaçla küçükten çocukları yönlendirirler.

Saygı-sevgi-güven kültürünün ana-babaları ise, çocuklarının çocukluğunu doya doya yaşamasına, kendini ve yaşamı tanımasına, yaşamın bir ekip işi olduğunun farkına varmasına, insanın hayatındaki en önemli tanığın kendi özü olduğunu anlamasına, gönlünün muradını keşfeden insanın işini ve eşini kendi özüne uyumlu seçmesine, hayatta en önemli şeyin kendi yaşamında kendin olarak özgürce yaşamak olduğunu anlamasına önem verir ve bu amaçla sürekli çocuklarla sohbet ederler.

Arif ve Timur dikkatle dinlediler ve kafalarını hafifçe sallayarak hemfikir olduklarını belirttiler.

Niğde'ye girmiştik. Otele yöneldik.

13

NİĞDE'DEN TAŞUCU'NA

İnsan topluluğu kadın ve erkek denilen iki cins insandan oluşur.
Kabil midir bu kütlenin bir parçasını ilerletelim, ötekini ihmal edelim de kütlenin bütünü ilerleyebilsin?
Mümkün müdür ki bir cismin yarısı toprağa bağlı kaldıkça, öteki yarısı göklere yükselebilsin?

M. K. ATATÜRK

Saat 10:50 civarı; arabayı Timur kullanıyor. Dün, Kayseri üzerinden Niğde'ye geldik. Oteli bulduk. Bir gece geçirdik. Şimdi Adana'ya doğru yol alıyoruz. Yol iyi, yeni asfaltlanmış ve işaretler konmuş.

Önümüzde, 'Tehlikeli madde taşıyor' diye bir levhası olan, 38 Kayseri plakalı bir tanker var. Sağımızda iğde ağaçları, arkası bozkır; boş bir alan. İleride boz dağlar.

Niğde'de nasıl zaman geçirdik, neler gördük, neler düşündük? Şöyle bir gözden geçirmek istiyorum.

Sabahleyin bizim otel bulmamızda yardımcı olan banka müdürünü ziyaret edeyim dedim. Ona, zahmetlerine karşılık kitaplarımdan birini imzalayıp vermek geldi içimden. Timur ile Arif hâlâ oteldeydi. Ben tek başıma banka şubesine gitmek için otelden çıktım. Çıkar çıkmaz ayağıma bir şey takıldı. Baktım kaldırıma, kalınca çivi gibi bir demir çakılmış, birazı kesilmiş, bir kısmı üç ya da dört santim yukarıda duruyor. Sanki insanın ayağına takılması ve yaralaması için planlı olarak oraya konmuş gibi. Fotoğrafını çektim.

Daha sonra yayalar için bir yol işareti gördüm. Ağacın tam arka-

sına geldiği için görülmesi mümkün değil. Ama oraya konmuş. Biri, "Yayalar için levha koydunuz mu?" diye sorarsa, "Koyduk efendim," derler ve gerçekten de koymuşlar. Ama işe yarıyor mu? Hayır! Peki, işe yarayıp yaramadığını umursayan var mı? Besbelli yok. Levhanın ne amaçla konduğu ve işini görüp görmediği, öyle görünüyor ki, kimsenin umurunda değil. Mış gibi yaşayanların, mış gibi levhaları... Bakıyorum da, artık ben de kanıksamışım ve bu durumlara ben de hayret etmiyorum.

Müdür Bey yerinde değilmiş, kitabı bıraktım ve otele döndüm. Otelde insan ilişkileri son derece iyiydi. Ama her yerde gördüğüm özensizliği burada da görmek mümkündü. Örneğin, kahvaltı yaparken, garsonun mutfağa her giriş ve çıkışında gıcır gıcır, gıcır gıcır sürekli kapı gıcırdıyor. Öyle böyle değil, kulağı rahatsız edecek derecede, hem de bayağı rahatsız edecek bir şiddette gıcırtı. Sanırım bu kapı gıcırtısı uzun zamandır vardı ama kapının gıcırdaması otel yönetiminin umurunda değil. Hayat devam edip giderken kapı da gıcırdamaya devam ediyor; o kadar.

Kahvaltıyı bitirdikten sonra masadan kalktım, gittim oradaki adama, "Merhaba," dedim, "buranın sorumlusu siz misiniz?" "Evet," dedi. "Adınız?" "Yusuf." "Yusuf Bey çok teşekkür ederiz. Gayet güzel, tertemiz, her şey yerli yerinde, sağ olun. Bu kapı gıcırtısı dikkatinizi çekiyor mu?" "Evet," dedi ve açıkladı, "biraz yerinden oynamış. Yağlatmak lazım. Birisini çağıracağız."

O kadar önem verilecek bir şey yok edasında konuşuyordu. Ben kimim ki, önemsizi önemli hale getiriyorum. Farkındalar, zamanı gelince yapacaklar. Bu gözlemler, kurumlarımız ve çalışanlarımızın çoğu için bakım ve onarım kavramının o kadar önemli olmadığını düşündürtüyor bana.

Timur'a ve Arif'e otelle ilgili izlenimlerini sordum. Önce Timur konuştu.

T: Türk otellerinde küçük el havlusunun olmayışı dikkatimi çekiyor. Bu gelenek Amerika'da üç yıldızlı otellerde bile çok yaygın. İkinci dikkatimi çeken, dört yıldızlı olmasına rağmen benim odamda klima çalışmıyordu ve iki seçenekle karşı karşıya gelmiştim: Ya pencere kapalı havasız bir odada uyuyacağım veya pencereyi açacağım ve bütün gece boyunca yoldan geçen kamyonların gürültüsünü dinleyeceğim. Ama aşağıda sabah kahvaltısına gelince her şey mermer, seramik ve şık. Yani gösteriş tam ama...

Arif'e baktım. "Benim oda da aynıydı," diye yanıtladı.

T: Benzer duruma lokantalarda da sık sık tanık oluyorum. Görünüş şık, sanki batı standartlarında, ama kullanış yönünden, özellikle tuvaletleri ve el yıkayacak yerleri aynı kalitede değil. Ama otelde yatınca anlıyorsun, göründüğü gibi olmadığını. Sık sık söylediğim gibi, şu mutfak kapısının gıcırtısını halletmek kadar basit işlerde bile bir ilgisizlik, bir umursamazlık var.

Kahvaltı yaparken dikkatimizi çekti. Adana Devlet Tiyatrosu'nun Niğde'de oyunları varmış ve oyuncular da bizimle aynı otelde kalmışlar.

Bir hanım, köşede kahvaltısını yaptıktan sonra başka bir kadınla beraber yanımıza geldi. "Ay, siz Doğan Bey misiniz? Sizin kitabı okudum. Ne kadar çok istiyordum sizinle tanışmayı," dedi. Teşekkür ettikten sonra Timur'u ve Arif'i tanıttım. Hanımefendi benimle biraz konuştu. Öbür kadın kendini tanıtmadan, "Ben de memnun oldum," falan dedi ve ayrıldılar. Ondan sonra bir defter getirdi, oraya bir şeyler yazdım, tanıştığımızla ilgili. Sonra başka bir genç kadın daha geldi. O da defterini getirdi. Biri flüt çalıyormuş, öbürü kostümleri yapıyor, organize ediyormuş.

Her ikisini de Arif ve Timur'la da tanıştırdığım halde, ayrılırken onlara ne bir şey söylediler ne de göz teması kurdular. Onlar yokmuş gibi davrandılar. Timur bütün bunların farkındaydı ve bu durumun kendisini nasıl etkilediğini sordum.

T: Farkındayım baba, ne iş yaptıklarını anlayınca, grupta kaç kişi var, dün gece hangi oyunu sahnelediniz, gibi sorular sordum.

Her seferinde bana kısa bakışlar attı, sonra gözlerini çevirdi ve sana baktı. Daha önce seninle konuştuğum için farkına vardım ki, bir genç kızın bir genç erkeğin gözüne doğrudan bakması uygun bir davranış değil. Burada ayrı bir gizli dil var. Ben Amerika'da insanların düşündüklerini söylemelerine ve söylediklerini gerçekten söylemek istediklerine alışmışım.

A: Yani sana bir şey söylediyse bu onun samimi düşüncesi oluyor öyle mi?

T: Evet, öyle. Niye öyle olmasın ki. Eğer Amerika'da bir kız senden hoşlanmışsa, "Tanıştığımıza memnun oldum, bir gün sizinle bir çay ya da kahve içmek isterim," gibi hoşlandığını ifade eden bir şeyler söyler.

A: Sahi mi?

T: Burada bu kızın yaptığı, eğer babam durumu izah etmese, sırf Amerikan kültürü içinde bakıyor olsam, kendimi hakarete uğramış, aşağılanmış, adam yerine konmamış hissederdim. Yalnız bir erkek olarak değil, bir insan olarak adam yerine konmadığımı hissederdim. Böyle bir davranışı, Amerika'da, erkeğe hakaret etmek isteyen bir kadın yapar.

A: Vay be! Hocam bunlar benim için çok yeni. Yani ben Amerika'ya gitsem herhalde çok şaşırırım.

D: Evet, burada farklı. Burada kadın, karşıdakinin bir erkek olduğunu, aralarında bir kadın-erkek ilişkisi olabileceğinin farkında olduğunu, aile terbiyesi almış olan kadının kendisini koruması gerektiğini düşünüyor ve o izlenimi veriyor.

Beni dinlerken, Arif evet anlamında başını sallıyordu. Açıklamama devam ettim.

D: Ve benimle rahat konuşmalarının bir sebebi, yaşlı oluşum. Timur senin ya da Arif'in yaşında olsam, yani genç olsam, bu kadar rahat konuşmazlar. Bir yaşlı kadın seninle daha rahat konuşur, daha çok yüzüne bakar. Çünkü, oğlum yaşında, der. İçinden öyle hissetmese bile, o sözün arkasına rahatlıkla sığınabilir.

T: Yani ilgi göstermesini bir sosyal mazeretin arkasında saklayabilir.

D: Evet, bir sosyal mazeretin arkasına saklayabilir. Aklıma gelmişken, bir gözlemimi paylaşmak istiyorum. Bu sabah banka şubesinden tam çıkacağım, bir hanım da, 55 yaşlarında falan, bankaya girecek. Dışarıya çıkacağımı hissetti, orada durdu. Ben ise ona kibarlık yaptım, kapıyı açtım, girmesi için içeride bekledim. O zaman farkına vardı ki, ben kapıyı onun için açtım ve doğrudan geldi, içeri girdi, yürüdü gitti. Şimdi iki sorum var sana Timur. Amerika'da bu durum olsa erkek ne yapardı, kadın ne yapardı?

T: Baba, o kadar kaldın, sen de biliyorsun, erkek senin yaptığını yapardı ve kadın da ona gülümser, teşekkür eder, öyle içeri girerdi.

D: Arif, sen ne diyorsun?

A: Amerika'da ne olur bilemem ama burada olacak olanı söyleyeyim. Erkek kapıyı açar, kendisi dışarı çıkardı ve kadın orada yokmuş gibi davranırdı. Eğer erkek sizin yaptığınızı yapmış, kapıyı tutmuşsa ve kadın tanımadığı biriyse, yaşanacak olan, sizin yaşadığınızdır.

D: Aynen öyle oldu. Ne bir teşekkür, ne bir gülümseme; yokmuşum gibi davrandı. Bunun da anlamı aynen Arif'in söylediği gibi.

T: Kadın yalnızca kadın, erkek yalnızca erkek olmak durumunda mı? İkisinin de insan olduğu ve insan insana ilişki kurduğu ortamlar yok mu?

D: Timur, geleneksel kültür içinde böyle ama bunun süratle değiştiğini söyleyebilirim.

T: Süratle değiştiğini söylerken, üniversite öğrencilerini mi kastediyorsun?

D: Yalnız üniversite ve eğitim ortamlarında değil, meslek ve iş yaşamında da öyle.

Bomboz bir ovada Akdeniz'e doğru yolumuza devam ediyoruz. Yolda trafik az. Mobil telefonlar için kurulmuş verici kuleler görülüyor.

D: Timur, bu Arizona, Orta Kaliforniya veya Nevada manzarası gibi bir şey. Las Vegas'a giderken gördüğün türden manzaralar. Öyle değil mi?

T: İlginç, ben de aynı şeyi düşünüyordum.

Niğde'den çıkalı 20 km falan oldu. Boz dağlar üstüne yazmışlar: "Orman erozyonu önler." Timur'a gösterdim. Kocaman bir yazı. Arif gülümsüyordu.

A: Evet o yazıyı yazdık, artık başka bir şey yapmamıza gerek yok. Oh, birkaç yere daha yazarsak herkes bilir ki, orman erozyonu önler ve başka da bir şey gerekmez.

D: Haksızlık etme Arif, Türkiye'nin değişik bölgelerinde ormanlaştırma çabaları gayet güzel sonuçlar verdi. Bu tür yazılar da bilinci canlı tutuyor. O kadar da alaycı olmayalım.

Timur baktı, dediğimi onaylar biçimde başını salladı. Arif gülümsedi ve "Mesaj alındı!" dedi.

Bir süre sonra yol kenarına, öbek öbek yığılmış büyük lahanalar gördük. Yol kenarındaki levha 'Beyağıl' diyor. Timur gülümseyerek, yüksek sesle, "Lahanaland!"(1) diye bağırarak lahanaları gösterdi.

Bir başka levha, 'Pozantı 39, Adana 150 km' olarak gösteriyor. Timur'a, "Pozantı, Çukurova'nın yaylasıdır," diyorum.

Bir süre bozkırı seyrediyoruz, bir traktörü geçmeye çalışan büyük bir TIR Timur'un dikkatini çekiyor.

Ufak tefek konuşmalarla bir süre yol alıyoruz. Pozantı'yı, Şekerpınarı'nı geçiyoruz. Torosların o güzelim vadisini geçerek, TEM yoluna bağlanıyoruz. Yemeği yol üstünde bir lokantada yemeye karar veriyoruz.

Timur oldukça sessiz bir süreden sonra, "Baba, Türklerin büyük çoğunluğu öfkeli. Eğer öfkeli değilse kederli. Sana ve Arif'e öyle gelmeyebilir, çünkü sürekli bunun içindesiniz, ama dışarıdan gelen biri

---

(1) Land: İngilizcede tarla demek.

olarak, hem kadınları hem erkekleri öfkeli ya da kederli görüyorum. Bu öfkenin ve kederin nedenini anlamıyorum ama öfkeli olduklarını yüzlerinden, seslerinden ve davranışlarından anlıyorum ve bunu anlamadan Türk insanını anlamak ve onunla iletişime girmek zor," dedi.

Timur'un söylediğini gerçekten duyup anlamaya çalıştım. Bana önemli bir mesaj veriyordu. Arif'e baktım. O da bana bakıyordu. Bir süre sonra, "Timur, bana önemli bir şey söyledin. Bunun üzerinde düşüneceğim," dedim.

Neden öfkeliyiz? Keder öfkenin ayrı bir türü. Kendi kendime bunun üzerinde çalışmaya karar verdim, ama bu yolculukta değil.

Evet, geldik Tarsus-Mersin kavşağına ve Mersin'e doğru ayrılıyoruz. Portakal ve limon bahçeleri görünüyor.

Karnımız acıktı, "Bakalım kısmetimiz neymiş ve neredeymiş," diyerek Arif'e baktım.

Timur, kısmet kelimesini biliyor, "Kısmetimizi yiyeceğiz," dedi.

Bu kısmet kelimesi, bana Fatsa'da benzin istasyonunda duyduğum yaşlı iki adamın konuşmasını hatırlattı. Biri, sigara içen diğerine sigaranın akciğer kanseri yaptığı ve erken öleceğiyle ilgili bir şey söyleyince, diğeri, "Nasıl olsa gideceğimiz yer öbür dünya, yani ha on yıl fazla yaşamışsın ha yaşamamışsın. Ne fark eder? Netice itibariyle öleceksin be kardeşim," dedi.

Düşündüm, kendince ne kadar anlamlı bir şey söylüyordu. Öfke ve keder içinde on yıl daha fazla yaşamanın bir anlam ifade etmemesi. Birbirine uyuyor. Belki gerçekten bu hayat birçoğu için hapishane; mahpusluğu kısa kesmek hiç de saçma bir fikir değil.

TEM üzerindeki bir lokantada durduk; aşçıya, "Bak bu benim oğlum, Amerika'dan geldi, ona iyi bir yemek hazırla," dedim. Timur, yediği dönerden memnun kaldı.

Yemekten sonra yola çıktık. TEM bittikten sonra normal karayoluna girdik ve Erdemli'yi geçtik; artık deniz kıyısı başladı. Kıyıda koca koca blok apartmanlar yapılmış; çirkin ve plansız.

Solumuzda bir plaj, hakikaten tıklım tıklım. Plajın kenarında bir sürü araba. Güneş kavuruculuğunu kaybetmiş durumda, saat üçe geliyor yani tam denize girilecek zaman. Puslu bir hava var; hafif nemli, buğulu. Nem, sıcağın derecesini artırıyor.

Biz bilincinin eksikliğinin en güzel örneğini bu Silifke-Mersin arasındaki sahil şeridinde gördüğümü söyleyebilirim. Biz bilinci yok, açık seçik olarak herkes "ben" diyerek sahil şeridinde yer kapmış ve yapabildiği kadar bina yapmış. Zamanla bölge berbatlaşmış ve doğal olarak herkes kaybetmiş.

İleriden Kız Kalesi görününce, Timur'a gösterdim.

T: Oo, bu ne baba!

D: Timur, maalesef tarihini pek bilmiyorum. Milattan önce dördüncü yüzyılda kurulmuş bir yerleşim bölgesi olduğunu duydum. Ünlü tarihçi Heredot'un yazdığına göre, bu şehri Georges adında Kıbrıslı bir prens kurmuş. Uzun bir süre Roma hâkimiyetinde kalmış. Bir ara zeytinyağı ihraç etmiş. Romalılardan sonra Bizanslılar, onlardan sonra Selçuklular ve daha sonra da Osmanlıların denetimine girmiş. Karamanoğlu İbrahim Bey'in burayı zapt ettiği söyleniyor. İçinde su sarnıçları ve kiliseler varmış.

Bu civarlarda kamping olanakları var. Denizi çok güzeldir. Annen ve ben, Ayşen küçükken, Hacettepe Üniversitesi'nden bazı arkadaşlarla burada bir hafta kamp yapmıştık.

T: Buranın havası sıcak değil mi?
D: Evet sıcak.

Susanoğlu yöresini geçerek Silifke üzerinden Taşucu'na vardık. Orada deniz kıyısında bir motele gittik. Duş aldık, biraz dinlendik. Susanoğlu yöresinde bir tatil sitesinde bulunan İhsan ağabeyime telefon ettik.

Arif, "Ben gelmesem ayıp olur mu, ben burada kendi başıma kalarak biraz dinlenmek istiyorum," dedi.

Hiçbir sakıncası olmadığını söyledik ve biz geldiğimiz yolun bir kısmını geri giderek Susanoğlu'na vardık.

Bizi yolda karşılayan ve evine götüren ağabeyim, "Bu sitenin kuruluşuna on sekiz yılımı verdim," diyor ve gurur duyuyordu. Oturdukları evin bahçesi yeşillik. Yürüyerek bir parkın içinden geçip denize ulaştık. Kum çok güzeldi ve Timur önce bir süre koştu, daha sonra yüzdü; ben sadece yüzdüm.

Deniz sığ ve ılık, o bakımdan ilk girerken bir şok yaşanmıyor. Saat altıya kadar orada kaldık. Akşam Narlıkuyu'ya bir balık lokantasına gittik. Sahibi Leman yengemin akrabasıymış, bizi içten karşıladılar ve iyi hizmet verdiler.

Lokanta sahibi beyaz saçlı, sigaradan ve çaydan dişleri sararmış, kırk yaşlarında biri. Lagos yedik, tavada yapılmış; nefis roka ve çoban salatası vardı. Domatesler tarla domatesi, gayet güzel, gerçek domates kokusu.

Akşam arabayı ben kullandım. Susanoğlu mıntıkasını Atakent, Atayurt diye ayırmışlar. Bu kıyıda da, dev bloklar yapılmış. Burada da kıyı yağması açıkça görülüyor.

Otele geldiğimizde tek düşüncemiz, sivrisinekler tarafından rahatsız edilmeden bir gece geçirmekti.

14 ÖZEN GÖSTERMEK

Sonuçta, önemli olan,
yaşamınızdaki yıllar değildir.
Yıllar içindeki yaşamınızdır.

ABRAHAM LINCOLN

Taşucu'ndaki motel odasından içeri girilince, kaliteli bir mekân olduğu anlaşılıyordu. Ufak bir cam masa, üstüne yapma çiçekler konmuş ve arasına da doğal kuru çiçekler yerleştirilmiş. Balkona çıkınca Akdeniz karşımda. Solumda Taşucu iskelesi görünüyor; buradan Kıbrıs'a gemiler kalkıyor. Daha ileride kâğıt fabrikasının iskelesi ve vinçleri gözüküyor.

Gece klimayı çalışır bırakarak uyudum, çünkü içerisi bayağı sıcaktı. Sabah 7'de uyandım. Bahçeyi sulayan biri, dışarıda yüksek sesle diğerleriyle konuşuyordu. Bir süre sonra birini bağıra bağıra azarlamaya başladı. Bayağı bir ağız dalaşı yaptılar. Türkiye'de bunu sık sık görüyorum. Lüks otelde bile kalıyor olsan çalışanlar dışarıda sabahın erken saatlerinde bağıra bağıra konuşuyorlar. Otelde konaklayanları rahatsız ettiklerinin ya farkında değiller ya da umurlarında değil. Yeterince eğitimli olmamaları nedeniyle, çevreyi nasıl etkilediklerini düşünemeyecek düzeyde bir bilinçte olmalarını anlayabiliyorum; anlayamadığım, onları işe almış olanların, onlara bu yönde bilinç kazandıracak hiçbir özel eğitim vermemiş olması ve işbaşında nasıl konuştuklarını takip etmemesi.

Otel yaparken fayans, ayna ve iç düzenlemeyi hemen Batı'dan transfer edebilirsin; ne kadar kolay. Ama insan ilişkileri bir kültür yapısı gerektiriyor ve orada yetersizliğimiz her yerde sırıtıyor. Yoksa, biliyoruz da umursamıyor muyuz? "Sabah sabah uyuyacaklarına, erkenden kalkıp hayatlarını yaşamaya başlasınlar!" mı demek isteniyor.

Denizde ve havuzda biraz zaman geçirdik. Arif iyi dinlendiğini söyledi. Elinde 'Mış Gibi' Yaşamlar *kitabı, "Bunu yeniden gözden geçirdim, bugün biraz konuşmak istiyorum," dedi. Mutlu görünüyordu. Timur, New York'taki işlerini takip etmek için odasına çekildi ve internete bağlandı.*

Arif, kitapta işaretlediği yerleri göstererek, "İşte bunlar üzerinde konuşma zamanının geldiğine inanıyorum," dedi. Gösterdiği yerlere baktım; evet, gerçekten orada anlatılan olayları rahatlıkla artık ele alabilirdik. Ama Timur'un da bizimle birlikte olması gerekirdi. İşini bitirince, lobide buluştuk. Timur limonlu soda, Arif ayran ve ben su yudumlayarak Akdeniz'i seyrederken Arif'in 'Mış Gibi' Yaşamlar *kitabında işaretlediği noktaları ele aldık.*

A: 37. sayfada, kaldırımlardan ve otobüs duraklarından söz ettiğimizi görüyorum. Okuyorum:

> Otobüs durağı, ...yayaların yürümesine olanak vermiyor. Oranın kaldırımlığı bitmiş, kaldırım diye bir şey kalmamış. Kaldırımmış gibi görünüyor ama artık kaldırım değil. O otobüs durağını oraya koyanlar oranın kaldırım olarak kalmasına özen göstermemişler, öyle bir sorumluluk duymamışlar. ...Yayanın rahat ve emniyetli bir şekilde yürümesi esas niyet olması gerekirken bu niyeti gerçekleştirmekle ilgili özen ve sorumluluk gösterilmemiş...

Arif başını kitaptan kaldırdı bize baktı. Tüm dikkatiyle dinleyen Timur da İstanbul'a gelmeden kitabı okumuş ve birlikte yapacağımız bu gezi için bir ön hazırlık yapmıştı. O nedenle, Arif'in neden söz ettiğini biliyordu. Arif kitapta sorulan soruyu ekler yaparak yeniden sordu.

A: Bu kaldırımları ve durakları yapan belediyede bilgi ve beceri eksikliği yok. İsterlerse yayaların emniyetli ve rahat yürüyebileceği kaldırımları yapabilecek bilgi ve becerileri var. Ama özen göstermiyorlar, o bilgi ve beceriyi özenli bir biçimde kullanma yönünde istekli değiller. Niye?

D: Timur, Ulus Parkı'nda taş döşeyen ustaların umursamazlığını, özensizliğini hatırlıyorsun, değil mi?

Timur başını salladı. Arif'e, yolculuğa çıkmadan önce Timur'la daha önce konuştuğumuz konuları söylemiştim, neden söz ettiğimi o da anladı.

D: Özensizlik kavramını dikkatle irdelemek gerek. İnsanlar kendileri için anlamlı olan, önemli olan şeyleri umursar, ona özen gösterirler, önemsemediklerine özen göstermezler.

A: O zaman soru, "Neden umursamıyor, önemsemiyor, özen göstermiyorlar?" olmalı.

D: Kalıplayan korku kültüründe yetişmiş oldukları için.

T: Baba ne demek istediğini anlıyorum ama daha açık konuşalım istiyorum, açar mısın?

D: Olur, gelin irdeleyelim. Size yaşadığım iki olay anlatacağım. Her iki olay da insan ilişkilerinde özen göstermeye ilişkin. İlki uçaktan inmeye çabalama öyküsü. Diğeri de bir makineden para çekerken başıma gelen bir olay. Konferans için bir Anadolu kentine uçuyorum, kitap okumaya dalmışım. Uçak inip herkes hareketlendikten sonra indiğimizi fark ettim ve toparlanmaya başladım. Ben, C harfiyle gösterilen koridor koltuğunda oturuyordum, herkes ayağa kalkıp hemen koridora yığılmak istediği için, benim sıramda A ve B koltuklarında oturanların çıkabilmeleri için ayaklarımı topladım, onlar da diğerleriyle birlikte koridora yığıldılar. Daha sonra toparlandım, çantamı aldım ve ayağa kalkarak uçaktan çıkmak için birinin bana fırsat vermesini beklemeye başladım. Tahmin edebileceğiniz gibi herkes uçaktan inmeye başlamıştı.

Timur, sana bir soru. Sen sürekli uçakla yolculuk yapan birisin, böyle bir durumda, yani senin ayağa kalktığını ve adım atmak için fırsat kolladığını görseler, genellikle ne olur?

T: Biri durur bana yol verir, ben koridora girer ve o kişiye teşekkür ederim; o da, "Hıh hı," gibi bir ses çıkarır ve yürümeye devam ederim. Ben yürürken, koridora çıkmaya hazır biri varsa, bu sefer ben durur, ona yol veririm. Böyle olur. Sana ne oldu baba?

D: Hiç kimse koridora çıkmama izin vermedi. Gelen kişilerin gözlerinin içine baktım; öyle bir yüz ifadeleri ve bakışları vardı ki, beni görmüyorlardı bile. Ben orada ha bir çuval saman ha bir insandım, fark etmezdi; yürüdü gittiler.

A: Hangi şehir bu?

D: Şehri söylemeyeyim, sanki sadece o yörenin insanları böyle yapıyormuş anlamı çıkar, bu bizim toplumda her yerde yaygın bir davranış.

T: Sonuna kadar bekledin mi?

D: Timur, biliyorsun ben bir bilim insanıyım. İçimden dedim ki, acaba bana yol veren olacak mı? Ve bu kişi kadın mı olacak, erkek mi? Yaşlı mı olacak, genç mi? Giyiniş tarzı nasıl olacak?

A: Yani gözlemleyen bilince geçtiniz?

D: Evet Arif, gözlemleyen bilinç içinde bakıyorum, sanki bir deney ortamında, laboratuvardayım.

T: Kim durdu?

D: Hiç kimse durmadı. Esnaf kılıklısı, giyimli kuşamlı bürokrat kılıklısı, genç ve yaşlısı, kadını erkeği hepsi benimle hiç göz teması bile kurmadan geçti gitti. Ben birinci sıradaydım. Hostesler beşinci sıradan bana bakıyor ve acıyorlarmış. Hosteslerden biri, "Çıkın beyefendi, çıkın!" dedi. Yüksek sesle hostese, "Beni insan yerine koyup bana fırsat verecek birini bekliyorum," dedim. "Sonuna kadar beklersiniz," dedi diğer hostes. Bakıştılar ve birbirlerine gülümsediler. Sanki, "adamın kerizliğine inanabiliyor musun" gibi birbirlerine baktılar ya da bana öyle geldi. "Olsun," dedim, "insan yerine koyacak birini bekliyorum." Gerçekten de merak ediyordum, eğer verirse, bu kim olacak? Sanırım o yöreye sık sık uçan ve yörenin halkını tanıyan hostes gülerek tekrar, "Sonuna kadar beklersiniz," dedi. Bir şey söylemedim, beklemeye devam ettim. Ama hostes hanımlardan biri dayanamadı, haşin bir hareketle yürüyenlerin yolunu kesti ve bana, "Çıkın!" diye sabrı taşmış bir insanın edasıyla âdeta emretti. Çıktım ve yürüyenler arasına ben de karıştım.

T: Hiç kimse durmadı mı?

D: Hayır. Bu olay üzerinde düşündüm. Bu kişiler durur ve kime "Buyurun geçin," derlerdi? Arif bir fikrin var mı?

A: Var. Seminerinize katılmış ya da kitaplarınızdan birini okumuş sizi tanıyan biri olsaydı, durur size yol verirdi.

D: Başka?

A: Duruşunuzdan, tavrınızdan, yüz ifadenizden, giyinişinizden sizin güçlü ve korkulması gereken bir insan olduğunuzu düşünselerdi, büyük bir kibarlıkla, "Buyurun beyefendi," derlerdi.

T: Örneğin, kime?

A: Örneğin, eğer tanıyorlarsa oranın valisi, belediye başkanı, emniyet müdürü gibi yüksek bir mevkide olana. Ya da güçlü olduğu bilinen yerel bir mafya babasını da kızdırmak istemezlerdi diye düşünüyorum, ona da buyurun derlerdi.

D: Özen, umursama konusundan söz ettiğimizin farkındasınız, değil mi?

T: Yani, insan ilişkilerinde hangi nedenlerle ve hangi durumlarda özen gösterilir sorusunu irdeliyoruz.

D: Evet, neler dikkate alınır, kime, hangi nedenle önem verilir, özen gösterilir; o konuyu irdeliyoruz.

A: Evet, anladım. Korku kültüründe yetişmiş bir insan ancak korktuğu, güçlü gördüğü insana önem verir.

T: Saygı duyduğu insana vermez mi?

Arif bu soruyu duyunca durakladı. Bana baktı ve bir süre düşündükten sonra konuştu.

A: Timur, bana öyle geliyor ki, korku kültüründe bir insan korkmadığı, güçlü görmediği insana saygı duymaz.

T: Yani korku ve saygıyı birbirinden ayırmak zor mu, demek istiyorsun?

A: Evet, ben öyle düşünüyorum. Örneğin can baskın saygı kültüründe annenin babanın küçük bebeğine, çocuğuna saygısından söz edilebilir; öğretmenin öğrencisine saygı duymasını konuşabiliriz. Ama sanırım yüz baskın korku kültüründe böyle bir düşünce saçma görülecektir.

T: Şimdiye kadar konuştuklarımız çerçevesinde sanırım anlıyorum; yani çocuk büyürken içinde yetiştiği ortam tarafından algılaması, anlam verme sistemi programlanmış. Ama kişinin kendisi doğal olarak kendi anlam verme sisteminin nasıl çalıştığının farkında değil. O ilişkilerini, öğrendiği program çerçevesinde otomatiğe bağlamış durumda, davranışına bu yansıyor.

D: Bravo Timur. Evet, dediğin gibi, insanlar otomatikman böyle algılıyor ve ona göre de davranıyor.

T: Yani, o uçaktaki insanların sana saygısız davranmak gibi bir niyetleri yoktu; saygısız davrandıklarının da farkında değillerdi.

Arif bundan emin değildi, sorguladı.

A: Saygısız davrandıklarının farkında değiller miydi?

D: Değillerdi. Biraz önce senin de söylediğin gibi kalıplayan korku kültüründe yetişmiş biri, bir diğerine, insan olduğu için değil, güçlü olduğu için, gücü kadar saygı gösterir. Tabii, eğer buna saygı denirse.

A: Saygı denmezse, ne denmeli? Korku mu?

D: Evet, korku. Bence korku kültüründe yetişmiş biri, bir diğerinden, onun gücü kadar korkar.

A: Ve o korkuyu "saygı" sanır.

D: Evet, öyle diyorum. Gerçek saygı, güçlünün güçsüzle ilişkisinde kendini gösterir.

T: Baba, ilk kitabının adı şimdi bana daha anlamlı geliyor.

A: *İnsan İnsana* kitabından söz ediyoruz, değil mi?

D: Evet.

A: Timur söyleyince bana da kitabın başlığı anlamlı geliyor. Şu anda üzerinde konuştuğumuz temel konu, aslında iki tür insan ilişkisi olduğu. Biri korku temelli "güçlü insan", "güçsüz insan" ilişkisi, öbürü de saygı temelli "insan insana" ilişki. Ve saygı, insan insana ilişki olduğu zaman söz konusu; güçlü güçsüz ilişkisinde yalnız korku var.

D: Kalıplayan korku kültüründe yetişmiş insan davranışlarını çevremizde sürekli görüyoruz. Şimdi öbür örneği anlatmak istiyorum. Emekli maaşımı otomatik para çekme makinesinden çekerim. Geçen gün para çekmeye gittiğimde benden önce iki kişi vardı; biri kartını takmış, makineyle işleme başlamış, devam ediyordu. İşi uzadıkça uzadı. Benden önceki sabırla ve tevekkülle beklerken ben sabırsızlanmaya başladım. Biraz yana çekilerek adamın ne yaptığına baktım; adamın makineyle işi bitmişti, makinenin verdiği fişi inceliyordu. Seslendim. "Beyefendi, makineyle işiniz bitti mi?"

İriyarı adam önce hiç kıpırdamadı, sonra gözü yazılı fişte, yavaş yavaş kenara doğru çekildi. Sıradaki, "Böyle iriyarı adamla konuşmaya korkmayan bu adam kim?" anlamında yüzüme baktı ve sonra işini görmek üzere makineye döndü. Fişi inceleyen adam arkada sırada bekleyenleri umursamıyordu.

T: Baba, belki adam senin arkada beklediğini bilmiyordu.

D: Öyle bir ortamda, "Acaba arkamda bekleyen var mı?"nın farkında olmamak da aslında bir umursamazlık örneği.

T: Doğru. Daha sonra, "Affedersiniz" falan gibi bir şey söyleyebilirdi.

D: Tek tük olsa, olabilir, insanlık hali, dersiniz. Ama bu tür durumların pek sık olması bir sosyal gerçeği ifade ediyor. İşte bu sosyal gerçek, bu toplumun büyük çoğunluğunun korku kültürü içinde büyümüş olması gerçeğidir.

İşte bu gerçek, parkta taş döşeyen ustanın davranışını yönettiği gibi, kaldırımlardan ve otobüs duraklarından sorumlu yetkililerin de davranışlarını yönetir.

T: Sanırım, Türkiye'de insanların çoğu neden kederli ve öfkeli sorumun yanıtını burada almış oluyorum. "Güçlü insan", "güçsüz insan" ilişkisinde "güçlü", güçlü olduğunu ifade edebilmek için asık suratlı ve öfkeli görünmeye özen gösterir. "Güçsüz"de güçsüz olduğu gerçeğini saklamak ve güçlü görünmek için kızgın, öfkeli görünmek ister.

A: Timur bu açıklaman bana mantıklı geldi. Doğan Hocam siz ne diyorsunuz?

D: Bana da. Gerçekçi bir bakış tarzı. Peki Timur, kederli görünenleri nasıl açıklıyorsun?

T: Kederli görünenleri nasıl açıklayacağımı şimdi bilmiyorum, belki ileride onu da anlarım.

A: Doğan Hocam merak ediyorum, siz kederli görünenleri nasıl açıklıyorsunuz?

D: Arif keder, eziklerin, güçsüzlerin, çaresizlerin öfkesidir.

Timur'un gözleri ışıldadı.

T: Yani keder de aslında öfke, öyle mi?

D: Evet Timur. Keder, kılık değiştirmiş öfkedir. Keder güçsüzün, öfkesini ifade etme tarzıdır.

T: Tamam, şimdi resim tamamlandı.

D: Kaldırımlardan ve otobüs duraklarının nereye nasıl konacağından sorumlu, bu konuları planlayan ve yöneten insanların davranışlarından söz ediyordum. Vatandaş için kaldırım, otobüs durağı yapılırken pek özen gösterilmez, gerek yoktur.

Niçin önemsizdir?

Çünkü vatandaş korkulacak biri değildir?

Niçin korkulacak biri değildir?

Çünkü güçsüzdür.

Güçsüz olduğu için de saygı gösterilecek biri değildir!

T: Yani, güçlü insanların yürüdüğü kaldırımdan ya da gittiği parktaki taşlardan sorumlu yetkililer yaptıkları işlere önem verirler ve özenli olurlar, öyle mi?

A: Timur, Türkiye'de bir yöreye cumhurbaşkanı gitmeden önce, onun ziyaret edeceği beldenin yolları asfaltlanır. Ve bu da kimsenin tuhafına gitmez.

T: Tuhafına gitmez mi? Ben olsam bir vatandaş olarak bunu kendime bir saygısızlık kabul ederim. Ben bir vatandaş olarak asfalt yola niçin layık değilim, diye aklımdan geçer. Peki, görev süresi bitince, cumhurbaşkanına yine aynı saygıyı gösterirler mi?

A: Sorduğun soruya Reha Muhtar'ın *Vatan* gazetesindeki bir yazısı cevap oluşturuyor, dedi ve çantasındaki gazete kesiğini çıkardı, Timur'a verdi.

Timur, "Bakıyorum gazete haberlerini bilinçli bir gözle değerlendiriyorsun Arif," dedi. Arif gülümsemekle yetindi.

Yazıklar olsun... Benim ve arkadaşlarımın hakkında yıllarca "magazin yapıyor" diye atıp tuttular...

Sonunda gittiler, bir Cumhurbaşkanı'nın evinin içini uzaktan casus filmlerindeki gibi kameraya çektiler...

Sezer'i fanilayla görüntüleyip yayınladılar...

Neden?

Çünkü Sezer artık güçlü değil...

İktidar değil, güç değil...

Güç şimdi başka ellerde...

Elinde güç olanların "evlerinin içini uzaktan çekebilirler mi, fanilayla görüntülerini yayınlayabilirler mi?"

Mümkün değil, sıkar!

Bir haberci, üstelik "ben magazin yapmıyorum" diyen bir haberci, bir evin içinin görüntülenmesinin haneye tecavüz, özel hayata tecavüz, insan haklarına tecavüz olabileceğini bilmez mi?

Üstelik, evini gizlice çektiği insan bir Cumhurbaşkanı...

Fanilayla görüntülemekten gurur duyan haber merkezi, o gün Cumhurbaşkanlığı'ndan huzur dolu evine gittiğini sanan Ahmet Necdet Sezer'i görüntülüyor...

1) Bir özel mülkün içinin görüntülenmesi kanuna göre büyük suçtur...

2) İnsanın evin içindeki özel hayatının, izni olmadan resimlenmesi, Gamze Özçelik'in porno görüntülerinin yayınlanmasıyla neredeyse eşdeğerdir...

3) Bir Cumhurbaşkanını kamu alanı dışında evinin salonunda tamamen özel hayat sınırları altında fanilayla görüntüleyip yayınlamak kişilik haklarına ve insan haklarına aykırıdır...

Bunu Sezer'e yapabiliyorsunuz değil mi?

Yazık!...

Timur yazıyı okuyunca, "Evet, korku kültürünün yüzünü ve işleyiş tarzını şimdi daha iyi görebiliyorum," dedi. Bu yazıyı paylaştığı için Arif'e teşekkür etti. Ben bir örnek vermek istedim.

D: Diyelim üniversite öğrencilerine bir seminer vereceğim; bazı seminerlerimde ön açış konuşmaları olur. Bu açış konuşmalarında protokoldekiler güç sırasına göre söylenir, "Sayın valim, sayın belediye başkanım, sayın emniyet müdürüm" ve en sonunda "ve sevgili öğrenciler" diye biter. Bu bana çok ters gelir. Sıra bana gelince ben oraya kimin için gitmişsem, en önem verdiğim insanlar onlardır, onlarla başlarım. Üniversite öğrencilerine konuşacaksam, "sevgili öğrenciler ve değerli protokol" derim. Öğretmenler için konuşma yapıyorsam, "sevgili öğretmenler ve değerli protokol" derim. Ve protokolde olan olgun, gelişmiş insanlar, ne yaptığımın hemen farkına varırlar ve bu davranışımı onayladıklarını, belli belirsiz baş hareketiyle gülümseyerek gösterirler.

Arif bir şey söylemek istercesine bana baktı ve "Bazı öğretmen ve yönetici arkadaşlarım, bana sizin yaptığınızın saygısızlık olduğunu söylediler," dedi. Bunu ilk defa duyuyordum ve Arif'e hayretle baktım. Devam etti.

A: Onlara göre protokole önem vermekle, aslında o protokole mensup kurumlar önemsenmiş, onurlandırılmış oluyor. "Burada kurumların anlamlı kılınması, yaşatılması protokolün temsil ettiği kuruma duyulan saygı, öğretmenlik mesleğine duyulan saygı ön plana çıkarılmak isteniyor. Yoksa amaç kişileri anlamsız kılmak değil," diyorlar.

Timur ilgilenmişti, bana baktı.

T: Bu görüşe ne diyorsun baba?

Birden içimde gizli bir öfke hissettim. Bu öfkemin kaynağını anlamak için içime baktım. Bütün bu sözlerin altında, korku kültürüne özgü düşünüşün yattığını görüyordum ama bunu, yani gerçekte korku kültürünü yaşatmak isteyen insanların böyle söylediğini, nasıl kanıtlayacağımı bilememekten gelen bir çaresizlik duygum vardı. Öfkem çaresizliğimden geliyordu.

"Protokolün temsil ettiği kuruma duygulan saygı"dan söz ediyorlar.

"Kurumların anlamlı kılınması"ndan söz ediyorlar.

"Kurumların yaşatılması"ndan söz ediyorlar.

Bütün bu sözlerin arkasında, "Kutsal devlet ve devlete hizmet etmek için var olan birey" anlayışı var.

Benim söylemeye çalıştığım ise, "Kutsal birey ve bireye hizmet etmek için var olan kurumlar ve devlet." Şu benim için oldukça açık bir gerçekti: Bir kurum hizmet etmek istediği insanlara hizmet verdiği oranda işlevseldir ve işlevini yaptığı derecede değerlidir.

Kurumun kendisi, hizmet verdiği insanlardan daha önemli duruma geçtiği zaman orada önemli bir yanlışlık vardır. Yanlışlığın ötesinde, özgür demokratik anlayış açısından "suç" işlenmiştir.

Bir üniversite, eğittiği öğrencinin eğitim kalitesinden daha çok üniversite yönetim kadrosunun mevki ve makamlarına önem veren hale gelmişse, benim gözümde, o üniversite bitmiştir. O üniversitenin bitmiş olduğunu şimdi hemen göremezsiniz, ama zaman geçtikçe o üniversitenin tükenmişliğini mezunlarının kalitesinde, mevki ve makam için öğretim üyelerinin yaptığı yüz kızartıcı mücadelelerde görmeye başlarsınız.

Bütün bu düşündüklerimi ikisine söyledim. Biraz nefeslendim ve suyumdan birkaç yudum aldım. Daha sonra devam ettim.

D: Kalıplayan korku kültüründe "can" önemli değildir. Diyelim çocuk heyecanlanmış, annesiyle bir şeyler paylaşmak istiyor, kendisi için önemli bir şeyler. Anne bakarkör ve sağır olmuş. Çocuk yine söylüyor, yine aynı durum. Çocuk çığlık atıyor, bağırıyor, ağlıyor. Anne o zaman, "Gelmeyeyim yanına!" diyor.

A: Annenin verdiği mesaj gayet açık: "Güçsüzsün ve o nedenle hesaba katılmaz, ciddiye alınmazsın!"

D: Arif, verdiğim örnek yalnız anne çocuk ilişkisinde değil, gençlerle yönetim ilişkisinde de geçerli. Gençlerin konuşacağı, seslerini duyuracağı okulda, mahallede, şehirde, ülkede bir forum, sosyal ortam yok, "Bir sorunumuz var, konuşmak istiyoruz," dediği zaman onlara ilgi gösterecek bir kulak yok. Öfkeyle vurup kırmaya başladıkları zaman, devlet, "Gelmeyeyim yanına!" diyor. Ve ilişkilerde, iş yaşamında, günlük yaşamda sık sık gördüğümüz bu insanları umursamaz tutumu tesadüfi değil; arkasında bir anlam verme sistemi yatıyor.

Timur beni dinledikten sonra, "Baba bu konularda bayağı enerjin var, belli oluyor!" dedi. Hepimiz güldük. Timur doğru söylüyordu. Bir süre sustuktan sonra devam ettim.

D: Önem verme, özen gösterme ile gereksinmeler arasında sıkı bir ilişki vardır. Aç hayvan yiyeceği önemser. Karnı doyduktan sonra artık yiyeceğe ilgi göstermez, sırada en güçlü hangi gereksinmesi varsa onu karşılamaya yönelir. Böylece hayvanları gözleyerek gün içinde hangi gereksinmeleri karşılamaya çalıştıklarını takip edebilirsiniz. Güdüleme yapısının en temel etmeni gereksinmelerdir.

Hayvanlar gibi insanlar da biyolojik gereksinmelerin etkisini hissederler ama insanlar, içinde yetiştikleri kültürün "anlam verme sistemi"nin bir parçası oldukları için bu gereksinmeleri, o kültürün verdiği anlam sistemi içinde karşılamaya özen gösterirler.

A: Türkiye'de de erkek ve kadınların konuşma tarzı farklı. Örneğin Türkiye'de, "Ay sen çok pis çocuksun," diyen ile "Ulan hergele, bu ne surat lan!" diye konuşan iki kişiden hangisi erkek hangisi kadın dense, herkes bilir. Bilmez mi?

D: Doğru bilir. Güzel örnek. İnsan topluluklarından söz ederken toplumları birbirinden ayıran kültürlerden söz edebiliriz ama şu tavşan topluluğunun diğer tavşan topluluğundan farklı bir kültürü var, diyemeyiz. Hayvanlar gibi insanlar da gereksinmelerini karşılıyorlar, ama insanın içinde yetiştiği anlam verme sistemi, güdüleme yapısının vazgeçilmez bir parçası olarak karşımıza çıkıyor.

T: Erkeğin "yakışıklı" kadının "güzel" görünme isteği var. Ancak her ikisinin gereksinimi de kendine özgüdür.

D: Doğru örnek. Gereksinme aynı ama erkek ve kadın için davranışa yansıması farklı.

A: Anlam verme sisteminin ayrıntılarına biraz daha girelim mi hocam?

D: Tabii, daha önce konuştuğumuz gibi, anlam verme sistemini, o toplumu toplum yapan inançlar, değerler, gelenek ve görenekler ve sosyal kurumlar oluşturur. "Kültür", bir toplumun üyeleri arasında ortak olan, paylaşılan anlam verme sisteminden başka bir şey değildir.

T: O zaman bir kültürün anlam verme sisteminde, kaldırımda yürüyen, kuyrukta bekleyen insan önemliyse, onunla ilgili hizmet bilinci özen göstermeyi doğal olarak getirecektir.

A: Yani herkes, cumhurbaşkanı gibi asfalt yolda yürümeye değer görülecektir.

T: Evet. Zaten baba, geliştiren saygı kültürü derken sen bu tür bir anlam verme sistemini dile getiriyordun, değil mi?

D: Evet Timur. Hatırlıyorsunuz, anlam verme sistemlerini iki ölçek üzerinde değerlendirebiliriz demiştik; gerçekle uyum derecesi ve kendi içindeki tutarlılık derecesi. Herhalde şimdiye kadar olan konuşmalarımızdan benim şunu demek istediğimi anlamışsınızdır: Korku kültürü insan olma gerçeğiyle uyum içinde değil. Gerçek insan olarak yaşayabilmek için korku kültüründen kurtulmamız gerekir. Yüz baskın kalıplayan korku kültüründe güçlü güçsüz ekseninde değer biçilirken, saygı kültüründe insan olma boyutunda değer biçilir.

T: Baba, şunu açıklıkla söyleyebilirim ki, senin dediğin anlamda can baskın saygı kültürü Amerika'da da yaygın değil. Orada hâlâ güçlü olana farklı muamele yapılıyor. Irkından dolayı aşağılanmış insanlar çok. Amerika'da yüz kızartıcı, utanılacak durumlar çok. O nedenle Türkiye'nin Amerika'yı örnek almasını hiç ama hiç istemem.

A: Ama Timur, sen gittiğin üniversiteyi överek anlatmıştın.

T: Yine anlatırım. Ama bu tür üniversitelerin ABD'de bulunması, Amerikan kültürünün genel olarak can baskın saygı kültürü olduğunu göstermez; toplumsal ayıbını ortadan kaldırmaz. Üniversitemi sevmemin nedeni Amerika'ya ve insanlığa hizmet etmeye ciddi anlamda yönelmiş olması.

D: Timur, bu tarafsız değerlendirme, senin kendini gerçeğe adamış biri olduğunu gösteriyor.

T: Teşekkür ederim. Baba biraz önce verdiğin anne-çocuk örneğinde senin ne demek istediğini anlıyorum. Yani, diyelim çocuk heyecanlanmış ve annesiyle bir şeyler paylaşmak istiyor, kendisi için önemli bir şeyler söylüyor. Anne hemen ilgilenir, onunla sohbet tarzında konuşmaya başlar, "Evet tatlım, seni heyecanlandıracak ne gördün, söyle bana," gibi. Doğru olan bu yaklaşım, değil mi?

D: Evet, insan insana ilişkiden onu kastediyorum.

A: O zaman genel olarak şunu söyleyebiliriz: Bizim anlam verme sistemimizde korkulacak güçlü insan varsa umursarız ve davranışlarımıza da o doğrultuda özen gösteririz, yoksa önemsemeyiz. Kaldırımda yürüyecek insan güçlü mü? Hayır. Neden? Çünkü korku kültüründe vatandaş güçsüz. Ona göre kaldırım yaparsın. Çocuk güçsüz, o nedenle söylediğini, istediğini önemsemezsin. Süpermarketteki yaşlı kadın devletin vatandaşa davrandığı gibi davranıyordu değil mi?

D: Aynısı. Biri insanlara "günaydın" diyorsa bunun, o kişinin anlam verme sistemi içinde bir yeri vardır ve anlam aynı kaldığı sürece o kişi "günaydın" demeye devam edecektir. Günaydın demenin bir anlamı yoksa demeyecektir. Ancak korkutulursa ya da para gibi maddi bir çıkar karşılığı yaptırılırsa, o koşullar bulunduğu sürece "günaydın" diyecek, ortadan kalkınca, demenin anlamı kalmayacak ve kendisi için anlamsız olanı doğal olarak yapmayacaktır.

T: Yani, altını ısrarla çizmek istediğin temel fikir şu mu oluyor, baba?: "Özen gösterip göstermeme, umursayıp umursamama davranışları tesadüfen ortaya çıkmıyor, bu davranışların anlam verme sisteminde temelleri vardır."

D: Evet Timur, söylemek istediğim temel fikir bu. Evine girerken ayakkabısını çıkarmaya özen gösteren kişi, sokağa rahatlıkla tükürebilmekte ya da çöp atabilmektedir. Çünkü onun içinde yetiştiği toplumun, özellikle ailenin anlam verme sisteminde, sokağı temiz tutmakla ilgili bir sorumluluk yok, kimseye öğretilmemiş. Sokağı temiz tutmakla ilgili sorumlulukta bir boşluk varken, evle ilgili oldukça ayrıntılı bir sorumluluk gözleniyor.

Banka makinesinin önündeki adamı hatırlayalım. O da aynı şekilde. İnsanın kafası dalgın olabilir veya makinenin verdiği kâğıtta hiç beklemediği bir bilgiyle karşılaşarak şaşkınlık yaşıyor olabilir. Ama uygar yetişkin birinin yapacağı şey, "Pardon" ya da "Affedersiniz" demek olurdu. Aynı şey anne için de söylenebilir. O an kafası başka bir yerde olabilir. Çocuğun kendisine bir şeyler söylemek istediğini ve onu duymadığını anlayınca, gülümseyerek, "Dalmışım, söyle yavrum," diyebilir. Özen gösteren bir işçi, yanlışlıkla ıslak harca basan ilk kişiden sonra bir yolunu bulur, oranın çevresine işaret koyar. Vatandaşın üstünde yürüdüğü kaldırıma önem veren bir belediye, ona önem verdiği için kaldırıma önem veriyor demektir. Vatandaşın önemi yoksa onun üstünde yürüdüğü kaldırıma da özen göstermeyecektir.

Arif, otobüs durakları ve kaldırımların haliyle ilgili ilk kitapta kafasına takılan bir soruyu sormuş olmaktan ve bu sorunun irdelenmiş olmasında mutluydu. Zevk aldığımız bir sürecin içindeydik. Daha sonra hep birlikte Silifke Kalesi'ne gitmeye karar verdik. Ağabeyim ve yengemle buluşarak hep birlikte gittik.

Kaleden önce, yol üstündeki Silifke mezarlığına gittik. Timur'a, hangi mezarda hangi aile üyesinin yattığını anlatıyordum. Dikkatimi çekti; kim, nereye, niçin gömülmüş, mantığını ben çözemedim. Mezarlığın organizasyonundaki mantık yapısını anlamak kolay değil; sanırım bir mantıksal yapısı da yok.

Annemin mezarının başında durdum; anılar aktı. Babamın mezarının başında durdum; anılar aktı. Ayşe teyze dediğimiz analığımın mezarının başında durdum, "Canın büyüğü küçüğü olur mu yavrum; kuşu vurma, günahtır," anısı canlandı. Abdullah ağabeyimin, Hasan ağabeyimin mezarları... Hepsinin ruhuna fatiha okudum. Benim, ben olmamda hepsinin emeği geçti. Sevgi, şükran ve minnetle kendilerini andım.

Gözümü açtığımda Timur'un bana bakmakta olduğunu gördüm. Gözümdeki yaşları fark etmişti. Kimbilir, bir gün belki o da çocuğuyla benim mezarımı ziyaret ettiğinde bu anı hatırlar ve çocuğu da ona bakar ve göz göze gelirlerdi.

Oradan Silifke Kalesi'ne çıktık ve tepedeki çay bahçesinde oturduk. Saat yedi buçuk civarı, güneş yavaş yavaş batıyor. Silifke ovası altımızda; Göksu kıvrılarak gidiyor, yeşil bir ova... Toros Dağları çepeçevre... İleride, doğduğum evi, çocukluğumun geçtiği mahalleyi görüyorum ve uzaklarda Akdeniz sahilleri uzanıyor.

Buradan bakınca Akdeniz ne kadar yakın ve ne kadar her şeyin doğal bir parçası olarak görünüyor; halbuki ben ancak altı yaşındayken Akdeniz kumsalına ayak basmıştım. Ve ilk defa bu kaleye çıkışım sanırım ortaokulda idi. Karışık duygular içindeyim. Bu kadar kısıtlı bir dünyada büyüdükten sonra dünyaya açılmıştım. "Gerçekten ilginç bir yaşamöyküm var" diye düşündüm.

Çocukluğumda Göksu üzerinde tek bir köprü vardı; şimdi iki yeni köprü daha yapılmış. Ortaokula giderken Silifke'nin nüfusu yedi bin dolaylarındaydı, şimdi altmış beş bin.

İhsan ağabeyim, Silifke pazarının kuruluşunu ve yoğurdunun Becilli köyünden nasıl geldiğini anlattı. Mukaddem mahallesindeki evimiz yol üstünde olduğu için, pazara giden köylüleri durdurup çingil dediğimiz kaplar içindeki yoğurdu satın alırdık. Köylü, pazar dönüşü, tertemiz yıkanmış çingilini alır, köyüne giderdi.

Kaleden sonra Mukaddem mahallesindeki doğduğum eve gittik. Ev yıkılmak üzereydi. Timur babasının bu evde doğup büyüdüğüne inanamayan gözlerle bakıyor ve göz ucuyla beni süzüyor. Her şey gözüme küçülmüş görünüyordu ve içimi bir hüzün kapladı. Arif geldi, elini hafifçe omzuma attı. Ne demek istediğini anlamıştım, o da benim anladığımı anladı.

Oradan yeniden Susanoğlu'na, ağabeyimlere gittik. Kısır yedik. Ağabeyim ile Timur tavla oynadı. Yengemin sürekli "Ye, şunu da ye, bunu da ye!" sözleri Timur'u rahatsız etmedi; çünkü bu sözlerin arkasındaki ilgi ve sevgi hissediyordu.

15 TAŞUCU'NDAN AFYON'A

Bir öğretmenin etkisi sonsuzluğa uzanır; onun etkisinin nerede son bulacağını kimse bilemez.

HENRY ADAMS

Taşucu'ndan, 14.20'de ayrıldık. Bugün cuma ve hava gayet güzel. Silifke yönüne gittik ve Silifke'ye girmeden, tabelanın gösterdiği Konya yönünü takip ettik.

Dün ziyaret ettiğimiz mezarlığı solumuzda, Silifke Kalesi'ni sağımızda bırakarak Çamdüzü'ne doğru yol aldık. Konya yönüne döndüğümüzde ters yönde gelen bir kamyonla burun buruna geldik; kendimizi zor kurtardık. Şoför tınmadı bile, gaza bastı, çekti gitti.

Timur da bu tür tehlikeli yol durumlarına artık kanıksamış bir tavırla bana baktı ve "Baba, umarım seni böylesi anlamsız bir kazaya kurban vermeyiz; içimde ciddi bir kaygı var!" dedi. Sustuk, hiçbirimiz bir şey söylemedik.

Mut'a doğru yol alıyoruz. Eskiden Göksu salla geçilirdi. Konya-Karaman-Mut-Silifke yolu yapıldığı zaman Refik Koraltan, İçel milletvekili olarak Türkiye Büyük Millet Meclisi başkanlığı yapıyordu. Yolun açılışı yörede büyük olay olmuştu. Ben o zaman 15-16 yaşlarındaydım ve herkesin artık sala binmeden ırmağın öbür yakasına geçebilmekten hayranlıkla, takdirle söz ettiğini hatırlıyorum.

Çamların arasından yavaş yavaş Göksu vadisine doğru iniyoruz. Arif hem vadiyi seyrediyor hem de 'Mış Gibi' kitabından sayfalara bakıyor. Timur dünkü konuşmamızdan çok zevk almıştı, Arif'e, "Yeni bir tartışma konusu buldun mu?" diye sordu.

Arif gülerek, bulduğunu söyledi ve yüksek sesle kitaptaki konuyu açıkladı.

A: Öğretmen olduğu köyde önemli gelişmeler sağlayan Rıdvan Sadık, bir öğretmenin neler yapabileceğinin güçlü bir örneği. Bu örnekler niçin az Doğan Hocam? Sizin deyiminizle, mış gibi öğretmen sayısı neden fazla?

Timur hem dikkatle arabayı kullanıyor hem de kulağını bize veriyordu. Yol oldukça virajlı olduğu için ben biraz kaygılıydım ama Timur'un şoförlüğüne de güvenim tamdı.

D: Soruya soruyla karşılık vereyim Arif; iyi bir öğretmen nelere sahip olmalı?

A: İyi bir öğretmeni yaşam döngüsü içinde tanımlamak istiyorum.

D: Peki, tanımla.

A: İyi bir öğretmenin niyeti, can baskın geliştiren saygı kültürü içinde oluşmuştur. Öğretmen olmaya bilinçli olarak karar vermiş, öğretmen olmayı seçmiştir.

T: Peki, mış gibi öğretmenin niyeti nasıl oluşmuştur?

A: Mış gibi bir öğretmenin niyeti, yüz baskın kalıplayan korku kültürü içinde oluşmuştur. Korku kültürü içinde insan, öğretmen olmayı pek anlamlı göremez. Çünkü öğretmenlikte mevki ve paradan kaynaklı güç yoktur. O nedenle daha çok olanağı olan başka bir mesleği seçemeyenler, öğretmenliği çaresizlikten seçmiş olabilirler.

T: Korku kültürü içinde öğretmenliği güç kaynağı olarak görenler olamaz mı?

D: Öğretmenliği güç kaynağı olarak görenler, öğrenci karşısında kendini güçlü görmek isteyenler, öğretmenliği bilerek seçmiş olabilir.

Söylediklerimden tatmin olan Timur, konuşmasına devam etmesi için Arif'e baktı.

A: Bu tür öğretmenler, öğrencinin kişiliğini geliştirmeyi amaçlamaz; yapmak istedikleri, öğrencileri istenen kalıba sokmaktır. Korku kültüründe gücü elinde bulunduran otoriteler öğretmene kalıplar vermiş ve "bu çocukları bu kalıplara sokacaksın" demişlerdir.

Arif bir süre durdu, etrafına bakındı. Mut'a doğru yol alıyorduk. Irmağın öbür yakasında muhteşem sarp kayalar yükseliyordu. Üniversiteden ilk mezun olduğum yıllarda karşıdaki yörelerde bulunan Nuru köyünde geçirdiğim yaz aylarını düşündüm. Edinburgh Üniversitesi'nden bir İngiliz Antropoloji Yüksek Lisans öğrencisinin, köyde düğün gelenekleri üzerine yaptığı araştırmaya katılmıştım.

Timur ve Arif'e Nuru köyünden söz ettim. "Arabayla gidiliyor muydu?" diye sordu Timur. O zamanlar ancak merkep sırtında gidebiliyorduk ya da dağ yolunda gidebilecek cip gerekiyordu.

Karakaya, Karahacılı, Bayındır gibi köy isimleri sırayla yol kenarında yazılıydı. Babam İstiklal Savaşı süresince bu yörelerde jandarma komutanlığı yapmış. Anılarını anlatırken bu köylerin isimlerini duyardım.

Timur, Göksu Irmağı'nın kaynağını sordu. Ermenek'te ırmağın kaynağına gittiğimi anlattım. Güzel bir geziydi benim için. Orada baba tarafımdan bazı akrabalarımla tanışmıştım. "Baba bir gün beraber gidelim," dedi Timur. Arif, "Ben de gelirim," diyerek grubun dağılmasını istemediğini belirtti.

Bir süre sonra Arif kaldığı yerden devam etti.

A: Geliştirmek için sevgiye, kalıplamak için korkuya ihtiyaç duyulur.

T: Kalıplamak amacıyla öğretmen sahte bir sevgiyi kullanmak isteyebilir mi?

Arif duraksadı, konuşmaya davet eder bir tarzda bana baktı, ben yine devreye girdim.

D: Gerçek sevginin en temel özelliği kişiyi olduğu gibi, neredeyse, o haliyle kabul etmesidir. O nedenle sevginin temelinde kişinin özüne koşulsuz bir saygı vardır. Seven, sevdiğini değiştirmek istemez, onun kendisi olarak olabileceğinin en iyisi olması yönünde gelişmesini ister.

Timur sustu, bir süre düşündü, "Niçin?" diye sordu.

D: Çünkü onun mutlu olmasını ister ve gerçek mutluluk kişinin kendisi olarak olabileceğinin en iyisi olma yönünde gelişmesiyle mümkün olabileceğini bilir.

Timur alçak sesle tekrar etti, "Gerçek mutluluk, kişinin olabileceğinin en iyisi olmasından geçer."

Arif, "Olmasından değil, olma yolunda gelişmesinden," dedi. Timur bir süre sessiz düşündü ve "Arada önemli farklar var!" dedi; Arif'e teşekkür etti. Kaldığım yerden devam ettim.

D: Kalıplamak ve geliştirmek, birbiriyle çelişen iki kavramdır. Kalıplama tavrında çocuğu olduğu gibi kabul etmeme, olumsuz yargılama, değiştirme isteği, zorlama, denetleme ve baskı vardır. Geliştirme tavrında bunların hiçbiri yoktur. Örneğin, korku kültürünün öğretmeni sınıfta, öğrencisinin kendine özgü yeteneklerí, merakı, öğrenme biçimini önemsemez. Onun önemsediği, bu öğrencinin anlasa da anlamasa da konuyu ezberlemesidir.

Arif, "Tabii çocuk kendi doğasına uygun olmayan bu kalıplara tepki gösterecek ve direnecektir," dedi. Timur, "Anlıyorum; bu tepki ve direnci kırmak için öğretmenin asık suratlı, korkulan biri olması gerekiyor," dedi ve bana dönerek geliştiren öğretmen örneğime devam etmemi istedi.

D: Geliştirmek, çocuğun gerçekliğini kabul etmek, ona saygı duymakla başlar. Böyle bir yaklaşımda yargılama yoktur. Geliştirenin istediği, var olan gerçeği değiştirerek onun yerine bir kalıbı koymak değildir; olan gerçeği kabul edip geliştirmek, olabileceğinin en iyisi olmasına olanaklar yaratmaktır. Zorlama yoktur, teşvik vardır; denetleme ve baskı yoktur, kişinin kendi seçimi ve yaptığı bu seçimlerden sorumluluk alması vardır.

Timur hafif gülümsedi ve "İşin özü hep gelip buna dayanıyor," dedi. Arif ve ben Timur'a baktık, bu bakışta, söylediklerini biraz açar mısın, daveti vardı. Timur bakışlarımızdaki daveti anladı ve devam etti.

T: İnsanın yaşamını bir arabaya benzetiyorum, şu benim kullandığım araba gibi. Korku kültüründe insanın kendi arabasının direksiyonuna geçmesine bir türlü izin verilmiyor, anladığım kadarıyla. Saygı kültüründe ise direksiyonda hep kişinin kendisi var, ona arabasını nasıl kullanacağı öğretiliyor.

Timur'u dinleyince aklımdan geçen şu oldu; aslında bu örnek, öğretmenin davranışını da açıklıyor. Korku kültüründe öğretmen kendi yaşamının direksiyonunda değil. Yani o, olmak istediği için öğretmen olmamış, koşullar zorladığı, birileri istediği için, çaresizlikten olmuş. Böyle bir kişiden sınıf ortamında şevk, sevgi, şefkat ve destek beklemek gerçekçi olamaz.

A: Timur, ben babanla tanışmadan önce öğretmen olmaya karar vermiş biriyim ve karar vermiş olduğum o dönemde ne korku ne de saygı kültürünün adını duymuştum. O nedenle bu denli genelleme yapmak doğru değil. Bana göre öğretmen olduktan sonra genç bir öğretmen nasıl bir düzenin içine giriyor, önemli olan bu.

T: Genç bir öğretmen Türkiye'de nasıl bir düzenin içine giriyor, pek bilmiyorum. Ama sen öğretmenlik yaptın, biliyorsun. Konuşma tarzından öyle anlıyorum ki, genç bir öğretmeni mış gibi bir öğretmen haline getiren daha ziyade içine girdiği koşullar.

Aklımdan geçenleri yeniden gözen geçirdim ve biraz utandım. Evet, öğretmen çaresizlikten değil, isteyerek öğretmenliği seçse bile, içine girdiği düzen onu mış gibi öğretmen olmaya zorlayan bir düzen. Bunu hiç aklımdan çıkarmamaya karar verdim.

A: Genç bir öğretmen olarak girdiğinde daha önceki öğretmenlerin keyfi tutumlarını görüyorsun ve bir şey söyleyemiyorsun. Haftada iki yarım, bir tam gün ile maaşını hak ettiğini, istediği zaman herhangi bir doktordan istediği gün kadar rapor alıp okula gitmeden neredeyse aylarca maaşı hak ettiğini görüyorsun. Öfkene hâkim olamadığında, sana çocuğunu, "eti senin, kemiği benim", zihniyetiyle teslim etmişlerin hesap sormayacağını anlıyorsun.

Diğer birçok mesleğe göre daha düzenli maaş, sosyal güvenlik hizmeti, az zamanını aldığından ikinci, hatta üçüncü iş olanağı, hatta eşinin üzerine her türlü firma açıp çalıştırabilme... Bu tür yüz baskın yaşam biçiminin cazip gelmesi nedeniyle isteyerek öğretmen olanlar bulunabiliyor.

Bütün bunlara rağmen, gerçekten hizmet bilinci içinde gönüllerini koyup severek, isteyerek öğretmen olmuş emek veren öğretmenler hiç de az değil. Öğretmenliği kimin nasıl seçtiği, bir süre sonra bu yapı içinde nasıl uyum gösterdiğiyle belli oluyor. Kimi, mış gibi davranış baskın bir öğretmen olurken, kimi savaşçı bir tutum içinde hizmet ederek devam ediyor, kimi de dayanamıyor, istifa ediyor.

Arif'in söylediklerini Timur dikkatle dinliyordu. Arif bir süre sustuktan sonra devam etti.

A: Kalıplamak isteyen, niyeti korku kültürü içinde oluşmuş öğretmen denetlemede, zorlamada, korkutmada işine yarayacak bilgi ve becerilere yönelir. Kendisinden beklendiği gibi, müfettişler denetleyeceği için yapacağını yapar, elinden gelenin en azını yapar. Zil çaldığında, çoğu kere, öğrenciden önce sınıftan çıkar.

Tabii, korku kültüründeki öğretmen kendi niyet ve eylemine uygun sonuçlar elde eder. Sınıfta sıkılma, stres, anlamsız ezber, bir yanda öğretmene yaranmaya çalışan yalaka, bir yanda asi, yaramaz, haşarı öğrenciler... Sınıf bir gelişim ortamı olma yerine, sürekli mücadele edilen, denetlenmesi gereken bir ortam haline dönüşür.

Timur başını sallayarak Arif'in söylediklerini anladığını ve akla yatkın bulduğunu ifade ediyordu. Arif devam etti.

A: Yüz baskın kalıplayan korku kültürünün öğretmeni kalıplama, denetleme, korkutma, bastırma niyetine uygun bilgilerle ilgilenir ve onları hemen öğrenir. Bu tür korku yaratan, denetleme ve bastırmaya dönük bilgilerin en iyi nasıl uygulanabileceği konusunda beceriler geliştirir. Yüzü asık olma, sert bir sesle konuşma, konuşurken aşağılayıcı bir tavır içinde bakma "beceri"lerini hemen kapar. Bazı eski öğretmenler, yeni öğretmenleri, öğrencilere nasıl davranacağını bilmemekle suçlar. Bu, daha ziyade uyarı mahiyetindedir; deneyimli öğretmen yeni öğretmeni uyarırken, "Güler yüz gösterirsen öğrenci şımarır, senli benli olmamalısın," der.

T: Sonra ne olur?

A: Bir süre sonra bazı yeni öğretmenler eski öğretmenin haklı olduğunu "anlamaya" başlar. Çünkü öğrenciler gerçekten asık suratlı olmayan, güler yüzlü genç öğretmeni takmamaya başlar.

T: Bazısı?...

A: Evet, bazısı.

T: Yani, bazı öğretmenler farklı bir sonuca mı ulaşır?

A: Evet. Alanına hâkim, kişiliği gelişmiş, pedagojik formasyonu yeterli, ilişkilerinin ölçüsünü ayarlayabilen öğretmen, "güler yüzlü de olsa" sorunların üstesinden gelmesini biliyor ve o nedenle sorun çıkmıyor. Genelde alanında yetersiz, istemeyerek ya da tesadüfen öğretmen olmuş, pedagojik formasyonu yetersiz öğretmenler bu açıklarını kapatmak için korku kültürünü kullanmayı öğreniyorlar.

D: Timur, bir arkadaşım var, Çağdaş Yaşamı Destekleme Derneği öğretmeni olarak bir süre görev yaptı. Bana söylediği şu oldu: "İlk gün, ilk hafta, ilk ay zorlandım. Ama sonra o çocukların, harika alma gücünü, sevgiye açlığını gördüm ve her şey kolaylaştı. "Can baskın" demek, karşınızdakinin sizin sınırlarınıza, değerlerinize zarar vermesine izin vermek demek değil. Bu konuda ayaklarınız yere sağlam basınca, saygı ve sevgi o kadar büyük oluyor ki..." Yani bu arkadaşım Arif'in gözlemlerini destekliyor.

T: Arif, bu toplum korku-kaygı kültüründen saygı-güven kültürüne nasıl geçecek, sorusu aklını kurcalamıyor mu?

A: Kurcalamaz olur mu? Tabii sürekli düşünüyor ve sorguluyorum.

D: Timur bu, üçüncü kitabımızın konusu. Biz şimdi, "niçin mış gibi yaşıyoruz" konusunu irdeliyoruz. Evet, yüz baskın kalıplayan korku kültürünün öğretmeni, niyetiyle, bilgisiyle, becerisiyle, eylemiyle bir bütünlük içindedir ve korku kültürünün kendisinden istediği sonucu elde eder.

T: Elde ettiği sonuç nedir baba?

D: Kendi özüne yabancılaşmak, yaşamdan korkmak, şevkini yitirmek, yaşamıyla hiç ilişkisi olmayan bir sürü malumatı ezberlemek, kalıplanmak. Özetle korku kültürü içinde korkuyla yaşamak.

Timur tekrar etti: "Korku kültürü."

Arif'in dikkatini de Timur'un tekrar etmesi çekti, o da mırıldandı: "Korku kültürü."

Göksu Irmağı'nın kenarından babam da geçmişti; o jandarma idi ve anlattığı kadarıyla İstiklal Harbi sırasında bu dolaylarda çok asker kaçağı yakalamış ve askere almıştı. Şimdi oğlu ve torunu aynı ırmağın kıyısından gidiyor ve sohbet ediyorlardı. Mutluydum. Timur sorularına devam etti.

T: Öğrenci, yüz baskın kalıplayan korku kültürü içinde yetişmiş biri ise, öğretmen can baskın geliştiren saygı kültürü çerçevesinde yaklaştığında bir çelişki oluşmakta. Korkutulmaya, denetlenmeye, azarlanmaya alışmış öğrenciler, güler yüzlü öğretmeni güçsüz görüp onu adam yerine koymayabilirler. Yanılıyor muyum?

A: Haklısın, ilk başlarda çoğu kere öyle oluyor.

T: O zaman yalnız öğretmenleri geliştirmek sorunu çözmeyecektir.

D: Gerçekten de öyle Timur. Yalnız öğretmenler üzerinde çalışmak sorunu çözmeyecektir. Yöneticiyi, öğrenciyi, veliyi, müstahdemi, yani okulun tüm öğelerini hesaba katmak gerekecektir.

A: Yalnız okulun tümünü hesaba katmak yetecek mi hocam?

Timur, Arif'in sorduğu soruyu duymadı bile, o kafasında sormak istediği soruyla meşguldü.

T: O zaman Arif gibi tek bir öğretmenin, "Ben can baskın saygı ve sevgi öğretmeni olacağım," demesi çözüm getirmiyor.

D: Hayır Timur, o bir çözüm olamaz; hatta böyle bir bilinçle tek başına sorunu çözmeye kalkışan öğretmen, kendisi bazı sorunların kaynağı olabilir.

T: Onu görebiliyorum. Tek başına hareket eden öğretmen, saygı kültürünün işlemez, gerçeğe uymayan, etkisiz bir düşünme tarzı olduğu izlenimini vererek, ileride yapılacak olan köklü değişimleri de istemeden baltalamış olabilir.

A: Gerçekten de Timur'un dediği gibi oluyor.

D: Değişimin bir bütün içinde, bütünden kopmadan, onunla ilişki içinde başlaması ve gelişmesi gerekliliği göz ardı edilirse, zaman içinde değişen kısım yalıtılır, bütünden koparılır ve belki de dışarı atılır. Doğru olan ile kolay olanı birbirinden ayırarak strateji geliştirilmeli.

T: Pekiyi, şimdi Arif'in hali ne olacak? O tek başına bütünün değişimini başlatacak güce sahip olmadığına göre, ömrünü korku kültürünün öğretmeni olarak mı sürdürecek? O tek bir birey olduğu için zavallı bir öğretmen olarak mı kalacak? Zamanla sistemin dışına mı atılacak? Arif'in kaderi bu mu? Arif'in durumu gerçekten zor. Baba, Arif'in durumuyla ilgili ne diyorsun?

D: İki şeyi baştan açık seçik belirtmek gerekiyor. Bir, değişimin bütün içinde, bütünden kopmadan, bütünle ilişki içinde yapılması. İki, değişimin mutlaka bireylerin kendi özgür seçimleri ile kendi kişisel yaşamlarında başlaması gerekliliği.

A: Yani ben bir öğretmen olarak değişim istiyorsam, önce kendi yaşamımda o değişimi yaşayacağım; bunu demek istiyorsunuz, değil mi?

D: Evet. Gandi'nin unutulmaz bir sözü var: "Dünya üzerinde görmeyi arzuladığımız değişimin kendisi önce biz olmalıyız," der.

T: O felsefeyi dile getirdiğinizi anlıyorum, ama bir öğretmen olarak Arif tek başına bu değişimin kendisi nasıl olur? Bunu sorguluyorum.

D: Bir öğretmen olarak Arif'in etki alanın içinde kalan hiçbir şey yok mu?

T: Tabii var.

D: O zaman sistemin tümüyle temasını koparmadan etki alanı içinde değişimi başlatacak; bunu başlatabilmesi için de yol, Gandi'nin gösterdiği yol; yani önce Arif değişimin kendisi olacak. Örneğin, sınıfta öğrencilere ne öğreteceğine yüzde yüz Arif karar veremez ama nasıl öğreteceği büyük çapta ona bağlı. Öğrenci, mış gibi öğretmen ile mış gibi olmayan gerçek öğretmen arasındaki farkı sezgisel olarak bilir.

T: Sahi Arif, bilir mi?

A: Bilir Timur.

T: Nasıl bilir?

A: Bir gün bir kitapçıda Billur Yılmazyiğit'in bir kitabına[1] gözüm takıldı. Kitabın arka kapağında yazarın şu ifadeleri yer alıyordu: "Çocuklar büyüklerin belki de ölmeden bir süre önce anlaya-

(1) Billur C. Yılmazyiğit, *Çocukluğumun Ak Saçları*, Tera Yayınevi, İstanbul, 2006.

bildikleri doğruları bozulmamış bütünlüklerinin bilinçsiz gücüyle bilirler. Çocuk eğitimle, çabayla, vs. ile ulaşılan 'olağanüstü' sonuçların doğal sahibidir. Her çocuk henüz parçalanmamış, bilgiyle donatılmamış, yaratıcı bir dâhidir." Ben bu sözün doğruluğuna katılıyorum. Yani çocuklar mış gibi olan ve olmayan öğretmeni ilk otuz saniye içinde hissederler, sezgileriyle anlarlar.

D: Ve bir çocuğun yaşamında mış gibi öğretmen mış gibi etki yaratırken, gerçek öğretmen uzun süre kalıcı gerçek etkiler yaratır. Ve bu tamamıyla öğretmenin etki alanı içinde.

Bir eğitimci arkadaşım bana şu anısını anlattı: "Bir seminerde, eğitim hayatınızda sizi olumlu ya da olumsuz olarak etkileyen öğretmenlerinizi düşünün ve paylaşın, diye bir çalışma yapmıştık. Hiç kimse bir öğretmeni bilgili veya matematikte bir dâhiydi diye hatırlamadı. Hep, bize iyi davranırdı, ana-baba gibiydi, o yüzden dersini sever ve başarılı olurduk, diye cevaplamışlardı. Aradan 30 yıl geçtiği halde hâlâ hatırlıyorlardı. Sorardım, öğretmeniniz yaşıyor mu, diye. Bazen, öldü, dediklerinde, hayır ölmedi, bak sen yaşatıyorsun, derdim."

Arif yüzünde sıcak bir ifadeyle anlattıklarımı dinledi.

T: Yani umutsuzluğa kapılmama gerek yok. Biliyor musun Arif, bir yanım senin yerinde olmayı istiyor; yani bir yanım sana gıpta ediyor. Her öğretmen, koşulları iyi olan bir ortamda rahat öğretmenlik yapabilir. Ama ülkesinin geleceğine olumlu ve anlamlı katkılarda bulunabilme fırsatını her öğretmen senin kadar bulamaz. Sen zor koşullar içindesin ama gerçekten anlamlı bir katkıda bulunabilecek bir yerdesin.

Timur konuşmasını bitirince bana baktı, ona sevgiyle gülümsedim ve şöyle dedim.

D: Türkiye'de öğretmenliğin mevki, makam ve güç getirisi olmadığı için Arif, savaşçı ruhuyla öğretmenlik yapmak durumunda. Ve "savaşçı ruhuyla öğretmenlik yapmak" müthiş bir yolculuktur.

Sol tarafımızda Göksu Irmağı durgun durgun akıyordu. Yol ile ırmak arasında bahçeler yapılmış; portakal, dut, kayısı ve nar ağaçları birbiriyle karışmış vaziyette görünüyor. Hemen yukarıda, ırmağın ilerisinde bir tepenin üstünde masa gibi bir kaya var ve heybetli bir görünüm oluşturuyor. Mut'u geçtik ve yavaş yavaş Sertavul geçidine doğru yükseliyoruz. Yükseldikçe manzara muhteşemleşiyor. Geçitten sonra Orta Anadolu bozkırına bir kez daha merhaba diyoruz. Karaman'a doğru yol almaya başladık. İçimde güçlü bir memleket sevgisi hissediyorum. Dağıyla, vadisiyle, ırmağıyla, ovasıyla, deniziyle, bozkırıyla oğlum ve genç arkadaşımla ülkemi dolaşmaktan mutluyum. Yüreğimde bir teşekkür duygusu...

Uzun süre sessiz kaldık ve bu sessizlik içinde herkes kendi dünyasına gitti ve orada bir süre kaldı. Daha sonra Arif, "Doğan Hocam, kitapta işaretlediğim bir konu daha var. Onu da ele alıp üzerinde konuşabilir miyiz?" dedi. Bizden olumlu bir işaret alan Arif, 'Mış Gibi' Yaşamlar *kitabının 89. sayfasında anlattığım haberi olduğu gibi okudu.*

Van'da para karşılığı 11 çocuklu ve babası yaşında biriyle imam nikâhıyla evlendirilen 20 yaşındaki G.S. girdiği bunalım sonucu intihar ettiği yazıyordu. 45 yaşındaki Y.Ş. önceki eşi evi terk edince 11 çocuğuna bakacak bir eş derdine düşmüş. Van'da çocuklarıyla birlikte oturan Y.Ş., 20 yaşındaki genç kızın ailesine para ödemiş ve imam nikâhı yaptırarak birlikte yaşamaya başlamış. Evin çekip çevrilmesi, 11 çocuğun bakımı derken genç kız hamile kalmış. Bunalıma girmiş. Daha bir sessizleşmiş, içine kapanmış. Önceki gün evde yalnızken av tüfeğini karnına dayayarak ateşlemiş ve hastanede ölmüş. Hastanede genç kızın 2 aylık hamile olduğu ortaya çıkmış.

Aynı haberin altında başka bir öykü daha anlatılıyordu. Bu haberde de, Doğu illerinde para karşılığı babaları yaşındaki insanlarla evlendirilen genç kızların hikâyesinin değişmediği belirtiliyor ve on altı yaşındaki aynı yöreden S.'nin öyküsü anlatılıyordu. S. de 8 kişilik bir ailenin dördüncü çocuğu olarak 35 yaşındaki bir adamla nişanlandırılmış. Ama o kaderine karşı gelmiş ve dışarı çıkması yasaklandığı için camdan kaçıp ilk "devlet arabasına" sığınmış.

Muş valisi kıza sahip çıkmış. Babasıyla konuşmuş ve babasından "kızın rızası olmadan satmayacağına, evlendirmeyeceğine dair" taahhütname almış.

Ama S., herkesten tepki görmüş. "Devlete sığındığı" için ağabeyinden ablalarına, arkadaşlarına kadar herkes tarafında eleştirilmiş. Kız arkadaşları S.'ye, "Keşke intihar etseydin de böyle yapmasaydın," demişler.

Okumayı bitirdikten sonra, "Biraz bunun üzerine konuşalım," dedi.

T: Konuşacak bir şey yok. Yüz baskın korku kültürünün temel değeri güç değil mi? Çocuklar ve kadınlar güçsüz. O nedenle onların hiç değeri yok. Güçlü olan, onların sahibi. Ait olma-birey olma dengesinde birey olma hemen hemen sıfırlanmış; ait olma baskın.

Arif, Timur'un bu kadar kestirmeden değerlendirmesine biraz afalladı.

A: Ama ben diğer kadınların bu genç kızı desteklemesini beklerdim, "Keşke intihar etseydin!" demelerini anlayamıyorum.

Timur, Arif'in sorusu üzerine duraladı, bana baktı. Her ikisi de benim konuşmamı bekliyordu, söze girdim.

D: Korku kültüründe, yüz baskın demenin anlamı ne? "Yüz", toplumsal roller, beklentiler, gelenekler, görenekler anlamına geliyor. Demek oluyor ki, bu gazete haberinde yer alan her kişi aslında kendini bir birey değil, bir sosyal varlık, yani bir rol olarak görüyor.

T: Baba, bir örnek verir misin?

D: "Bir birey olarak görmüyor, bir rol olarak görüyor" ifadesine mi örnek istiyorsun?

"...o çocuk kimliğinin temeline ait olmayı koymuştu..."

T: Evet.

D: Biri sana kim olduğunu sorsa, ne cevap verirsin?

T: "Timur Cüceloğlu" cevabını veririm.

D: Evet, o zaman sen bir birey olarak kim olduğunu söylüyorsun; kimliğinin temelinde birey olman yatıyor. Peki, sen okul çağındaki birine "Sen kimsin?" diye sorsan ve o da, "Salih Bey'in küçük oğluyum," dese, bu yanıtıyla çocuk, ait olduğu ilişkiyi, yani o toplumda önemli olan "ailenin küçük oğlu olma" rolünü söylemiş olur. Yani o çocuk, kimliğinin temeline ait olmayı koymuş ve böylece "sosyal rol" olarak var olmuş olur.

T: Evet, anlıyorum. O zaman on altı yaşındaki kız, pencereden atlayıp kaçarak acayip bir şey yapmış oluyor ve diğerlerinin "benlik" tanımlarını da tehdit etmiş oluyor.

A: Babanın anlattığı öyküyü hatırlıyor musun Timur?

T: Hangi öyküyü?

A: Hani adını Şerafettin koyduğu banka şoförünün öyküsünü?

T: Evet, hatırlıyorum.

A: Şerafettin Bey'in eşi Almanya'da yıllarca yaşadığı halde, babana söylediği cümle ne kadar düşündürücü!

T: Hangi cümle?

A: "Benim babam beni köpeğe verse giderdim, onlar benim atam, beni kime münasip görmüşlerse benim kısmetim oymuş der, en iyi hizmetimi yapardım," demişti.

T: Roller içselleşince artık rol olmaktan çıkıyor, kişinin kendi oluyor... O zaman, biri senin rolünü önemsemeyip hiçe saydığı zaman, aslında seni de hiçe saymış, yok etmiş oluyor.

D: Yani bir anlamda, on altı yaşındaki kızın ağabeyi, ablaları ve kendi yaşıtı kız arkadaşları, "Keşke intihar etseydin de böyle yapmasaydın," dediklerinde şunu demiş oluyorlar: "Sen rolünü reddedip bir birey olduğun için, rolümüz olarak var olan bizi yok ettin, öldürdün. Bizi öldüreceğine, keşke kendini öldürseydin!

A: Doğan Hocam, korku kültürünün anlam verme sistemi pek güçlü. Yaşama anlam verdiği gibi ölüme de anlam veriyor.

Timur, bir gözlem yaptı ve bir soru sordu.

T: Baba, burada Muş valisinin davranışı ilginç. Vali kıza sahip çıkmış. Babasıyla konuşmuş ve babasından "kızın rızası olmadan satmayacağına, evlendirmeyeceğine dair" taahhütname almış. Valinin kültürü korku kültürü olarak görünmüyor. Bu davranışı nasıl yorumlayacaksın?

D: İşte Timur, modern Türkiye Cumhuriyeti devletinin ne demek olduğu, Atatürk'ün ömrünü adadığı vizyon, bu valinin davranışında somut ifadesini buluyor.

T: Baba, bu gezide, Atatürk'ün büyük bir mücadele vermiş olduğunu ve inanılmaz bir başarıyla ülkeyi nerelere getirdiğini görebildim.

Bu sözler beni mutlu etti.

Bu arada Konya içine girdiğimizin farkına vardık. Üç tekerlekli bisiklet ve motosikletler Timur'un dikkatini çekti. Düz bir ovada yerel bir taşıma aracı olarak ona anlamlı geldi. Bir de yeşil renkli binaların çok oluşu dikkatini çekti. Konya'nın daha muhafazakâr bir kent olarak bilindiğini ve yeşilin dini çağrışımları yoğun olan bir renk olduğunu söyledim.

Kırmızı ışıkta durduk. Evler hangi nizama göre yapılmış belli değil. Yolun kenarında çöplük de var, ağaç da var, dere de var; her şey birbirinin içinde. Biraz ileride son derece modern apartmanlar yapılmış; dört katlı ve her bir katta tahmin ediyorum dört daire var. Yirmi dairelik bloklar, fakat ne yol var, ne de ağaç dikilmiş. Herhangi bir organizasyon yok. Apartmanlar yan yana yapılmış beton yığınları halinde; her biri farklı renge boyanmış; kimisi sarı, kimisi kırmızı, daha çok yeşil.

Afyon'a doğru gidiyoruz. Benzin istasyonlarını ve bazı sanayi kuruluşlarını geçerek yola devam ediyoruz.

16 AFYON'DAN İSTANBUL'A

Aynı dili konuşanlar değil,
aynı duyguları paylaşanlar anlaşır.

MEVLANA

Konya-Afyon arasında bol bol Anadolu bozkırını seyrettik ve gevezelik ettik. Afyon'a girerken kalacağımız otelin adını gördük. Dikkatimi çekti; Afyon'a girerken Antalya, İzmir, Kütahya yönünü gösteren tabelaların olduğu yerde otelin de tabelası vardı, ama daha sonra yol ayrımlarının hiçbirinde otel işareti yoktu. Otelin Kütahya istikametinde olduğunu düşünerek Kütahya yoluna saptık. Sürekli her yerde karşılaştığımız durum: İşaretlerde mutlaka bir yerde bir boşluk bırakılıyor; müşterinin gözüyle bakma, yani halden anlama-empati yönünde bir aksaklık var. Bunun iletişim psikolojisindeki adı, "empati eksikliği."

Nihayet oteli bulduk ama otelin kendi alanında işaretleme doğru yapılmamıştı. Ancak birkaç denemeden sonra doğru yolu bulduk ve otelin girişine ulaştık. Resepsiyondakiler gayet ilgiliydiler, halimizi hatırımızı sordular. Hepimiz odalarımıza geçtik ve ben odamdan, aşağıya, resepsiyona telefon etmeye çalıştım. Ancak resepsiyona hangi numarayla telefon edileceğini bir türlü çıkaramadım çünkü odamda bu konuda hiçbir açıklama yoktu ve tesadüfen "00"ı çevirerek resepsiyonun numarasını oradan öğrendim. Otel idaresi, müşteri gözüyle bakmamış. Eminim, böyle yapmadıklarının farkında bile değiller. Farkında olmadıklarının farkında değiller.

Ertesi sabah Afyon'da, kadın doğum uzmanı olan ve benimle aynı ismi paylaşan yeğenim Dr. Doğan Cüceloğlu, kızı Alara'yla birlikte otele geldi ve birlikte kahvaltı yaptık.

Kaldığımız bu termal otel halka hitap eden bir yer olduğu için Türk halkının kendine özgü kadın, erkek, çocuk, genç, yaşlı manzaralarını görebiliyorduk ve bu, benim içimi ısıtıyordu. Çünkü bu benim ülkemin gerçeği, benim çocukluk yıllarımın gerçeği.

Büfe usulü kahvaltıda benim halkım nasıl sıraya girer, daha doğrusu nasıl sıraya girmez ve en basit bir durum sıkıntılı bir sürtüşme ortamına nasıl dönüşür, işte burada gözlerimin önünde görüyorum. Timur kendini sudan çıkmış balık gibi hissediyor, hayretle sıraya girmeye çalışıyordu ama kimsenin onu umursadığı yoktu; onun varlığının farkında olan bile yoktu.

Kendi kendime düşünüyorum; çağdaş olmak ne demek, uygar Türkiye'nin yurttaşı olmak ne demek? İnsan ilişkilerine okul müfredat programlarında neden önem verilmez? İnsan ilişkileri konusunda eğitim vermek, korku kültürü içinde mayalanmış milli eğitimin umurunda olmuş mu?

Bence hayır!

Şimdi umurlarında mı?

Bence yine hayır!

Timur çay almaya gitmişti; Arif'le aklımdan geçenleri paylaştım.

A: Yüz baskın kalıplayan korku kültürünün insanlarıyla, can baskın geliştiren saygı kültürünün temelini atmaya çalışan genç bir cumhuriyetimiz var. Elimizden geleni yapmaya çalışıyoruz; niyetimiz saf. Bu temiz niyetle bildiğimiz, becerebildiğimiz kadarıyla bir şeyler yaparak bugünlere gelmişiz. Şimdi siz, ben, Timur ve bizim gibi yüz binlerce insan, "Daha iyisini nasıl yapabiliriz?" arayışı içinde. Timur'la birlikte yaptığımız şu yolculuk da bu arayışın bir parçası. Öyle değil mi?

Doğru söylüyordu. "Evet!" dedim ve sustum.

Büyük arabanın her koşulda üstünlüğü vardır

Otelden ayrılma zamanı geldi, sıramızı bekliyoruz. Bizim gibi otelden ayrılmak için hesabı kapatmayı bekleyen bir genç, "Ya ben buraya beş yıldır geliyorum, gittikçe kötüleşiyor; sabah kahvaltısında gözlerimle gördüm, adam salatalığı eliyle alıyor, sonra bırakıyor öbürünü alıyor, seçmeye çalışıyor. İkaz ediyorsunuz, anlamadan yüzünüze bakıyor. Garsonlara söylüyorsunuz, 'Beyefendi biz söylüyoruz, ama dinlemiyorlar sözlerimizin hiçbir etkisi olmuyor. Ne yapacağımızı bilemiyoruz,' diyorlar. Rahatsız oldum," dedi.

Bu gence, "Beş yıldır geldiğinize göre kıyaslama yapma olanağınız var, eskiden bu davranışları görmüyor muydunuz?" diye sordum.

"Evet, kıyaslama yapabiliyorum, eskiden bu kadar değildi," dedi ve ilave etti, "gittikçe daha kötüleşiyor."

Yola çıktık, Kütahya'ya doğru gidiyoruz. Bir süre gittik, yol, bir gidiş bir geliş olarak çift şerit işliyor. Önümüzde iki kamyon ve bir TIR var. Durumu şöyle anlatabilirim. Kamyonun biri, sanki 28 km hızla gidiyor, arkadaki ise 30. Arkadaki önündekini geçmeye çalışıyor. Arkadaki kocaman bir TIR da geçmek için bekleyişte.

Karşıdan da bir araba geliyor ve durum onun için çok tehlikeli. 30 km hızla giden kamyon gaza basıp yükleniyor ama önündeki siyah egzoz dumanları çıkarıyor, hızı aynı hız, o yükle ancak o hızla gidebiliyor. Birçok durumda olduğu gibi burada da yine bir 'saldım çayı-

ra, Mevla'm kayıra' durumu var. Yoldaki şoför ve yolcular, herkes bu durumu kanıksamış gibi.

Güzel bir gün ve pırıl pırıl güneş altında Kütahya'ya doğru yol alıyoruz. Altıntaş adlı bir kasabanın adını okuyorum tabeladan. Herkes ekinini biçmiş, öbek öbek yığmış; sapsarı ekinler altın yığınları gibi görünüyor. Tek tük ağaç var.

Kütahya'ya 70 km kaldığında, Timur'a otelde dikkatini çeken, kendisini etkileyen bir olay olup olmadığını sordum.

T: Oldu, bu sabah odamdan çıktım, bavullarımla dördüncü kattan asansöre bindim, aşağıya iniyorum. İkinci katta iki çocuklu bir kadın asansöre bindi. Çocuklardan biri bebekti, kadının kucağındaydı, diğeri beş-altı yaşlarında bir oğlan çocuğuydu. Asansöre binince oğlan, asansör düğmesine ben basacağım, diye mızmızlanmaya başladı. Annesi biraz tereddüt ettikten sonra, şuna bas, diye lobi düğmesini gösterdi. Ama ben o düğmeye daha önce basmış olduğum için ışığı zaten yanıyordu. Çocuk gitti, kırmızı acil yardım düğmesine bastı. Alarm çalmaya başladı. Kadın çocuğa bir şey demedi, asansör inerken çocuk başka düğmelere de basmaya başladı ve annesi yine hiçbir şey yapmadı. Durdu, öylece çocuğun değişik düğmelere basmasını seyretti. Lobi katına inince asansörün kapısını iterek açtı, çocuklar ve kendisi dışarı çıktı ve ben yokmuşum gibi, kapıyı yüzüme bıraktı. Ben asansörün içindeyim, kapıyı açıp dışarı çıkmak istiyorum ama kadın kapının önünde duruyor ve asansör kapısı dışarıya doğru açılıyor, yani ben çıkmak için kapıyı itsem kadına çarpacak.

A: Bayağı sinirlendim şimdi, peki, ne yaptın?

T: Kapıyı hafif araladım, "Affedersiniz," dedim ama kadın beni hiç umursamadı, biraz daha araladım, kapı geldi kadına dayandı. Şöyle yarım adım ileri attı ama bavullarla çıkmam için hâlâ yeteri kadar yer yoktu, onun için ittirdim.

Timur gülmeye başladı. Ben ve Arif ona bakıyorduk, neden güldüğünü anlamaya çalışıyorduk. Sözüne devam etti.

T: Ben ittirdim, o yarım adım attı, ben ittirdim, o yarım adım attı; böyle ite ite kapıyı çıkabileceğim kadar açtım ve çıkarken yeniden, "Affedersiniz!" dedim. Dönüp yüzüme bile bakmadı. Benim büyüdüğüm ve şimdi yaşadığım ortamda bu bir kabalık olarak algılanır. Ama besbelli burada asansörün önünde duran kadını ite ite asansör kapısını açmak o kadar tuhaf bir durum değil.

A. Aslında burada da tuhaf bir durum, besbelli kadının kafası başka bir şeyle meşgulmüş, sana ve kapıya dikkat etmediğine göre.

T: Babamın daha önce söylediği sözü unutma, "Uygarlıklar, bilgi değil, farkındalıklar üzerine kurulur."

A: Yani esas sorunun, zaten kadının farkında olmaması olduğunu ifade ediyorsun, değil mi?

T: Evet.

D: Korku kültürünün farkındalıklarıyla çağdaş uygar bir toplum oluşturmaya çalışıyoruz.

T: Bu kadın çocuğunu korku kültürü içinde yetiştirmiyordu; çocuk aklına geleni yapıyordu. Anne ne bağırdı, ne korkuttu. Peki, bu tür anneler doğru mu yapıyor?

A: Birçok okumuş ailede gördüm, çocuğu özgür yetiştireceğim diye çocuk ne yaparsa yapsın hiç karışılmıyor. O zaman da kendisinden başka herkesi yok sayan, bencil bir birey ortaya çıkıyor. Bu duruma ne diyorsunuz hocam?

D: Kadınla çocuk ilişkisinde geliştiren saygı kültürü olduğu söylenemez. Çünkü saygı kültürünün en temel özelliği, insan ilişkilerini nizama sokan, "Sana yapılmasını istemediğin şeyleri başkasına yapma, başkasını rahatsız etme, düşünceli ve duyarlı ol" gibi değerler bilincidir. Bu durumda çocuğun ve annenin davranışında bu tür değerlerin belirtisi yok.

T: Buna korku kültürü de diyemeyiz, çünkü çocuk annesinden kesinlikle korkmuyordu.

A: Belki anne çocuktan korkuyordu.

T: Sanki öyleydi.

A: O çocuk oğlan değil kız olsaydı, öyle sanıyorum ki, annesi ona müdahale ederdi. Aile yapısını bilmiyoruz ama genelde oğlan çocuğunun dokunulmazlığı vardır.

T: Sence, bu tür ailelerde korku kültürü baskın olabilir mi?

A: Olabilir.

Bu konuşmadan sonra bir süre sessiz kaldık. Şimdi Kütahya'ya giriyoruz. Yol kenarında porselen imal eden ve satan şirketlerin levhaları görülüyor. Önümüzde düz bir ova, ileride karşımıza, bazısı çıplak, bazısı biraz ağaçlanmış tepeler, tek tük kümelenmiş ağaçlar görüyoruz. Tipik Orta Anadolu manzarası. Bunun kendine özgü bir güzelliği var ve ben mutluyum. Hava nefis. Saatime baktım, 10:36. Yolculuğumuz devam ediyor. Yola ufak bir levha konmuş; birdenbire karşımıza çıkan, arkasına iki-üç taş konarak ayakta durması sağlanmış bir levha. Üzerinde 'Hız 50 km' yazıyor.

Bir yol inşaatı bölgesini geçiyoruz galiba. Merak ettim, normal hız bölgesine yeniden geçtiğimizi bildiren bir levha görecek miyiz? Takip ettim, öyle bir levhaya hiç rastlamadık.

Arif, yine 'Mış Gibi' Yaşamlar *kitabını eline aldı. Ben ve Timur gülümsedik, Arif'in hangi konu üzerinde duracağını merakla bekliyorduk. "Kitabın 170. sayfasında size bir sorum olmuştu ama sorunun ne anlama geldiğini anlamak için 168. sayfadan itibaren okumak istiyorum," dedi.*

27.12.2000 tarihli Sabah *gazetesinin haberini kitaptan okumaya başladı.*

İstanbul Laleli'deki T. Oteli'nde 17 Kasım 1996 gecesi büyük bir yangın çıktı. Otelde yangın merdiveni yoktu. Alevler içinde kalan 18 turist çığlık çığlığa can verdi, 41'i de yaralandı. Otelin sahibi H.T. ölüme sebebiyetten 6 yıl 3 ay hapis cezasına çarptırıldı.

Yargıtay da mahkeme kararını onaylayıp kesinleştirdi. Ancak ceza uygulanamadı, H.T. bir gün bile hapis yatmadı.

Çünkü yangından hemen sonra kayıplara karışmıştı. T. tam 4 yıl boyunca kaçak yaşadı ama bir yandan da işlerini yürüttü. Sabırla affın çıkmasını bekleyen T., dün İstanbul Adalet Sarayı'na gelip İnfaz Savcılığı'nın kapısını çaldı: "Ben de af kapsamına giriyorum..." Savcı talebi inceledi, evet affın kapsamına giriyordu... Ve T. elini kolunu sallaya sallaya savcının yanından ayrıldı.

Bir süre sustu ve devam etti.

A: Doğan Hocam hatırlıyor musunuz, ben bu haberi okuduktan sonra kendi kendime sormuştum: "18 insan öldü, 41 insan yaralandı ve ölüme sebebiyet veren insan elini kolunu sallaya sallaya savcının yanından ayrıldı. Şimdi burada "kader kurbanı" kim, sormak isterim. Ölen 18 insan mı? Yaralanan 41 insan mı? Yoksa Bay T. mi?"

Sonra, 02.12.2004 tarihli Milliyet'*ten yansıttığım haberi okudu.*

Kasımpaşa'da, 4 kişinin öldüğü "kız kaçırma" saldırısı ile ilgili tutuklanan T.'nin 2 ayrı cinayet suçundan cezaevinde hapis yattığı ve afla tahliye olduğu ortaya çıktı.

Sıradaki diğer haber, 24.11.2000 tarihli Hürriyet'*tendi ve bir annenin isyanını dile getiriyordu.*

KIZIMA TECAVÜZ EDİP ÖLDÜREN AFFEDİLİRSE
İNTİHAR EDERİM

Kadıköy 1. Ağır Ceza Mahkemesi'nde görülen ve H.Ö.'nün 2 yıl önce Hasanpaşa'da, eski iş ortağı A.S. tarafından öldürülmesine ilişkin duruşmadan sonra, anne D.Ö., af çıkarılması yönündeki girişimlere tepki gösterdi. Affa karşı olduğunu belirterek gözyaşlarına boğulan anne, "Kızıma tecavüz ederek öldüren katili adalete teslim ettik. Elimize silah alıp öldürse miydik? Ben anneyim, affetmiyorum. Devlet nasıl affeder?" diye isyan etti.

"Ben acılı bir anne olarak bu affı hiç ama hiç istemiyorum. Evlat acısı çok zor ve çekilecek gibi değil. Devlet büyüklerimize soruyorum, böyle bir acıyı yaşasalar, hiç ama hiç suçu olmayan evlatlarını kaybetseler affederler miydi? Bize ailece tehditler savuran, kızımın önüne nişanlısıyla dolaşırken araba sürüp, 'Seni öldüreceğim. Af var. 2-3 yıl yatar, çıkarım' diyen suçlu nasıl daha ceza verilmeden affedilir, soruyorum."

A: Doğan Hocam, hatırlıyor musunuz, ben o gün size, "Bu af yasası, sanırım hukuk tarihimizin bir yüz karası olarak kalacak," demiştim.

D: Evet, öyle demiştin Arif, hatırlıyorum.

Arif, "haydi tartışalım" ifadesiyle bana baktı. Timur gözünü yola dikmiş, kulağını bize vermişti; konuyla ilgilendiği belliydi.

D: Yasalar ne için vardır?

A: Toplumsal düzeni koruyarak bireylerin güven içinde yaşamalarını temin etmek için.

D: Aslında soruyu iki aşamalı sormalıydım: Korku kültüründe yasalar ne için vardır ve can baskın saygı kültüründe yasalar ne için vardır?

A: Her ikisinde de toplumsal düzeni korumak için vardır, diyeceğim.

D: Tarihi incele, yüz baskın korku toplumlarında anayasa ve yasaların gelişmesi yavaş olmuş ve halen tam oturmamıştır.

A: Neden?

D: Çünkü gücü elinde bulunduran otorite kendinden daha güçlü başka bir otorite tanımak istememiştir. Kral, imparator, sultan tam otorite olduğu zaman milleti temsil eden bir meclis kurulmasına karşı çıkmıştır, izin vermemiştir. Onun isteği kanun yerine geçmiştir.

A: Ben soruyla ilişkisini kuramadım; "Korku kültüründe yasalar ne işe yarar?" diye sormuştunuz.

D: İlişkisi şu: Korku kültüründe yasalar, güçlünün gücünü koruyup devam ettirmesi için vardır.

A: Peki, saygı kültüründe?

D: Saygı kültüründe yasalar herkes için adil bir sosyal ortam oluşturmak ve sürdürmek için vardır.

A: Ama burada bir tutarsızlık var Doğan Hocam. Yüz baskın korku kültüründe yasalar güçlünün gücünü korumak için var ise, o zaman bu af yasası, güçlünün yararına çıkarılmış anlamına gelir. Ama "kader kurbanları" olarak tanıtılan bütün bu insanlar güçlü değiller.

D: *'Mış Gibi' Yaşamlar*'ın 169. sayfasındaki, 26.09.2001 tarihli *Milliyet*'in "Avukatınız" köşesinde yazan Tamer Heper'in görüşü vardı, onu da okuyacak mısın?

Arif okumaya devam etti.

> Meclis'e verilen af yetkisi Anayasa'nın 87. maddesinde yer alıyor.
>
> ...Meclis'in, yani siyasi iradenin yargıya müdahale etmemesi lazım. Demokrasinin temel kurallarından biridir. Yargının verdiği cezayı Meclis ortadan kaldırarak, yani affederek, yargıya müdahale ediyor. Bunu da sırf ileride oya dönüştürme amacı ile yapıyor. Yani yargı kararları siyasete alet ediliyor. (Kanımca) Anayasa'nın 87. maddesindeki Meclis'in af yetkisi toptan kaldırılmalı, yani artık Meclis'in af yetkisi diye bir şey olmamalı. Zira oy avcılığı için çıkarılan af toplum ahlakını da kemiriyor.

D: Evet, "kader kurbanları" güçlü insanlar değiller ama Tamer Heper'in belirttiği gibi, mecliste oy avcılığına çıkmış olan güçlü insanlar var ve o gücü kaybetmemek için yasaları kullandılar.

A: Saygı kültüründe...

D: Arif'çiğim, saygı kültüründe yasanın özü, kızı öldürülen annenin devlet büyüklerine sorduğu soruda anlamını buluyor. Ne diyordu: "Ben acılı bir anne olarak bu affı hiç ama hiç istemiyorum. Evlat acısı çok zor ve çekilecek gibi değil. Devlet büyüklerimize soruyorum, böyle bir acıyı yaşasalar, hiç ama hiç suçu olmayan evlatlarını kaybetseler affederler miydi?"

A: Yani temelde yine korku kültürünün güçlü ve güçsüz ayırımı yer alıyor.

D: Güçlü her zaman haklıdır. Ve unutma, güçsüzün "haklı olduğu" ve hakkını aradığı durumlarda, güçlü daha da haklı çıkar ve hakkını aradığı için güçsüzü daha bir cezalandırır.

A: Nasıl bir mantık bu?

D: "Haddini bilmeyip hakkını arayanlara daha çok ceza verilir" mantığı. Korku kültürü ve saygı kültürü iki farklı uygarlık oluşturur. O uygarlıklar içinde yaşamlar oluşur. Toplumda gördüğümüz her şey, ister mimari olsun, ister müzik, ister yasalar, evin içindeki odaların nasıl döşendiği dahil hepsi, ama hepsi, o uygarlık içinde anlamını bularak yapılanır.

Timur başıyla söylediklerimi onaylıyordu.

Yavaş yavaş Kütahya'ya giriyoruz. Dere yatağının üzerinden geçen bir köprüden geçiyoruz ve her iki yanda ağaçlar var. Anadolu'da, tipik şehre giriş manzaraları ve benzin istasyonları... Kütahya'nın nüfusu 167 bin, rakımı 949 olarak gösterilmiş. Biraz ileride, 'Dumlupınar Üniversitesi Germiyan Kampüsü' levhasını gördük. Solda bir sürü yeni bina, yaklaşık 20 dairelik büyük bloklar, Konya'ya, Afyon'a girerken gördüklerimizin hemen hemen aynı. Sağımızda eski uçakların sergilendiği bir alan, solumuzda Kütahya Anadolu Öğretmen Lisesi binası görülüyor.

Bir süre sonra Kütahya'dan çıkıyor, İstanbul'a doğru yol alıyoruz. 'Eskişehir, Bursa, İstanbul' levhasını gördük. Yol inşaatı var, onun için dört şeritli yoldan iki şeritli yola düştük. Sağımızda yol yapımına devam ediliyor. Toprağın kırmızı rengi dikkatimizi çekiyor.

Arif yine kitabı eline aldı ve 206. sayfasını açarak okumaya baş-

ladı. Bu sayfada Muazzez İlmiye Çığ'ın[1] *bir gözlemi var ve ünlü Sümerolog sorguluyordu.*

...Ben kendimize bakıyorum, üzülüyorum. İnsan söylemek bile istemiyor, ama niçin biz etraftan ders almadık. Bugün de hâlâ ders almış değiliz. Ankara'ya gittim, otelden yeni yapılmış sokaklara bakıyorum, hepsi daracık, kargacık burgacık. Yahu bu kadar cehalet olmaz ki. Proust'tu galiba, Atatürk o Alman mimarı buraya getirtti, bir plan yaptırdı. Ankara ve İstanbul için bir şehir nazım planı yapıldı. Birkaç yıl sonra Proust'un arkadaşlarından biri İstanbul'a gelip şehrin durumunu görmüş ve dönüşte kendisine, bu şehir planını sen yapmadın mı, şehir nasıl bu hale geldi, diye sormuş. Proust da yana yakıla, vallahi ben gidiyorum, ilgilileri çağırıyorum, şu şöyle olacak, bu böyle olacak diye hepsini gösteriyorum; peki yaparız, diyorlar, ertesi sene gidiyorum ki, bambaşka şeyler yapmışlar; ne oldu diye soruyorum, ee, böyle oldu, diyorlar. Ertesi yıl yine aynı şey oluyor. 10 senedir gidip geliyorum, hiçbir işe yaramadı, demiş. Yani bu eğitimsizlikten bu cehaletten... Bulgaristan'a gittim de utandım. Romanya'ya gittim utandım. Yıllarca bizim idaremizde kalmış derler. Geniş meydanlar, geniş caddeler, her şey muntazam. Ya, bunlar geçen yüzyıla kadar bizdeydi. Niçin biz bunlardan görmüyoruz. Görmedik. Niye? Bunlar beni üzüyor. Hâlâ cahiliz biz. Okumak bilgi için değil ki, okumak bir cila...

A: Hocam hatırlıyorsunuz değil mi, o zaman size iki soru sormuştum: "Şehir nazım imar planını oturtamadık, bu bir; Bulgaristan ve Romanya'nın kent tasarımlarından hiç öğrenmedik, üstelik yıllarca bu kentler bizim yönetimimizde olduğu halde, bu iki." Siz de ileride bu soruları ele alacağımızı söylemiştiniz. Sanırım şimdi zamanı.

---

(1) Serhat Öztürk, Çivi Çiviyi Söker: *Muazzez İlmiye Çığ Kitabı*, Türkiye İş Bankası Kültür Yayınları, İstanbul, 2002.

D: Evet Arif, gerçekten şimdi zamanı. Daha önce konuştuğumuz bazı kavramları şimdi kısaca bir hatırlayalım. Konuştuklarımızın tümü insan yaşamının içinde yer alıyor. Doğru mu?

A: Evet, doğru.

D: Evet, insan yaşamının dört temel alanı var ve her biri, felsefenin ilgilendiği alanlar olarak ortaya çıkmış: bilgi, varoluş, eylem ve estetik demiştik bunlara, hatırlıyorsun, değil mi?

A: Evet, hatırlıyorum.

D: Bilginin doğruluğu, bilginin gerçekliği ve bilginin temellendirilmesi epistemolojinin temel uğraşısı olmuştur. Bir diğer alan, varoluş. Felsefe bu alana ontoloji adını vermiştir ve bu alanda insanın doğasıyla ilgili temel sorular sorar. Arif'çiğim, bu sorular, insanı insan yapan temel özelliklerle ilgilenir, demiştik.

Arif beni takip ettiğini anlatan bir baş sallayışın yanı sıra Timur'a da baktı. Timur araba kullanmaya odaklanmıştı ama can kulağıyla bizi dinlediğini de görebiliyorduk.

D: Felsefenin bir diğer alanı insan davranışlarına odaklanır ve "doğru" davranışı "yanlış"tan ayıran temel nitelikleri irdeler.

A: Bu alan da etik veya ahlak felsefesi olarak bilinir.

D: Evet. Ve felsefenin dördüncü alanı yaşamın biçim, tarz, üslup dediğimiz yönünü irdeler ve estetik adını alır. İnsanın duyguları, tutumları, değerleri, inançları, biyolojik ve psikolojik gereksinmeleri varoluşunda yer alır. O nedenle varoluş yaşamın lokomotifi, itici gücüdür.

T: Varoluş yaşamın lokomotifi, itici gücüdür, sözünü biraz açar mısın baba?

D: Varoluş yaşamın lokomotifi, itici gücüdür dediğim zaman, onun belirleyici gücünden söz etmiş oluyorum. Yani yaşam döngüsü dediğimiz niyet-bilgi-beceri-eylem-sonuç, varoluştan yola çıkar.

T: Yani şunu mu demek istiyorsun: Kişinin varoluşu onun niyetinin ne olacağını, hangi tür bilgiye yöneleceğini, hangi tür beceriyi ne kadar geliştireceğini ve ne tür bir eylemde bulunacağını belirleyen temel öğedir.

Timur'un söylediğini başımla onayladım. Arif pür dikkat dinliyordu; benim onaylamamdan sonra, "Timur, şu söylediğin benim için yararlı oldu, şimdi daha net düşünebiliyorum," dedi.

D: Şimdi Atatürk'ün Türkiye Cumhuriyeti'ni kurduğu dönemi hatırlayalım. Türk vatandaşının varoluşunun temel değerlerine bakalım. Korku kültürünün en temel değeri güç. Bu kültürle yaşarken güçlü güçsüz ilişkisi sosyal yaşamın temelini oluşturur.

A: Yaşamın tümünde geçerli mi?...

D: Evet. Yaşamın tümünde geçerli demekle, karı-koca ilişkisini, ana-baba-çocuk, öğretmen-öğrenci, okul müdürü-öğretmen, çalışan-patron, devlet-vatandaş ve buna benzer ilişkileri kastediyorum.

A: Anlıyorum.

D: Şimdi temel değeri güç olan, güçlü güçsüz ilişkisi şeklinde günlük hayata yansıyan bir yaşam düşün. Sen böyle bir yaşam sürseydin ne tür bilgilerle ilgilenirdin? Hangi tür bilgileri edinmeye çalışırdın?

A: Beni güçsüzlükten kurtaracak, herkesin gözünde güçlü kılacak türden.

T: Doğru, ben de öyle yapardım.

D: Doğal olarak böyle yapardınız, değil mi? Böyle bir ortamda biri size gelse, neden bu tür bilgilere yöneliyorsun dese, adamın aklından zoru var diye düşünürsünüz. Şimdi, gerçeği anlamaya çalışan insanların bilgisinin temelleriyle ilgili yaptığımız tartışmayı hatırlayın.

Arif'le Timur birbirine baktı. Ne dediğimi pek anlamadıkları ortadaydı. Konuşmama devam ettim.

D: Anlatayım. "Gerçek nedir?" sorusuna üç temel yaklaşım olduğundan söz ettik: dogmatik, felsefi ve bilimsel. Bu yaklaşımların her biri bilginin temelini oluşturur. Dogmatik yaklaşımı olan birine, "Bunun doğru olduğunu nereden biliyorsun," diye sorarsan, inandığı dinin kutsal kitabını ya da o dinin peygamberinin sözünü kaynak gösterir.

A: Örneğin Hıristiyan İncil'i ya da Hazreti İsa'nın bir sözünü; Yahudi Tevrat'ı ya da Hazreti Musa'nın bir sözünü, Müslüman Kuran'ı ya da Hazret Muhammet'in bir sözünü kaynak olarak gösterir. O kaynak ve o söz, söylenen şeyin doğru ya da yanlışlığının ölçütü olarak kabul edilir. Doğru bir örnek oldu mu?

D: Evet. Bu, her din ve ideoloji için geçerlidir. Şu din böyle, diğerleri değil, diyemeyiz; hepsi doğası icabı böyledir. Felsefi yaklaşım içinde olan bir insana, "Bunun doğru olduğunu nereden biliyorsun?" diye sorsan, bir ya da birkaç filozofun söz konusu sorunla ilgili tartışmasının yer aldığı kitapları, arşivleri kaynak olarak gösterir.

T: Evet, şimdi hatırlıyorum yaptığımız konuşmayı. Ama felsefi olan ile dogmatik olan arasında fark var, değil mi?

D: Hangi yönden?

T: O fikre inanma ve kendini o fikre adamanın gücü yönünden.

D: Anladım. Evet, var. Dogmatik, söz konusu dogmaya yüzde yüz inanır ve kendini o fikre adar. Ne kanıt verirseniz verin, onun fikrini değiştiremezsiniz. Ve o dogmayla özünü özleştirdiği için dogmaya dönük her eleştiriniz, o kişinin özüne dönük bir eleştiri olarak algılanır.

A: Ve bu tür fikir ayrılıkları husumete, küskünlüklere ve kavgaya dönüşebilir.

D: Evet, çoğu kere öyle olur. O nedenle dogmatik düşünen insanla fikir tartışmasına girmek yanlıştır. Felsefi yaklaşımı olan kişi aklı ile değerlendirir; o fikri aklı ile değerlendiren diğer insanların fikirlerini takip etmek ister; kendini bir fikre adamamıştır. Yeni kanıt ve düşüncelere açıktır. Kendisininkinden farklı fikirleri kendi özüne dönük eleştiri olarak algılamaz.

A: Ve bu tür fikir ayrılıkları husumete, küskünlüklere ve kavgaya dönüşmez.

D: Hayır, dönüşmez. Kendinden farklı düşünenleri arar, onlarla konuşmak ister.

T: Peki, bilimsel...

D: Bilimsel yaklaşımı olan birine ise, "Bunun doğru olduğunu nereden biliyorsun?" diye sorsan, yapılan bilimsel araştırmalarda elde edilen verileri ve bu tür araştırmaların yapıldığı kitap, dergi ve öteki yayınları kaynak olarak gösterir.

A: Bu kişiyle fikir ayrılığının olması husumete, küskünlüğe neden olur mu?

D: Hayır. Bu kişi fikir farklılıklarını sever; çünkü bu farklılıklar yeni araştırmaların ve yeni araştırmalar da yeni keşiflerin yolunu açar.

A: Bu kişi inanmaz mı, kendini adamaz mı?

D: Kabaca şöyle bir özetleme yapılabilir. Dogmatik yalnız kendi inancıyla düşünür, başka veri kabul etmez; filozof akıl yoluyla hakikati incelemeye yönelir; bilim ise hem akıl hem de gözlem ve deneysel verilerle düşünür. Bilimsel yaklaşım içinde olan kişi için kutsal olan, kanıtlanmış verilerdir. Örneğin benim için çocuğun doğuştan getirdiği potansiyel kanıtlanmıştır, kutsaldır. Bu potansiyelin geliştirilmesi için yapılan her şey "sevap", gelişmesini engelleyen her şey "günah"tır.

T: Yani baba, bilim insanının da "iyi" ve "kötü" ayırımı var ama kullandıkları ölçütler farklı.

D: Tabii Timur. Türkiye Cumhuriyeti'nin kurucusu Mustafa Kemal Atatürk, "Dünyada her şey için, uygarlık için, yaşam için, başarı için en hakiki mürşit ilimdir, fendir. İlim ve fen haricinde mürşit aramak gaflettir, cehalettir, delalettir," demiştir. Burada açık bir tercih var.

T: Tamam, anladım. Ama bütün bu konuşmaların yönünü anlayamadım. Muazzez İlmiye Çığ'ın söylediklerini iki soruda topladık, ondan sonra dağıldık gibi geldi.

A: Hayır, ben hiç dağılmış hissetmiyorum ve yeni bir bakış kazanmak üzere olduğumu hissediyorum. Evet hocam, geldiğimiz nokta şu: Yaşamın dört alanında varoluş en temel, belirleyici rolü oynuyor. Korku kültürünün en temel değeri güç. Bu demek oluyor ki toplum her şeye, güçlü güçsüz ilişkisi açısından bakıyor.

T: Arif, ne güzel derledin topladın. Evet baba, şimdi bu güçlü güçsüz vurgulu korku kültürü ile dogmatik, felsefi ve bilimsel yaklaşımın ilgisi ne?

D: Siz bu toplum içinde yaşıyor olsaydınız, güç kazanmak ve başkaları tarafından güçlü görünmek için onların dogmalarının bir parçası mı olmak isterdiniz, yoksa bilmediğiniz tanımadığınız felsefi ve bilimsel bir yaklaşımın parçası mı?

Timur hayretle bakakaldı. Arif yüzünde bir zafer edasıyla Timur'a baktı. Bir süre sessiz kaldık. Daha sonra kendini toparlayan Timur şöyle konuştu.

T: Şimdi ne demek istediğini daha iyi anlıyorum. Bence işin zorluğu, senin gösterdiğinden daha fazla ve daha derinde. Her şeyden önce o dogmalar içinde yetişen kişi, bildiği doğrular çerçevesinde yaşamak ister. Yani hiçbir zorlama olmasa dahi, kendi anlam verme sistemi içinde dogmalarla yaşamak, kişiye daha anlamlı gelecektir.

Arif, Timur'un ne demek istediğini anlamıştı ki, Timur konuşurken başını sallıyordu. Timur konuşmasına devam etti.

T: Dogmalarla yaşamak diğer insanlara da anlamlı geldiği için kendini yalnız hissetmeyecek ve ayrıca bu anlam verme sistemi içinde ilişkiler oluşturacak ve ilişkileri ona güç verecektir. İşte geleneksel korku kültürü içinde yaşamanın rahatlığı, konforu burada.

D: Tamam Timur, şu anda sen geleneksel korku kültürü içinde yetişmiş birinin neden dışa kapalı, dogmatik, değişmeye dirençli ve sürekli insan ilişkilerinde güçlü güçsüz anlayışı içinde güçlü olmayı isteyen biri olmak istediğini açıklamış bulunuyorsun. Fakat unutmamak gerekir ki, en koyu baskı dönemlerinde bile özgürlüğün, birey olmanın değerini bilen kişiler çıkabilmiştir. Bunun nasıl olduğu ayrıca üzerinde konuşulacak boyutta bir konu ama yeri gelmişken, bunu da belirtmek istedim.

Kaldığımız yerden devam edelim. O zaman şunu da anlamış olman gerek: Şehir nazım planı, kent tasarımı bizim uygarlığımızın kavramları değil. Atatürk istediği için ve hemen hemen tek başına ömrünü, insanın insanca yaşayabileceği bilimsel düşünce temelli bir uygarlığa sahip yeni, özgür bir toplum yaratmaya –ki bunun adını Türkiye Cumhuriyeti koymuştur– adadığı için bu süreçler yer almıştır. Atatürk'ü anlamak için *Nutuk* kitabını okumak gerek. Ben okuduğumda, onun zaman zaman ne kadar yalnızlık çekmiş olduğunu anladım. Ama bir tek insanın yapabileceğinin en üst düzeyindeydi yaptıkları.

Çevresinde onun vizyonunu anlayabilen ve anlam sistemini gerçekten kavrayıp paylaşabilen pek az insan oldu. Atatürk'ün çevresindekilerin büyük bir çoğunluğu onun yakınında bulunduklarında güç kazandıklarını fark ettiler. Atatürk'ün müthiş dehasının sonuçlarını görmeye başladılar; bazıları saygı duydu, bazıları korktu. Ama sonuçta "yenemeyeceğin bileği öp" felsefesi içinde, gücünden yararlanmak için onun yanında yer aldılar. Böylece Türkiye Cumhuriyeti'nde iki grup türedi. Bir grup gerçekten Atatürk'ün ne yapmak istediğini anlamış, aynı vizyonu paylaşan ve yürekten inanan gerçek cumhuriyetçiler, diğer grup ise, Atatürk merkezli yeni bir güç odağının oluştuğunu ve sahip olduğu dehasıyla Atatürk'ün kolay kolay kaybetmeyeceğini görerek o güçten nemalanmak isteyen "mış gibi" Atatürkçüler.

A: Doğan Hocam, sizi daha önce hiç böyle konuşurken görmemiştim. Size bir sorum var: Gerçek Atatürkçüleri gerçek olmayan, "mış gibi" olanlardan ayırt etmek için en temel ölçüt sizce nedir?

Önemli bir soru ile karşılaşmıştım; bir süre düşündüm.

D: Arif'çiğim, bence Atatürk'ün bu ülkenin insanıyla ilişkisinde en temel noktayı yakalarsan, bu sorunun yanıtını da vermiş olursun.

Arif ve Timur bakıştı. Bir süre sonra Timur, "Baba sen söyle," dedi.

D: Atatürk bu ülkenin insanını gönülden seviyordu ve bu ülkenin insanının istediği ve inandığı şeyleri yapabileceğine inanıyor ve güveniyordu.

Arif, kendi kendine söylendi: "Sevgi, güven ve inanç."

D: Ve hayal ettiği geleceğe, dogmalarla ve felsefeyle değil, bilimsel düşünceyle ulaşılabileceğine inanıyordu.

T: O zaman şunu söyleyebiliriz: Eğer bir insan bu ülkenin insanını seviyorsa, ülke insanının yapabileceğine güvenip inanıyorsa ve bunun için bilimsel yolu izliyorsa, o kişi gerçek Atatürkçü'dür.

A: Vay be, etkilendim. Bu ülkenin insanını sevme, onun yapabileceğine güvenme ve inanma ve bilimsel yaklaşımı izleme... "Bu milletten adam olmaz. Şunlara bak, bunlara bir şey öğretilmez, bunlara yüz vermeye gelmez, hemen şımarırlar ve zıvanadan çıkarlar," türü yaklaşımlar "mış gibi" Atatürkçülerin yaklaşımı, gerçek Atatürkçülükle ilgisi yok.

T: O zaman şöyle diyebilir miyiz: Muazzez İlmiye Çığ'ın sözünü ettiği imar planıyla ilgilenen, kent tasarımlarını yöneten mevki sahibi insanlar, kent yöneticileri, güç kazanmak için cumhuriyet hükümetlerinde yer alan ama Atatürk'ün gönlündeki cumhuriyeti anlamamış, yüz baskın korku kültürünün insanlarıdır. Ve bunun anlamı şu oluyor: Herkesin yararı düşünülerek yapılmış olan kent planını, yozlaşmış yönetim, güçlü azınlığın lehine değiştirerek onaylıyor.

İkimiz de Timur'un dediğini kabul ettik. Arif, elindeki 'Mış Gibi' Yaşamlar *kitabını kapattı, pencereden dışarı baktı.*

Bozüyük'ten Bilecik'e doğru gidiyoruz. Ortam daha yeşile dönüyor, bozkır yerini vadilere, tepelere, derelere bırakıyor. Bilecik'ten önce, yemek yemek üzere dere kıyısında bir lokantada durduk.

Lokanta bir dere kenarına kurulmuş, şarıl şarıl su akıyor. Keyifli bir yemek olacağını düşünmüştük, fakat masalara oturup suya bakınca ne kadar pis olduğunu gördük ve bir süre sonra lağım kokusu geldi burnumuza. Canım sıkılmıştı, "İşte," dedim, "bizim doğayla ilişkimizin görünümü ve kokusu!"

Yemekten sonra parayı Timur ödedi, kasada elimize kolonya döktüler. Direksiyona yine Timur geçti ve yola çıktık.

Dar bir vadiden aşağıya doğru iniyoruz. Ne arkamızda ne de önümüzde araba var. Ve bu daracık vadiden yavaş yavaş 80 km'lik hızla gidiyoruz. Küplü kasabasını geçiyoruz, sonra da bir köprüden... Sağdaki tabelaya 'Karasu 3' diye yazmışlar.

Şimdi Bilecik'e giriyoruz. Çarşı boyunca yolu geçiyoruz. Uçurumun kenarına evler inşa edilmiş. 'Durmak Yasak' yazılan ve 'Park Edilmez' işaretinin olduğu yere iki araba park edilmiş. Hep olduğu gibi, bu yolda da kamyonlarla başımız dertte. Yine bir kamyon bizi sıkıştırıyor ve önümüzü göremiyoruz.

Ardından kendimizi birdenbire bir kırmızı ışıkla burun buruna buluyor ve zorlukla duruyoruz. Yeşil ışık yanınca yolumuza devam ediyoruz. Şimdi Bilecik bitiyor. Bir tabelada '60' diye yazıyor, demek ki 60 km hızla Gideceğiz.

Tekstil fabrikalarının yanından geçiyoruz. Bir porselen fabrikası ve gömlek üretim tesislerini geçtik. Yüksek bir platonun üzerindeyiz; sol tarafımızda büyük bir açıklık var, vadi ve ileride mermer ocağı var. Tepenin yarısı, bir dev tarafından ısırılmış, yutulmuş gibi. Sağ tarafımızdaki bir benzin istasyonunu geçiyoruz. Şimdi üç şeritli bir yol başladı.

Yol rahatlayınca, Arif yanında duran 'Mış Gibi' kitabını tekrar eline aldı ve sayfa 235'teki (14.09.2000 tarihli Hürriyet*) gazete haberini okumaya başladı.*

Esma Karadağ, yedi üyesi de öğretmen olan bir ailenin kızıydı. Geçen hafta, Sinanoba'da yeni tayin olduğu okula gitmek istedi. E-5'teki yaya geçidinde bir trafik canavarının kurbanı oldu. Daha önce aynı yerde 27 kaza olmuş, birçok insan ölmüştü...

Yeni okulunu görmeye gittiği 4 Eylül sabahı minibüsten inip çizgili yaya geçidinden karşıya geçerken hızla gelen bir arabanın çarpması sonucu komaya girdi.

Günlerce yaşamak için çırpınan bedeni nihayet önceki gün pes etti. Doğum gününde, okullarda yeni öğretim yılının ilk zilinin çaldığı, çocukların sınıfları doldurduğu vakitte öldü.

Bir süre okumasına ara veren Arif, bana baktı. Aradaki sessizlikten yararlandım.

D: Bu, ortama getirilen bilinçte kuralın farkında olmama ya da umursamama durumu. Unutma, yaya güçsüz ve sürücü altında araba olduğu için güçlü.

A: Şoför yaya geçidi kuralını önemsemiyor ama Esma öğretmen ciddiye alıyor. Ve kurala uymanın bedelini hayatıyla ödüyor.

06.08.2007 tarihli Vatan *gazetesinin kesiğini vererek okumasını istedim.*

İngiltere'nin en ünlü tarihçilerinden olan ve 10 yıldır Bilkent Üniversitesi'nde öğretim üyeliği yapan Prof. Dr. Norman Stone, son kitabını ve Türkiye'de geçirdiği yılları Times gazetesine anlattı. "İngiltere korkunç sıkıcı, onun için Türkiye'ye gittim," diyen sigara tiryakisi Stone, "Türkiye harika bir yer. Uçaktan iner inmez bir Türk milliyetçisi oluverdim. 'Sigara İçmek Yasak' tabelasının altında siyah üniformalı biri fosur fosur sigara içiyordu. "Tam bana göre bir yer, diye düşündüm," diye konuştu...

Arif okumaya devam edecekti ama ben mani oldum.

D: Bu kadar. Bak bize kimler hayran oluyor. Kurallara uymayı sıkıcı bulan bu kişi, astığı tabelanın altında alay edercesine fosur

fosur sigara içen polisi olan bir toplumda yaşamayı daha eğlenceli buluyor. Sen ve ben ise bu topluma mış gibi yaşayanlar toplumu diyoruz ve onları ya olduğu gibi konuşan ya da konuştuğu gibi olan insanlar haline getirmenin yollarını arıyoruz.

T: Norman Stone için tabelanın altında sigara içen üniformalı görevli gülünüp geçilir bir gözlem, ama kendi ailesinin üyelerini Alanya'da yaya geçidinde kaybetseydi yine aynı hafif tavrını koruyabilir miydi acaba?

A: Her toplumu yöneten kültürün, uygarlığın niyet-bilgi-beceri-eylem-sonuç'tan oluşan yaşam döngüsünden söz edebilmemiz gerekir. Yasalarda ifade edilen niyet ile uygulamada sergilenen bilgi ve beceri birbirine uymayınca mış gibilik oluşuyor. Burada yasanın niyeti, 'Sigara İçilmez' tabelasında ifade ediliyor. Ama devleti temsil eden üniformalı kişinin davranışı bu niyetle alay ediyor, bu niyeti ciddiye alan devleti hiçe sayıyor ve bir İngiliz, tüm dünyaya Türkiye'nin böyle bir ülke olduğunu *Times* gazetesi aracılığıyla söylüyor.

T: Yok canım, o kadar da büyütme Arif. Aklı başında hiç kimse bir İngiliz'in sözü ve bir polisin tabelanın altında sigara içmesiyle Türk devleti hakkında karar vermez. Ama bu örnekler yaşamın her yönünde oluyor ve kendi aralarında bir tutarlılık gösteriyorsa zamanla bir kanaat oluşur.

D: ...Ve yavaş yavaş oluşan kanaat kolay kolay silinmez, uzun süre devam eder.

Osmaneli'yi geçiyoruz, demir üreten büyük bir fabrikanın yanından geçiyoruz. İleride solda koca, hangar gibi, dökülen eski bir binanın üstüne 'Kiralık Fabrika' diye yazmışlar.

Bir süre yol aldıktan sonra Pamukova'yı geçiyoruz. Solumuzda Varan'ın dinlenme tesisleri var. 'İshaphalı İki' tabelasını gördük. Sağımız solumuz küçük, bodur ağaçlar ile yeşillik. Sol tarafımızda dağlar hemen hemen boz ile yeşil arası; sağımda demiryolu geçiyor, üzüm bağları var.

Bir erkek traktör sürüyor, bir kadın sırtını ona dayamış, yüzü arkaya dönük. Traktörün arkasında olduğumuz için kadının yüzünü görüyoruz. Kadın başına kırmızı bir şapka geçirmiş. Sağımızda bayağı yüksek dağlar yer alıyor. Uzunca bir konvoyun peşine takılmış, yavaş yavaş Adapazarı'na doğru yaklaşıyoruz.

Birbiriyle ilgili olduğunu sandığım üç araba birbiri peşi sıra riskli geçişler yaparak öne fırladılar. Her birinin içinde çocuklar ve kadınlar var. Çocuklarının ve eşlerinin cesetlerinin başında ağlayan babaların gazetelerde gördüğüm resimleri geldi gözümün önüne.

Birinde, direksiyondaki baba sağ kalmış ve kendi elleriyle öldürdüğü çocuklarının arkasından ağlıyor. Ve bütün bunların sonunda adamın, "Vadeleri bu kadarmış," diyerek kendini avutması bana ağır gelmişti. Bunu aktardım.

Artık yavaş yavaş Adapazarı'na yaklaşıyorduk. Arif kitabı yeniden eline aldı ve sayfa 256'daki kendi ifadesini bana okudu.

Doğan Bey, gördüğüm kadarıyla hangi alanı ele alırsak - eğitim, yasal düzen, polis, trafik, medya ve benzeri- ortada bir "suç" var ve herkes o suçu birine atıyor ve sen "suçlusun!" diyor. Ama siz, suçlu aramak yerine, "ortada anlaşılması gereken bir durum var, kimse suçlu değil ya da her bir insan diğer herkes kadar suçlu" görüşü içindesiniz. Onun için kimseye öfkeli değilsiniz, daha doğrusu öfkelenseniz bile öfkelenmemeniz gerektiği bilincine geri dönüp bu öfkeden vazgeçiyorsunuz. Sizin temel görüşünüz ne? Olan biten ne? Anlamış olduğumuz zaman neyi anlamış olacağız?

Okumasını bitirdikten sonra bana baktı. Yolculuğumuzun sonuna geliyorduk ve bu soru, konuştuğumuz her şeyi özetleyecek bir yanıt gerektiriyordu. Bir süre düşündükten sonra konuştum.

D: Bunu yarın Ulus Parkı'nda ele alalım. Biliyorsun Timur ertesi günü Amerika'ya dönüyor. Yarın parkta bir kahvaltıda, konuştuklarımızın genel bir değerlendirmesini yapar ve ayrılırız.

Arif, olur anlamında başını salladı. Timur da, "Tamam," dedi. Birbirimize alışmıştık ve önemli paylaşımlarda bulunmuştuk. Ayrılık düşüncesi içime hüzün verdi. Her birimiz birbirimize söylemeden iç dünyamızdaki hüzünle baş başa kaldık.

Sapanca, İzmit, Kurtköy levhalarını geçerek Fatih Sultan Mehmet Köprüsü'ne geldik ve Etiler'de Arif'ten ayrıldık.

Yarın Ulus Parkı'nda sabah saat 10'da kahvaltı için buluşacağız.

17 ULUS PARKI'NDA KAHVALTI

Anlamanın olduğu yerde öfke,
öfkenin olduğu yerde anlama gelişmez.

DOĞAN CÜCELOĞLU

Sabah saat 10'da Ulus Park Cafe'de buluştuk. Bizi, güzel manzaralı bir masaya oturttular. Arif kahvaltı tabağı istedi, Timur'la ben bir sebzeli omleti ve bir kahvaltı tabağını paylaşmaya karar verdik. Herkes çay istedi.

Tatlı bir serinlik vardı ve Boğaz bütün güzelliğiyle önümüzde serilmişti. Tankerler ve yük gemileri yavaş yavaş geçiyor ve çevrelerindeki diğer tüm tekneler onların yanında küçücük kalıyordu.

Arif 'Mış Gibi' Yaşamlar *kitabının 289. sayfasındaki "yetişkin çocuk durumdaki anne ve babalar" üzerinde konuşmak istiyordu. Yani bir insan neden olgun bir insan olarak yetişmez, yetişkin çocuk haline gelir, onu öğrenmek istiyordu.*

Arif'ten rica ettim, başka hangi sayfaları işaretlemişti ve işaretlediği bu sayfalar hangi konuları kapsıyordu, bizimle paylaşmasını istedim, kabul etti.

A: Hocam 301. sayfada çocuklarının not başarısından başka hiçbir şeye önem vermeyen anne ve babalardan söz etmişsiniz. Benim de sorum, "Bu anne babalar neden yalnız not başarısına önem veriyorlar?"la ilgili. Daha sonra kitabın 351. sayfasında, "Mış gibi yaşamlar niçin oluşuyor?" diye genel bir soru soruyorum.

D: Arif'çiğim, dün Adapazarı'na gelirken kitabın 256. sayfasında kapsamlı bir soruyu dile getirmiştin. "Olan biten ne? Anlamış olduğumuz zaman neyi anlamış olacağız?"

A: Evet, bu benim temel sorum. Çünkü bu sorunun cevabını bildiğim zaman, diğer bütün sorulara cevap verebileceğimi sanıyorum.

T: Yani mış gibi yaşamanın nedeniyle ilgili konuştuklarımızı bir derleyip toparlama ihtiyacı var.

D: Peki, bugün onu yapalım.

Çaylarımız tazelendi ve ben gezi boyunca söylediklerimi kuşbakışı gözden geçirmeye başladım.

D: Konuşmamda anlattığım bir şeyi anlamakta zorlandığınızda hemen beni durdurun ve sorun. İlk üzerinde anlaştığımız nokta şu: Biz, insan yaşamıyla ilgili konuşuyoruz. Yüzyıllar boyunca yaşamı sorgulayan felsefe, dört temel alanı birbirinden ayırmış. Neydi bu dört temel yaşam alanı?

- Bilgi (epistemoloji)
- Varoluş (ontoloji)
- Eylem (etik)
- Tarz, biçim (estetik)

Bunların ne olduğunu anlattık. Bu konuda herhangi bir belirsizlik var mı?

Hem Arif hem Timur, hayır anlamında başlarını salladılar. Devam ettim.

D: Bu alanları tanımladıktan sonra karşımıza çıkan ilk soru, "Bu alanlar birbiriyle denge içinde midir?" Örneğin, 'Mış Gibi' kitabının 301. sayfasında Arif'in dile getirdiği sorun, yani anne ve babanın neden yalnız notla ilgilenip çocuğunun gelişmesiyle ilgilenmediğiydi. Bu, bilgi odaklı bir yaşam anlayışının yansımasıdır.

Tabii yine bu, "Neden bilgi odaklı bir yaşam anlayışı var?" sorusunu sorduruyor bize. Bu aşamada yaşamda dengeden söz ederken neleri göz önüne aldığımız konusunda bir açıklığa kavuşmuş oluyoruz.

A: Bu konuyu konuşurken, ancak varoluşta özümsenmiş bilginin, yani farkındalığın eyleme yansıdığını söylemiştiniz.

D: Evet, söyledim ve bence bu önemli. Çünkü, bizim eğitim sistemimiz bilgi vermek amacıyla kurulmuş. Verdiği bilgiyi sınavlarla ölçüyor ve öğrencileri başarılı/başarısız diye ayırıyor.

Gerçek yaşamda ise, hem meslek yaşamı hem de bireysel yaşam için söylüyorum, davranışa yansımayan bilginin hiçbir faydası yok. O bilgiyi davranışında yansıtarak yaşamak birbirinden farklı. Sadece bizim değil, tüm dünya uluslarının üzerinde önemle durması gereken temel konularından biri, bilginin yaşama yansıması, davranışa dönüşmesidir.

Timur, söylediğimi anladığını ifade eden bir baş hareketi yaptıktan sonra konuştu.

T: Böylece, bu aşamada mış gibi yaşamanın temelindeki iki gerçeğin altını çizmiş olduk. Yaşamın dört temel alanı arasında;

1. Denge bozuk olabilir yani bilgi, varoluş, eylem ya da biçimden biri abartılı şekilde önemsenip diğerleri cılız, küçük bırakılmış olabilir. Sigaranın zararını iyi bilen kardiyoloji uzmanının günde iki paket sigara içiyor olmasında olduğu gibi.
2. Temel alanlar arasında uyum bozuk olabilir yani biyoloji öğretmeninin hiç biyoloji alanında kitap okumaması, bilgisini geliştirmekle ilgilenmeyip, kendisini Çin sanat tarihinin felsefesine vermiş olması gibi.

Her iki durumda da bilgi varoluşta özümsenmediği ve bireyin günlük yaşamına yansımadığı için bu kişinin mış gibi bir yaşamı olacaktır; bunu mu anlamalıyız?

Timur bize baktı, ikimiz de, "Evet," dedik.

D: Timur, böylece bilgi ve farkındalık arasındaki farkı dile getirmiş oldun. Özümsenip, davranışa aktarılan bilgi farkındalık olmuştur. Kişinin farkındalıkları, onun içinde bulunduğu ortamı algılamasını, ona anlam vermesini ve davranışını yönlendirir. Onun için ben bu farkındalıkların tümüne "ortama getirilen bilinç" adını veriyorum.

Hatırlıyorsunuzdur, farkındalık, davranışta bir fark yaratan bilgidir ve uygarlıklar bilgi değil, değerlerin farkındalıkları üzerine kurulmuştur, demiştik. O zaman sorulması gereken temel soru şu oluyor: Farkındalıklar nasıl oluşur?

Farkındalıklar nasıl oluşur konusunu, öğrenmenin dört temel aşamasını gözden geçirerek inceledik. Bilginin bilince dönüşmesi ve farkındalık olarak eylemde kendini ifade etmesi öğrenmenin dört aşamasından geçerek gerçekleşiyor.

Arif bir eğitimci olarak kendisi için önemli olanı yine vurgulamak istedi.

A: Aslında "gerçek eğitim"in bu aşamada bir tanımını yapmak mümkün. Gerçek eğitim bilgiyi bilince dönüştürür ve kişinin davranışına farkındalık olarak yansır.

Pek hoşuma gitmişti, genç eğitimci arkadaşımla gurur duyuyordum. Timur uzandı Arif'in omzunu sıvazladı.

D: Şimdi geldik insanların varoluşunda yer alan en temel değere, sorumluluğa.

Sorumluluk, hesap verme duygusu demektir. Hesap verilen iki kaynak vardır: Biri kişinin içindeki vicdanı, diğeri dışındaki güçler. Kişi yalnız kendi özüne hesap veriyor, başka kimseyi hesaba katmıyorsa, o zaman ben bilincinde, bencil bir insan olarak davranır. Tersine kendi özünü hiç hesaba katmaz, tamamıyla ihmal eder ve sadece dışındaki güçlere, otoriteye, hesap verirse, o zaman sen bilincinde, ezik, kişiliksiz biri olarak davranır.

Sağlıklı olarak gelişmiş olgun kişide empati duygusu gelişmiştir; önce kendi vicdanına, içine, özüne hesap verir; ama dışındaki insanları, güçleri, içinde bulunduğu ortamı da hesaba katar, onların halinden anlar ve bundan sorumluluk duyar.

Hangi kaynağa hesap verdiğinizde farklı sonuçlar elde edersiniz. Kalıplayan korku kültüründe çocuğun dışındaki otoriteye hesap vermesi önemsenir ve çocuğa bu öğretilir. Korku kültüründe bütün erdemlerin kaynağını çocuğun otoriteyle kurduğu ilişkinin türü belirler. İtaat etmek, söyleneni sorgulamadan yapmak, "gözlerimi kaparım, vazifemi yaparım" türünden davranışlar çok olumlu değerlendirilir. Geliştiren saygı kültüründe ise çocuğun önce kendine hesap vermesi önemsenir, sonra dışarıya hesap vermesi öğretilir. Saygı kültüründe erdemlerin kaynağında, çocuğun tüm ilişkilerinin hakkını vermesi vardır. Böylece empati, hakkaniyet, işbirliği ve biz bilinci olumlu değerlendirilir.

Sorumluluk, asıl olarak yaşam döngüsü kavramını incelerken önem kazanıyor. Hatırlıyorsunuzdur, yaşam döngüsü dediğimiz, niyet- bilgi-beceri-eylem-sonuç ilişkisi dizisidir.

Kişi yaşam döngüsündeki öğelerin birbiriyle tutarlı olmasından sorumluluk alıyor mu? Mış gibi yaşam, bu yaşam döngüsündeki öğelerin tutarsızlığında kendini gösterir. Bu yaşamın temelinde ilk aksaklık niyetle başlar. Kişi içinde bulunduğu o anda kendi niyetinin sahibi değildir. İstemediği halde önüne köfte konan çocuk örneğini hatırlayın. Timur, ne sen ne de Arif, gelmek istemediğiniz halde benim zorlamamla bu geziye katılmış olsaydınız, "katılma niyeti" sizin kendi niyetiniz olmayacak ve dolayısıyla gezi de mış gibi olacaktı.

Her ortamda insanın örtük ya da açıktan görülen bir niyeti vardır. Örneğin şimdi burada sabah kahvaltısı yapıyoruz. Size sorsam, "Burada, şu anda kahvaltı yapmayı ne kadar istiyorsunuz? '0' hiç, '5' şöyle böyle, '10' pek çok anlamına gelecek şekilde ölçek üzerinde bir rakam verin," desem, şimdi siz muhtemelen '10' dersiniz, değil mi?

Her ikisi de onaylayarak kafa salladı.

Demek ki, şu anda siz, tam anlamıyla buradasınız. Ve burada olmaktan kendinizi tam sorumlu görürsünüz. Bir insan niyetinden tam sorumluluk aldığı zaman, niyetiyle ilgili bilgiye yönelir. Arif gibi gerçekten öğretmen olmak isteyen biri, eğitimle ilgili bilgiye yönelir.

Tutarsızlığın temelinde de kişinin niyetinin kendi niyeti olmaması yatar. "Bu bana zorla kabul ettirildi ben aslında bu konferansta olmak istemiyorum, ben aslında öğretmen olmak istemiyorum, ben aslında bu kadınla/erkekle evlenmek istemiyorum; bu benim niyetim değil, o nedenle bu niyeti gerçekleştirecek bilgi-beceri-eyleminden sorumluluk almak istemiyorum." Kişi kendinin olmayan bir niyetten sorumluluk almaz, zorlanınca alır'mış' gibi yapar. Niyet ile bilgi, bilgi ile eylem, niyet ile sonuç arasında tutarsızlıklar ne kadar büyükse, kişinin yaşamı o kadar mış gibidir.

Timur devreye girdi.

T: Bu durumun kökenini bilmek önemli.

A: Niyet kişinin varoluşunda yer alıyor; o nedenle o varoluşun nasıl geliştiği önemli, çünkü mış gibi yaşamların temeli, niyetin kaynağının kimde olduğunda yatıyor.

D: Çocuk muhteşem bir potansiyel olarak doğuyor ama bu potansiyel geliştirilecek mi, yoksa kalıplanacak mı? İşte Shakespeare'in *to be or not to be* (olmak ya da olmamak) sözü burada anlamını buluyor.

Geliştirilen çocuk kendini önemli, doğal, değerli, güvenilir, sevilmeye layık ve saygıdeğer bir olarak görür. Böyle bir çocuğun içi enerji doludur, cıvıl cıvıl biridir. Yaşamı keşfetmek, kendini ve evreni anlamak ve gelişmek ister.

Arif yine eğitimci gözüyle konuştu.

A: Bu, saygı güven kültürünü yaşayan geliştiren bir aileye doğan şanslı bir çocuk.

D: Evet, öyle. Yüz baskın kalıplayan korku kültürünü yaşayan bir aileye doğan şanssız çocuğun ruhu beslenemez. Kendini önemsenmemiş, ötekileştirilmiş, değersiz, güvenilmez, sevilmeye layık olmayan, saygı duyulmayan biri olarak görür. Böyle bir çocuk hüzünlüdür, karamsardır, bedbahttır veya kendi içine kapanan, yaşama küsmüş ezik biri olur ya da herkesi rahatsız eden arsız, söz dinlemez biri haline döner. Yaşamı keşfetmek, anlamak ve gelişmek isteyen biri olmaz.

Timur büyük bir ciddiyetle, "Baba işin özü burada, değil mi? Yani kişi ilk çocukluk yıllarını hangi tip aile ortamında geçiriyor, kalıplayan korku ortamında mı, geliştiren saygı ortamında mı? Esas önemli olan bu, değil mi?" diye sordu.

D: Evet Timur, işin özü bu.

Arif, iki farklı insan tipine örnek verdiğimizi hatırlattı.

A: İki öykü anlatmıştınız. Biri, alışveriş yapan ve hakkı olmadığı halde bile bile ekspres kasa sırasına girip, ikazlara rağmen sıradan çıkmayan yaşlı kadındı; diğeri, uçakta 25C'de oturan ve hakkaniyet duygusuna önem veren orta yaşlı adam. Biri korku kültürünün dış sorumluluğunu yaptırım olarak görüyor, diğerinin sorumluluğu ise kendi içindeki değerlerden kaynaklanıyor.

Hatırlıyorum, korku kültürünün insanı için şunları söylemiştiniz:

Niyet: Kendi niyeti değil, pompalanmış "münasip" bulunmuş

Bilgi: Gelenek-görenek, boğazından aşağı tıkılmış, aktarılmış

Beceri: Kendi geliştirdiği değil, taklit, mükemmellikten uzak

Eylem için motivasyon: Dıştan, korku kaynaklı

Sonuç: Gönlüne, kendi duygularına hitap etmeyen, göstermelik.

Saygı kültürünün insanı için ise şunları söylemiştiniz:
Niyet: Kendi niyeti; gönlünün muradını keşfetmekle oluşan
Bilgi: Aktif olarak ilgi duyduğu, özümsediği, varoluşuna mal ettiği kazanılmış farkındalık
Beceri: Emek verilip geliştirilmiş, mükemmelleştirilmiş
Eylem için motivasyon: İçten, ilgi, merak, keşfetme, kendini gerçekleştirme temelli coşku
Sonuç: Gönlünce, anlamlı.

Arif'in özetlemesinden, iyi bir öğretmen olduğu anlaşılıyordu. Ben konuşmaya başladım.

D: Evet, Arif açık ve net anlattın. Böylece korku kültürü içinde yetişen kişi, birey olarak gelişememiş, kendine ait düşünceleri olmayan, içine kalıplandığı dogmaları tek gerçek olarak kabul etmiş, dogmatik, katı bir insan olur. Timur'un söz ettiği öfkeli ve kederli insanlar, korku kültürünün içinde yetişmiştir.

Timur dikkatle dinliyordu, burada sözü benden aldı.

T: Saygı kültürü içinde yetişen kişi ise bir birey olarak gelişmiş, kendine ait düşünceleri olan, bilimsel düşünceyle verilere yaklaşan ve verilerin izin verdiği kadar konuşan dürüst biri olur...

Umarım bu tür insanların sayısı hem Türkiye'de hem ABD'de çoğalır. Aslında yalnız bu iki ülkede değil, umarım tüm dünyada çoğalır. Dünyamızın sorunlarını çözmek artık herkesin katkısını gerektiriyor.

A: Timur, ilginç bir dürüstlük tanımı yaptın ..."Verilerin izin verdiği kadar konuşan bir insan!"

Konuşmamızdan büyük bir zevk alıyordum ve daha önce konuştuğumuz konuları özetlemeye ve mış gibi yaşamlarla ilişkisini göstermeye devam ettim.

D: Korku kültüründe yaşam bir araçtır. Yaşamın kendisi anlamlı değildir; esas önemli olan, elde edilmek istenen sonuçtur.

T: Baba bunu bir daha söyler misin? Yani nasıl oluyor?

D: Korku kültürünün anne ve baba için çocuklarının doktor olması, iyi para kazanması, büyük bir evde oturması, pahalı bir arabasının olması temel hedeftir. Çocuk bunun için okula gönderilir, bunun için derse çalıştırılır, bunun için meslek seçtirilir. Çünkü korku kültüründe insan ilişkileri, kimin güçlü, kimin güçsüz olduğuna dayanır. Bu nedenle insanlar güçsüz duruma düşmemek için para, mevki, mal mülk peşine düşer.

Timur ve Arif tüm dikkatlerini vermiş dinliyorlardı.

T: Saygı kültüründe?...

D: Saygı kültüründe düşünen ve bu kültürün temel değerlerini yaşayan bir anne-baba için çocuklarının mesleği, kazancı, evi, arabası kadar sevdiği, gönlünün çektiği işi yapması, yaşamını anlamlı bulması, kendini mutlu hissetmesi önemlidir. "Yüz" ve "can"ın ikisi de gözetilir ve önemsenir. Ama esas vurgu "can"adır. Eğer para ve mevki ile mutluluk ve kendine saygı arasında bir tercih yapmak durumunda kalınırsa, mutluluk ve kendine saygı seçilir.

Saygı kültürünün temel ilişki modeli insan insana ilişkidir ve çocuk, şu temel değerlerle yetiştirilir: biz bilinci, gerçeğe saygı...

Timur kendini tutamadı, sordu.

T: Gerçeğe saygı, bilimsel düşüncenin gelişmesi için gerekli bir temel, diyebilir miyiz?

D: Evet, gerçeğe saygı, bilimsel düşüncenin temel değeridir. Empati, hakkaniyet, yaşam kalitesi, kendini geliştirme ve sorumluluk. Saygı kültüründe çocuk büyürken, anne ve babasının bu değerleri yaşattığını görür.

Korku kültüründe çocuk azarlanarak, dövülerek, korkutularak büyütülürken, saygı kültüründe çocuk, onunla anlayabileceği dilde konuşularak, anlatılarak, örnek olunarak büyütülür.

Geliştiren ana-baba olmak için yalnız bilgili olmak yetmez, aynı zamanda duygusal olarak gelişmiş olgun bir insan olmak da gerekir.

Masanın altında bacağıma bir şey dokundu. Baktım bir kedi, göz göze geldik, "Miyav" dedi. "Aç mısın?" diye sordum, "Miyav" dedi. Küçük bir peynir parçası attım yere, onu hemen yedi ve yine gözüme baktı.

Kendimi yokladım, içimden gerçekten istediğim şey, kediyi masanın üzerine çıkarmak, göz hizama koymak, önüne sevdiği eti, peyniri vermek ve o iştahla yerken seyretmek ve onunla konuşmaktı. Biliyordum bu şimdi hem masadakilere hem de çalışanlara tuhaf gelecek ve bir saygısızlık olarak algılanacaktı; o nedenle, Arif'e ve Timur'a dahi söylemedim. Kediyle ilgilenmiyormuşum gibi davrandım. Şu anda "mış gibi" bir durumu yaşadığımı Arif ve Timur bilmiyordu! Kediyle göz göze geldik, "Durumu anla" dercesine baktım ve konuya döndüm.

D: Kişi, içinde yetiştiği ortama uygun bir anlam verme sistemi geliştirir ve bu anlam verme sistemi içinde "anlamlı bir yaşam" sürmek ister. "Korku kültürünün anlamlı yaşamı" korkulacak kişiyi, otoriteyi memnun etmek üzerine kurgulanmıştır. "Saygı kültürünün anlamlı yaşamı" ise insanın kendi özüne saygısını korumak üzerine kurgulanmıştır. İşte temel sorun, bu iki anlam sisteminden kaynaklanmaktadır.

Timur burada bana göre önemli iki soru sordu.

T: Peki baba, insanın kendi özüne saygısını korumak ile "biz bilinci" çelişmiyor mu?

D: Önemli bir soru sordun; yanıtım, "Hayır, çelişmiyor," olacak. Çünkü Timur, unutmamamız gereken bir gerçek var, "İnsan kendine saygısı olan ben olmayı gerçekleştirmeden biz olmayı gerçekleştiremez." Kendi özüne saygılı olmayı beceremeyen insanlardan mutlu bir toplum oluşamaz.

T: Söylediğin bana mantıklı geliyor, katılıyorum. Mutlu bir toplumun üyelerinin mutlu olması gerekir.

Baba, ikinci bir sorum daha var. Hani bizden bağımsız, bilimin keşfetmeye çalıştığı bir "evrenin varoluş gerçekliği"nden söz etmiştin. "Evrenin varoluşun gerçekliği" içinde düşünecek olursak, yani bilimsel anlamda hangisi daha doğru? Yani korku kültürü mü insanın gerçeğine uyuyor, yoksa saygı kültürü mü?

D: Bir, dünya yüzünde totaliter rejimlerle yönetilen korku kültürünün baskın olduğu toplumlara bak, bir de özgür demokratik rejimlerle yönetilen saygı kültürünün baskın olduğu toplumlara. Bu toplumlarla ilgili yaptığın gözlemler sana bir ipucu verebilir. Bunun dışında, şimdi bir kitap okuyorum. Yazarı Richard Layard(1) bir ekonomist ve şimdiki ekonomik sistemlerin insan doğasından anladığının doğru olmadığı, insana ilişkin tespitlerinde yanıldıkları, şimdiki modern psikolojinin keşfettiği insanı temel alan yeni bir ekonomiyle tanışmamız gerektiği üzerinde duruyor. Kitap, şimdiye kadar yapılmış yüzlerce araştırmayı gözden geçirerek şu temel düşünceye ulaşmış: İnsanoğlu, genlerinde kendi mutluluğunu arayan yaratıklar olarak kodlanmıştır ve bu genler sayesinde biz sürekli mutlu olacak ortamlar arayışı içine giriyor, mutluluğumuzu artıracak ortamlar ve düşünsel sistemler geliştiriyoruz. Yani mutluluk arayışı insanın doğasında var.

Yani Timur, Richard Layard'ın yaptığı araştırmaya göre "evrenin varoluş gerçeği" ile saygı kültürü uyum içindedir. Sen bunu sormuştun, değil mi?

T: Teşekkür ederim, evet, bunu sormuştum ve sorduğum sorunun yanıtını aldım.

D: Şimdi yeniden, mış gibi yaşamlar ile korku kültürünün ilişkisine gelelim. Korku kültürünün dogmalarıyla büyüyen birinin eğer özü tamamıyla kalıplanmış, beyni tamamıyla yıkanmış ve

(1) Richard Layard, *Happiness: Lessons From A New Science*, Penguin Pres, 2005.

onda bireysellikten hiçbir eser kalmamışsa, o zaman, korku kültürünün anlam verme sistemi içinde oluşmuş niyet-bilgi-beceri-eylem-sonuç birbiriyle tutarlı olacaktır. Evine gittiğim şoförün karısının söylediklerini hatırlayın.[1]

Diğer yandan saygı kültürü içinde büyüyen birinin anlam verme sistemi içinde oluşmuş yaşam döngüsündeki niyet-bilgi-beceri-eylem-sonuç öğeleri de birbiriyle tutarlı olacaktır.

Bana göre sorun, iki anlam verme sisteminin birbirinin içine bölük pörçük karışmasından kaynaklanmaktadır. Çocukluğu korku kültürünün aile ortamı içinde geçmiş biri, büyüyüp polis, öğretmen veya bir bürokrat olunca, saygı kültürünün öğretmeni, polisi, bürokratı gibi davranmasını istiyoruz. Türkiye Cumhuriyeti'nin yasaları öğretmenin, polisin, bürokratın saygı kültüründe yetişmiş bir insan gibi davranması beklentisi içinde yazılmış. Ama gerçek şu ki, çocukluğunda mayası korku kültürü olan bir kişi, yetişkin olunca, çocukluğu saygı kültürü içinde oluşmuş biri gibi davranamaz.

T: Yani niyeti bir kültürden, bilgi ve becerisi bir başka kültürden gelince, mış gibi durumlar oluşuyor mu diyorsun?

D: Evet, öyle diyorum Timur. Atatürk dogma temelli korku kültürü uygarlığından, bilim temelli saygı kültürü uygarlığına geçiş için çabaladı, bu uğraşı için de tüm ömrünü verdi. Güçlü bir süreç başladı ve şu an o süreç devam ediyor.

Mademki uygarlıklar bilgi değil farkındalıklar üzerine kurulur, eğer farkında olmazsak, yani ne yaptığımızın tam bilincinde olmazsak, içinde yoğurulduğumuz korku kültürünün farkındalıklarıyla, çağdaş, uygar, özgür bir toplum oluşturmaya çalışıyor olabiliriz. Çocukken farkına varmadan içselleştirdiğimiz ve şimdi yine farkına varmadan kullandığımız korku kültürünün anlam verme sistemi, saygı kültürü temelli uygar bir toplumun temelini oluşturamaz.

---

(1) Bkz. s. 159.

A: O zaman, "Eskiler hep o kültürle yoğurulduğu için iyi bir şey yapamaz," gibi bir anlam çıkmaz mı?

D: Bu kadar kesin konuşmak her zaman gerçeğe uymaz ama geçmiş kültürümüzü bugüne taşırken duyarlı olmalıyız. Bir de şunu bilelim, Türkiye'de gördüğümüz mış gibi yaşamların çoğu, bu tür bölük pörçük, bütünlüğünü kaybetmiş ve bilimsellikten uzak anlam verme sistemlerinden beslenir.

A: Peki Hocam, "mış gibi"likten kurtulmuş bir toplum olmak için ne yapmamız gerekiyor?

Benim yerime Timur cevap verdi:

T: Bunun cevabını gelecek kitapta ele alacağız ve birlikte konuşacağız. Öyle değil mi baba?

Ben tam ağzımı açacakken, masamızın hemen önündeki ağaca konmuş olan bir karga üç kez "gak gak gak" diye ses çıkardı. Kahkahayı bastık. Arif, "Duydunuz, emir yüksek yerden!" dedi ve elini uzattı. Üçümüz aynı anda el sıkıştık.

Okura Mektup

Bütün kötülüklerin ve savaşların temelinde,
yaşanmamış yaşamlar vardır.

ERICH FROMM

Değerli okurum,

Kitapta üç kahraman var: Doğan, Arif ve Timur. Bu kişileri sizlere tanıtmak istiyorum.

Doğan, kitabın yazarı olarak benim. Benimle ilgili kısa bilgi bu kitabın girişinde var. Daha ayrıntılı bilgiyi yaşamımı konu alan *Damdan Düşen Psikolog*(1) isimli kitapta bulabilirsiniz.

Arif Öğretmen, sanal biri. Atatürk'ün öğretmenlerle ilgili sözlerine tüm kalbimle inanıyorum.(2) Türkiye'nin geleceğinin sağlıklı, çağdaş ve uygar olmasında öğretmenlerin özel bir yeri olduğuna, öğretmenliğin toplumdaki en kutsal ve en önemli meslek olduğu-

---

(1) Canan Dilâ, *Damdan Düşen Psikolog,* Remzi Kitabevi, İstanbul, 2015.

(2) Atatürk Araştırma Merkezi www.atam.gov.tr, Prof. Dr. Utkan Kocatürk'ün yazısı. "Milletleri kurtaranlar, yalnız ve ancak öğretmenlerdir. Öğretmenden, eğiticiden mahrum bir millet, henüz millet adını almak istidadını kazanmamıştır. Ona alelade bir kütle denir, millet denemez. Bir kütle millet olabilmek için mutlaka eğiticilere, öğretmenlere muhtaçtır. Onlardır ki bir toplumu hakiki millet haline koyarlar (...) Cumhuriyet sizden yüksek hizmet bekliyor." (14.10.1925'te İzmir Erkek Öğretmen Okulu'ndaki konuşması.) ve "Ordularımızın kazandığı zafer, sizin (öğretmenlerin) ve sizin ordularınızın zaferi için yalnız zemin hazırladı. Gerçek zaferi siz kazanıp sürdüreceksiniz ve mutlaka muvaffak olacaksınız." (27.10.1922'de Bursa'da öğretmenlere seslenişi.)

nu inanıyorum. Yaşamıma yön veren rahmetli öğretmenim Cahit Okurer'in soyadını Arif Öğretmen'e vermeyi uygun gördüm..

Timur, oğlumdur, gerçek biri. İki yaşından beri Amerika'da yaşıyor ve ben Amerikalı eşimden ayrılıp Türkiye'ye dönünce, dört yıl benden, yani babasından ayrı kaldı. Çocuklarımdan ayrı geçen bu dört yıl içinde çok acı çektim. Baba olmanın anlamını kavrayacak olgunluğa erişince, onlara babalık yapmak için Amerika'ya gittim. Onlar büyüyüp üniversiteye başlayıncaya kadar Amerika'da kaldım ve "hafta sonu babalığı" yaptım.

"Mış Gibi" projesini oluştururken Timur'un bu projeye özel bir katkısı olabileceğini düşündüm. "Timur, Amerika'da büyüdüğün için algılaman ve anlamlandırman benden farklı. Benim göremediğim şeyleri sen hemen görebilirsin. Seninle birlikte bir Türkiye gezisi yapalım; yanımıza sanal olarak Arif Okurer'i de alalım ve bir sohbet oluşturalım. Var mısın?" dedim.

Kabul etti. Niçin "mış gibi"(1) sorusunun yanıtını arıyoruz. Arif'in dışında kitapta yer alan kişiler gerçek; tahmin edeceğiniz nedenlerden dolayı gerekli yerlerde bazı isim değişiklikleri yapıldı. Gözlenen ve buraya aktarılan olaylar gerçektir.

Umarım bu kitabı okumak toplumsal olayları, insanları, ilişkilerinizi ve kendinizi anlamanıza yardımcı olur, yaşamınızı zenginleştirir.

Dostlukla,

Doğan Cüceloğlu
İstanbul, Kasım 2007

---

(1) Doğan Cüceloğlu, *'Mış Gibi' Yaşamlar*, Remzi Kitabevi, İstanbul, 2005.

Teşekkür

Bu kitabın oluşması yıllar, yazılması aylar aldı.

Kitabın oluşmasında, yaşamımda yer alan herkesin katkısı var ama özellikle oğlum Timur'un katkısı derin ve kapsamlı oldu; ilk teşekkürüm ona.

Kitabın yazımında severek bana yardım edenler var. Bunların başında, eşim Yıldız geliyor. Yıldız'ın mantığının gücünden ve gönlünün zenginliğinden her zaman etkilenirdim, bu kez de aynı duyguyu yaşadım. Kitabın her aşamasında, bana gece gündüz eşlik etti.

Yankı Yazgan, psikiyatr ve yazar. Aynı zamanda bir hobisi var, küçüklüğünden beri çizmekten hoşlanıyor ve kitaplarındaki çizimleri kendisi yapıyor. Bu kitap tasarım halindeyken, "Kitap için çizim yapmasını istesem..." diye düşündüm, düşündüğümü dile getirdim; gülümsedi, kabul etti, emek ve zaman verdi ve kitap zenginleşti.

Aşağıda isimlerini vereceğim kişilerin hepsi kitaba emek ve zaman verdi, onlardan çok yararlandım. Değişik meslekleri (üniversite öğrencisi, eğitim profesörü, psikoloji profesörü, terapist, yayıncı, yönetici, hukukçu, müftü, vergi dairesi başkanı, eğitim danışmanı, milletvekili, yurtdışında yaşayan girişimci) ve yaşları içeren bu kişilerin ortak yanı, değer verdiğim insanlar olmaları ve bu kitabın yazımına emek vermeleridir. İlk isimlerine göre alfabetik sıralayayım:

Ahmet Uyar, Cihan Günel, Ebru Üzümcü, Emre Pekçetinkaya, Evrim Çalkavur, Gizem Çil, Gürsel Yalçın, İhsan Özen, İrfan Erdoğan, Kadir Özer, Kemal Topçu, Lokman Ayva, Mustafa Yalçın, Nimet Mertan, Polat Doğru, Reşat Atalar, Sabiha Kocabıçak, Şevket Ertem, Umay Divi, Yavuz Durmuş, Yusuf Karabulut'a teşekkür ederim.

Kitap Remzi Kitabevi'ne teslim edildikten sonra başka bir ekip kolları sıvadı ve çalışmaya başladı. Onların bilincinin ve emeğinin kalitesi de kitabın bir parçası haline geldi. Kitabın gözden geçirilmiş ikinci baskısında ilgisini ve emeğini esirgemeyen Ömer Erduran'a, Öner Ciravoğlu'na, Fevzi Kılıçarslana'a ve editörüm Nezahat Arslan Palabıyık'a teşekkür ediyorum.

Kitapta Kullanılan Temel Kavramlar Sözlüğü

Ait olma baskın bilinç: (Bkz. Sen bilinci)

Algılama sorumluğu: Olaylara verdiği anlamın, olayın kendisinden değil, kişinin kendi algılamasından kaynaklandığının farkında olma.

Anlam verme sistemi: Kendini, diğerlerini, olayları, yaşamı, nesneleri, evreni algılamakta ve ilişkilendirmekte kullanılan bilişsel yapı.

Ben bilinci: Can gereksinmelerinin giderilmesinde baskın olarak kendini düşünme ve başkalarının gereksinmelerini önemsememe. (Bkz. Sen bilinci, Biz bilinci)

Bilgi: Malumat olarak belleğe kaydedilmiş verilerin, birbiriyle ilişkilendirilerek bir anlam kazanması. (Bkz. Malumat, Farkındalık)

Bilinç: Farkındalıkların birbiriyle ilişkilendirilmesiyle oluşmuş bilişsel sistem.

Biz bilinci: Varoluş gereksinmelerinin giderilmesinde hem kendinin, hem karşısındakinin hem de toplumun gereksinmelerini önemseme. (Bkz. Sen bilinci, Ben bilinci)

Can gereksinmeleri: Kişinin iç dünyasının sağlıklı olabilmesi ve bireyselliğinin gelişmesi için karşılanması gereken altı temel gereksinme: 1) Önemsenme; 2)Kabul edilme; 3) Değer verilme; 4) Güvenilme; 5) Sevilmeye layık görülme; 6) Ait olma-birey olma dengesidir.

Empati: Bir olaya, kendini bu olayı yaşayanın yerine koyarak bakma ve onun düşünsel ve duygusal süreçleriyle özdeşleşme; halden anlama.

Farkındalık: Varoluşta özümsenerek davranışa yansıyan, böylece bireyin yaşamında bir fark yaratan bilgi. (Bkz. Bilgi, Bilinç)

Hakkaniyet: Daha önceden belirlenmiş olan ilke ve kurallar çerçevesinde herkese adil davranma ilkesi.

Malumat: Belleğe kaydedilmiş, ezberlenmiş veriler. Malumat olarak kayıtlı her veri, diğer verilerden yalıtılmış olarak bellekte kendi başına kayıtlıdır. (Bkz. Bilgi)

Örtük bellek: Sözel içeriği olmayan, canın gereksinmeleriyle ilgili deneyimlerden oluşmuş duyguları barındıran bellek.

Sen bilinci: Can gereksinmelerinin giderilmesinde baskın olarak karşıdakini düşünme ve kendi gereksinmelerini önemsememe. (Bkz. Ben bilinci, Biz bilinci)